Maquette d'après François Féret
Photographie de couverture : Joss Dray

Où va le livre ?

OÙ VA LE LIVRE ?
ÉDITION 2002

Alban Cerisier, Roger Chartier,
Antoine Compagnon, Christine Détrez,
Philippe Lane, Élisabeth Parinet,
Christophe Pavlidès, Jean Perrot,
Ahmed Silem, Anne Simonin, Yves Surel

Direction Jean-Yves Mollier

La Dispute

ISBN : 2-84303-054-4

INTRODUCTION
Le livre à la croisée des chemins

À l'occasion de la précédente édition de ce volume, en mars 2000, nous posions la question : où va le livre ? en ajoutant que les nuages semblaient s'amonceler au-dessus du paysage éditorial. Deux ans plus tard, le constat est encore plus alarmant puisqu'en l'espace d'une année les deux géants qui dominent l'édition française ont encore grandi et que Flammarion est passé sous le contrôle du groupe italien Rizzoli-Corriere della sera. Pour s'en tenir à ce premier registre, celui de l'économie des biens culturels, Vivend-Universal, après l'absorption du canadien Seagram, est devenu un monstre pesant 30 milliards d'euros dans lequel la part du livre doit avoisiner 4 % de l'ensemble des actifs.[1] Chez Hachette, propriété de Lagardère Groupe, on a assisté à un scénario à la fois différent et comparable. Apparemment rien n'a changé du côté du livre – 6 % de cet empire en 1999 – mais Lagardère est

1. *Cf. Le Monde* des 21 juin, 23 juin, 15 juillet et 7 décembre 2000, ainsi que *L'Humanité* du 6 décembre et *Le Monde* du 8 décembre 2000 pour l'analyse d'un spécialiste, Pierre Musso, qui insiste sur la logique financière de cette opération.

entré en 2000 dans le capital de European Aeronautic Defense and Space (EADS), un conglomérat industriel possédant à la fois Airbus, Ariane Espace, des missiles de combat, des hélicoptères et des avions militaires (Rafale), et pesant 22,5 milliards d'euros.[2] Représentant 1 % de l'industrie nationale et 18 000 emplois dans la vision la plus optimiste[3], l'édition a produit un chiffre d'affaires de 15 milliards de francs, 17 avec les clubs en 2001, soit 2 à 2,5 milliards d'euros, ce qui rend compte de sa taille par rapport à ces figures de proue de l'industrie internationale.

Alors que les batailles pour la communication planétaire ont commencé, que le groupe AOL-Time Warner devance Vivendi Universal, lui-même second avant CBS-Viacom, on a vu le leader mondial de l'édition, Bertelsmann – son CA représente 35 milliards de francs dans ce seul secteur, soit le double de toute l'édition française –, à la fois rattrapé en 2000 par son passé nazi[4] et pris de vertige face à ses possibilités de s'emparer de Napster, son ennemi virtuel en matière de musique et de format MP3, pour ne pas dire de piratage du droit d'auteur, quitte, d'ailleurs, à s'en éloigner un an plus tard. Engagés, aspirés dans un maelström financier que dénoncent même certains actionnaires de ces groupes, Vivendi Universal, EADS[5] et Bertelsmann survivront-ils à leur passion dévorante : la recherche non plus d'une taille critique mais de l'embonpoint le plus impressionnant pour naviguer sur les eaux agitées de la nouvelle économie ? Nul n'est en mesure de répondre à cette interrogation, mais celle-ci amène à relativiser les craintes exprimées par André Schiffrin en 1999 dans son cri d'alarme, *L'Édition sans éditeurs*.[6] Le problème n'est plus vraiment de voir des gestionnaires incultes remplacer les véritables éditeurs à la tête des entreprises d'édition ou de leurs filiales mais d'assister à des recom-

2. Christophe Jakubyszun, *Le Monde*, 11 juillet 2000.

3. « Comment sortir de la crise ? », *Problèmes économiques*, n° 2665, 17 mai 2000, p. 10-14.

4. Philippe Ricard, « Une commission révèle la collaboration de Bertelsmann avec les nazis », *Le Monde* du 20 janvier 2000 rappelle que le groupe a édité plus du quart des ouvrages fournis à la Wehrmacht, soit plus de 20 millions d'exemplaires, pendant la guerre.

5. Nidam Abdi, *Libération*, 2 novembre 2000.

6. André Schiffrin, *L'Édition sans éditeurs*, La Fabrique, Paris, 1999.

positions stratégiques dans lesquelles, pour la première fois, le contenant a plus d'importance que le contenu, le tuyau que le liquide qu'il transporte, la bouteille en verre que l'alcool précieux qu'elle est censée conserver. À ce stade, l'ignorance du patron chargé de publier des livres serait presque un gage contre sa tentation d'imposer une orientation intellectuelle à ses collections!

Face à cette logique financière que réclament haut et fort les fonds de pension américains, majoritaires chez Vivendi Universal[7], l'interview qu'Arnaud Lagardère a accordée à *L'Humanité* le 15 septembre 2000 constitue tout autant un symbole qu'un démenti rassurant pour ses propres troupes. Alors que l'édition ne représentait que 7 à 8 % des actifs du groupe en 1998 et qu'en 1999 Hachette Filipacchi Média – l'empire de presse – valait 15,3 milliards de francs, soit autant à lui seul que toute la production de livres en France[8], son principal actionnaire entendait affirmer avec véhémence son opposition à la logique de «J6M.com»[9] – Jean-Marie Messier – ou des patrons de Bertelsmann. Dans son interview au quotidien communiste, laquelle précédait sa venue historique, le lendemain, à la fête de *L'Humanité*, Arnaud Lagardère disait clairement: «Notre stratégie n'est pas financière, mais industrielle»[10] et il s'employait à prouver sa bonne foi en rappelant que son père n'avait revendu aucune des parties du groupe éditorial, excepté les immeubles de la rue Réaumur et ceux des boulevards Saint-Germain et Saint-Michel.[11] Au-delà de l'aspect conjoncturel de cette déclaration, le cogérant du groupe Lagardère précisait encore que son intention était bien d'investir l'internet et d'être présent dans les combats liant la télévision, les services interactifs et l'internet mais avec une vision à dix

7. Pierre Musso, «Vivendi Universal: l'Amérique gagnante», *Le Monde* du 8 décembre 2000.

8. *Le Monde*, 24 novembre 2000.

9. J6M.com: «Jean-Marie Messier moi-même maître du monde», selon les persifleurs...

10. Arnaud Lagardère, *L'Humanité* du 15 septembre 2000. Cette phrase constitue le titre en gras barrant toute la page du quotidien.

11. On sait qu'en raison de la hausse considérable du prix des terrains à Paris après 1981, la rue Réaumur, siège des NMPP, a rapporté deux à trois fois à ses propriétaires ce qu'avait coûté le rachat des actions Hachette en 1980.

ou vingt ans plutôt qu'à très court terme, ce qui était encore une fois l'occasion idéale pour s'opposer aux logiques inhérentes aux gestionnaires des fonds de pension américains et, à travers eux, à son rival principal.

S'il est impossible d'aller au-delà de ce constat d'une orientation différente des deux géants du livre sur laquelle revient, dans ce volume, Ahmed Silem, il convient de prendre la mesure des autres changements intervenus en l'espace de deux ans.[12] La foire du livre de Francfort, le grand rendez-vous mondial de l'édition, a, en 2000, longuement commenté le rachat de Flammarion par l'Italien Rizzoli-Corriere della sera. L'étonnement est venu à la fois de la rapidité de l'opération, du mutisme qui l'avait précédée et du caractère inattendu de cette fusion.[13] Premier groupe de presse et d'édition en Italie, réalisant un chiffre d'affaires de 1,5 milliard d'euros en 1999, Rizzoli-Corriere della sera a mis 800 millions de francs dans la balance pour reprendre les 78 % d'actions de la famille Flammarion et venir s'installer en France, où il entend passer rapidement à l'offensive pour faire jeu égal avec les deux géants. Dans la corbeille du mariage, il a trouvé des cadeaux somptueux : la propriété du belge Casterman, 18 % des actions des PUF et 28 % de la holding financière d'Actes Sud[14], c'est-à-dire des participations dans la BD belge et française, le livre scolaire et universitaire, où il est déjà présent, et le roman, où il a de grandes ambitions, ainsi qu'un appareil de distribution des livres extrêmement rentable. Les synergies apparaissent donc incontestables, mais cette OPA amicale a surtout fait craindre aux observateurs et aux acteurs du livre qu'elle n'annonce des ententes similaires entre Albin Michel et Hachette, préfigurant peut-être un avenir difficile pour le groupe Gallimard lors du prochain décès d'un actionnaire familial. Plus fondamentalement, c'est la possibilité pour des groupes moyens de survivre ou pour des petits – comme l'était encore récemment Actes Sud – de

12. Ahmed Silem, chapitre II, et François Rouet, *Le Livre. Mutations d'une industrie culturelle*, La Documentation française, nouvelle édition, Paris, 2000, qui analyse l'évolution industrielle des dix dernières années.

13. *Cf. Livres Hebdo* du 20 octobre 2000 pour un récit circonstancié de cette opération.

14. *Cf.* Élisabeth Parinet, chapitre III, p.73.

devenir moyens qui est remise en question par cette disparition de la maison fondée par Ernest Flammarion en 1875.[15]

Compte tenu de ces évolutions et des mouvements qui ont continué à menacer la librairie indépendante ou de création – moins de 20 % du chiffre d'affaires de la commercialisation du livre en France –, il fallait donc, comme en 2000, consacrer la première partie de ce volume à l'économie du livre. Forte de 311 maisons dont le chiffre d'affaires dépasse 1 million de francs, l'édition française en compte 1 350 si on en croit, non plus le Syndicat national de l'édition (le SNL), mais le Centre national du livre (le CNL), c'est-à-dire le ministère de la Culture et de la Communication, ou 2000 à 3000 si on admet au rang d'éditeur quiconque – individu, entreprise, association ou administration – publie un livre de temps en temps.[16] Malgré le flou de ces analyses, une réalité s'impose : les deux géants se partagent 55 à 60 % du marché et les 300 premières maisons réalisent 95 % du chiffre d'affaires du secteur. Plus préoccupant pour beaucoup est le fait que la distribution réagit de plus en plus sur la conception des livres, que la librairie, entendue au sens moderne des géants de la commercialisation – Barnes and Noble aux États-Unis, W. H. Smith, Blackwell et Waterstone's en Grande-Bretagne, FNAC, Leclerc ou Virgin-Extrapole, c'est-à-dire Hachette, en France –, conditionne de plus en plus la stratégie des éditeurs les obligeant même, aux États-Unis ou en Grande-Bretagne, à payer leur mise en place dans les rayons. L'implantation de la FNAC en Belgique, en Italie, en Espagne, au Portugal, en Suisse et dans de nouvelles métropoles régionales en France inquiète les libraires et donne, pour certains, raison à André Schiffrin, la France adoptant généralement avec retard les innovations américaines survenues dix ans plus tôt.[17] La division syndicale du côté des libraires – la Fédération française syndicale de la librairie (FFSL) et le Syndicat de la librairie française (SLF) parlent de fusion

15. Élisabeth Parinet, *La Librairie Flammarion. 1875-1914*, IMEC-éditions, Paris, 1992.

16. Jean-Claude Baptiste-Marey, *Éloge des bibliothèques*, CFD/Helikon, Paris, 2000.

17. André Schiffrin, *L'Édition sans éditeurs*, *op. cit.*

mais ne s'y résolvent que lentement[18] – n'aide guère à la mobilisation, même si la profession a su se dresser et s'organiser, en 2000-2001, contre les rabais accordés aux centrales d'achat et aux municipalités à leur détriment et si elle est parvenue à prouver sa volonté de voir maintenue la politique du prix unique du livre – dite loi Lang – adoptée le 10 août 1981.

À cette première partie du volume qui rappelle aussi l'historique de ce secteur et ses mutations depuis deux siècles, ce qui évite les peurs irrationnelles ou les effets de grossissement dus à une perspective erronée[19], il convenait d'ajouter deux autres ensembles d'analyses, l'un consacré aux dynamismes et résistances de l'édition, l'autre aux acteurs du livre. Au nombre des points forts, on a maintenu l'édition de jeunesse, toujours aussi vigoureuse, même si le lancement controversé du quatrième tome des aventures de Harry Potter – 100 millions de volumes vendus dans le monde à l'été 2001[20] – a pu donner l'impression que la publicité sur les lieux de vente (PLV), ressemblait à celle des marques de lessive plutôt qu'à celle à laquelle le livre avait habitué jusqu'ici. Le Salon du livre de Montreuil – le dernier animé par sa fondatrice, Henriette Zoughebi, en 2000, et le suivant, orienté sur le livre de jeunesse dans les pays arabes – a réconcilié tous les partenaires de la librairie de jeunesse et prouvé, une nouvelle fois, qu'une politique de création demeure payante.[21] De même, l'édition régionale a-t-elle remporté son heure de gloire avec l'attribution du prix Nobel de littérature au franco-chinois Gao Xingjian et, à travers lui, à la maison qui a cru à ses qualités – Gallimard l'avait refusé, malgré les instances de Claude Roy –, les courageuses Éditions de L'Aube, qui auront vendu 200 000 exemplaires des volumes de leur auteur fin décembre 2000, ce qui leur permet de poursuivre leur développement. Toutefois, l'incertitude qui plane sur le devenir d'Actes Sud, dont les très mauvais résultats financiers en 1998 avaient justifié l'introduction de Flammarion dans le capital de sa holding, amène à nuancer ce constat.

18. Annie Favier, *Livres Hebdo*, 5 octobre 2001.

19. C'est le but du chapitre I de ce volume.

20. *Le Monde* du 30 novembre 2000 et du 30 novembre 2001 ou *Libération* et *L'Humanité* des 29 novembre 2000 et 29 novembre 2001.

21. *Cf.* le chapitre V, p. 109 *sq.*

Du côté des clubs, Bertelsmann et France Loisirs continuent à dominer le secteur, mais la rentabilité a considérablement diminué et Vivendi Universal Publishing a préféré abandonner à son partenaire allemand la recherche de la solution à la fuite accélérée des adhérents, 3,7 millions en 2001 contre 4,3 millions en 1985.[22] La librairie en ligne – la «webrairie» pour les amateurs forcenés de néologismes – apparaît comme la réponse appropriée à certains dans la mesure où elle reprend à son actif les formules de l'ancienne VPC – la vente par correspondance. Amazon.com s'est installée en fanfare en France à la fin de l'été 2000 pour manifester son intention d'apprendre aux Français les joies du commerce en ligne[23], mais il convient de rappeler que, pour le secteur livre, toute la librairie en ligne – FNAC incluse – ne représente que 0,7 % à 0,9 % du chiffre d'affaires et que, si elle parvient à le décupler en dix ans, elle portera sa part du gâteau à 8 % ce qui est loin de menacer ses concurrents, quoi qu'en aient dit certains médias. La densité de la librairie française et son tissu n'ont en effet rien à voir avec leur équivalent américain, et le club de livres n'est donc peut-être pas condamné à disparaître aussi vite qu'on l'avait cru. En revanche, le livre politique, tout comme son voisin du rayon des sciences humaines, est mal en point, victime du reflux de certaines idéologies, ce qui amène à redouter la censure de marché, plus dangereuse encore que les autres formes, dans la mesure où elle se contente ici de sanctionner le recul des ventes et d'enregistrer la courbe des résultats des super et hypermarchés et autres lieux de concentration des livres.[24]

C'est bien pourquoi le transfert de la décision éditoriale à la distribution serait un remède pire que le mal qu'il serait censé corriger puisqu'on substituerait à une logique de l'offre, qui a créé l'édition en tant que telle à la fin du XVIIIe siècle ou au début du suivant, la vieille logique de la demande, qui n'a jamais servi que les intérêts paresseux et corporatifs des mieux établis. Au nom d'une prétendue connaissance des besoins et des goûts du public ou d'une analyse de ses habitudes consuméristes dans les cathédrales de la marchandise, on fixerait des normes de

22. *Cf.* le chapitre VII, p. 155 *sq.*

23. Pascal Galinier et Alain Salles, «Le commerce électronique menace le prix unique», *Le Monde*, 30 août 2000.

24. *Cf.* les chapitres VIII, p. 181 *sq*, et IX, p. 197 *sq.*

présentation, de calibrage du produit qui tueraient le livre au lieu de le servir. De même que le fruit présenté en grande surface doit être sans défauts apparents et cueilli avant maturation, le roman serait insipide, sans odeur et sans saveur particulière. Le discours de Gao Xingjian à Stockholm est exemplaire sur ce point. Après avoir remercié les académiciens pour leur choix, l'écrivain rappelait que cette distinction venait récompenser à la fois «une littérature [...] qui n'a pas échappé à l'oppression politique» et une littérature «qui est restée irrémédiablement indépendante». Poursuivant son examen du contexte, il ajoutait avec pertinence: «Je vous remercie d'avoir donné ce prix le plus prestigieux à des œuvres éloignées des manipulations du marché, qui n'ont pas attiré l'attention, mais qui méritent d'être lues»[25], ce qui est sans doute l'analyse la plus pertinente produite depuis longtemps sur la situation propre au champ éditorial.

De même que les éditeurs dominant le secteur de la littérature générale avaient tous refusé le tome I d'*À la recherche du temps perdu* en 1913[26], que Calmann-Lévy a abandonné à Gallimard le lancement d'*Autant en emporte le vent* en 1938, *La Montagne de l'âme*, extraordinaire récit de Gao Xingjian, a subi douze refus consécutifs avant d'être acceptée par les éditions de L'Aube. Si l'on s'attarde ici sur cette étrange cécité, cette étonnante surdité des grandes maisons, de leurs lecteurs, directeurs de collection et tout-puissants patrons, c'est parce que l'on se retrouve dans une situation identique à celle de l'immédiat après-guerre, qui vit les jeunes Éditions du Seuil recueillir le bénéfice du lancement du *Petit Monde de Don Camillo* que onze grandes maisons avaient refusé comme indigne de leurs collections. Révélatrice des blocages inhérents aux effets de taille, cette affaire serait banale si l'on était persuadé que les éditions de L'Aube vont suivre le chemin de la NRF en 1919 ou des Éditions du Seuil en 1951. Or rien ne garantit évidemment que ce qui a profité aux deux entreprises précédentes dans des conditions très particulières – une sortie de guerre mondiale très éprouvante pour le marché du livre – entraînera la promotion auto-

25. Gao Xingjian, «Discours de réception pour le prix Nobel de littérature», *Le Monde* du 9 décembre 2000, p. 14.

26. Franck Chomeau et Alain Coelho, *Marcel Proust à la recherche d'un éditeur*, Olivier Orban, Paris, 1988.

matique de leur petite sœur dans la cour où se recréent les maisons d'édition qui ont quitté la zone des tempêtes et aspirent à venir disputer aux plus grandes des parts de marché importantes. Nous l'avons dit, en Grande-Bretagne, en Allemagne, aux États-Unis comme en France, on constate la disparition progressive des groupes moyens sans observer, dans le même temps, une aspiration des petites les plus dynamiques vers cette zone où l'on risque moins de sombrer corps et biens. Tel est probablement le changement le plus significatif de ces dernières années, ce qui amène à la fois à saluer avec insistance le courage, l'audace, l'intelligence et la sensibilité des éditions de L'Aube et à redouter que cette réussite ne soit guère suivie d'effets.

Pour prendre complètement la mesure de ces phénomènes et apprécier convenablement l'ampleur de ces mutations, la troisième partie du volume donne la parole aux acteurs du livre, lecteurs, bibliothécaires, pouvoirs publics et auteurs, ces artisans sans lesquels l'édition serait vouée à une disparition rapide. Depuis la publication de l'étude provocatrice de Marshall McLuhan, *La Galaxie Gutenberg*[27], de nombreux ouvrages ont paru pour mettre en garde contre les problèmes de la profession[28], analyser ses évolutions ou proposer des solutions aux difficultés mises à nu[29]. Du côté de la sociologie, de multiples travaux ont apporté leur pierre à l'œuvre collective, de la *Sociologie de la littérature* de Robert Escarpit, publié en 1958, ou de sa *Révolution du livre,* qui date de 1965, à la synthèse de Nicole Robine, *Lire des livres en France des années 1930 à 2000*[30], en passant par les travaux de Robert Estivals, contemporains des premiers, ou les enquêtes de Christian

27. Marshall McLuhan, *La Galaxie Gutenberg face à l'électronique* (1962), traduction française: Mame, Tours, 1967.

28. Paul Angoulvent, *L'Édition française au pied du mur,* PUF, Paris, 1960, ou, par exemple, Patrice Cahart, *Le Livre français a-t-il un avenir?,* La Documentation française, Paris, 1987.

29. On signalera ici le remarquable numéro hors série des *Cahiers de l'économie du livre* rédigé, en 1993, par Jean-Marie Bouvaist et intitulé *Crise et mutations dans l'édition française*, les autres publications de cette revue, l'ouvrage collectif dirigé par Pascal Fouché, *L'Édition française depuis 1945,* Cercle de la librairie, Paris, 1998, et les études proposées régulièrement dans *Livres Hebdo*.

30. Nicole Robine, *Lire des livres en France des années 1930 à 2000,* Éditions du Cercle de la librairie, Paris, 2000.

Baudelot et de son équipe ici évoquées[31]. L'*Histoire de l'édition française*[32], celle des *bibliothèques françaises*[33] et les innombrables travaux universitaires recensés depuis deux décennies apportent également quelques lumières sur ces phénomènes[34]. De même, les quatre enquêtes effectuées par le ministère de la Culture en 1974, 1982, 1990 et 1998 et publiées sous le titre *Les Pratiques culturelles des Français*[35] offrent-elles leur lot d'informations indispensables à quiconque entend donner son avis sur les acteurs de la vie du livre. Christine Détrez, qui a participé, avec Christian Baudelot et Marie Carpentier, à l'enquête pluriannuelle sur la lecture des lycéens, ouvre la dernière partie de ce volume en soulignant les paradoxes de la lecture aujourd'hui.[36] Moins valorisante qu'autrefois, plus scolaire et prosaïque, elle rencontre des concurrences redoutables, la sociabilité de la jeunesse, qui lui fait rechercher des loisirs collectifs plus que la télévision ou la musique, étant la principale. Les bibliothèques qui ont vu leurs efforts couronnés de succès au-delà de leurs espérances, font l'objet d'une attaque en règle sur laquelle revient longuement Christophe Pavlidès.[37]

Autrefois soutenues par les écrivains et les éditeurs qui assurèrent, de 1880 à 1960, le premier équipement de ces salles d'asile des plus démunis, les bibliothèques seraient devenues, pour leurs détracteurs du SNE et de la Société des gens de lettres (SGDL), des repères de nantis et de bons bourgeois indifférents au sort des écrivains. S'il est vrai que les plus pauvres ne sont pas les seuls à fréquenter bibliothèques et médiathèques aujourd'hui et que les sondages montrent que les moins favorisés par la nais-

31. *Cf.*, ici, le chapitre X et Christian Baudelot, Marie Carpentier, Christine Détrez, *Et pourtant ils lisent*, Le Seuil, Paris, 1999.

32. Roger Chartier et Henri-Jean Martin (sous la direction de), *Histoire de l'édition française*, réédition : Fayard, Paris, 1990-1991, 4 vol.

33. *Histoire des bibliothèques françaises*, Éditions du Cercle de la librairie, Paris, 1996-1997, 4 vol.

34. Voir Jean-Yves Mollier et Patricia Sorel, « L'histoire de l'édition, du livre et de la lecture en France aux XIXe-XXe siècles. Approche bibliographique », *Actes de la recherche en sciences sociales*, n° 126-127, 1999, p. 39-59, et la bibliographie présentée ici en fin d'ouvrage.

35. Olivier Donnat, *Les Pratiques culturelles des Français*, La Documentation française, Paris, 1998.

36. Christine Détrez, chapitre X, p. 215 *sq.*

37. Christophe Pavlidès, chapitre XI, p. 231 *sq.*

sance sont les plus disposés à voir les auteurs bénéficier d'une juste rémunération de leur travail[38], il n'en reste pas moins certain que pratiquer le paiement à l'acte de lecture provoquerait le même résultat que fermer les bibliothèques et rouvrir les cabinets de lecture payants. Pour éviter ces solutions extrêmes et ces scénarios catastrophe, une négociation est engagée avec le ministère de la Culture pour trouver des réponses qui satisfassent auteurs, éditeurs, lecteurs, bibliothécaires, libraires et pouvoirs publics. Déjà fortement sollicités, ceux-ci peuvent-ils absorber tout le surcroît de dépenses qu'imposerait le strict respect de la directive européenne de 1992 ? S'ils doivent cesser d'acheter les livres en bénéficiant de rabais préjudiciables aux libraires de proximité 25 à 40 % selon le cas – et, en plus, acquérir les volumes destinés aux bibliothèques municipales à un prix supérieur à celui pratiqué généralement, on risque d'asphyxier le premier acquéreur de livres du pays – un quart probablement des 350 millions de volumes vendus annuellement passe par le secteur public[39] – et l'empêcher de continuer à remplir son rôle d'auxiliaire prioritaire de la création.

L'État, loin d'être passif ou neutre dans le domaine du livre et de la lecture, est de plus en plus sommé de toutes parts de prendre des décisions conservatoires et d'agir pour aider toutes les parties à résoudre leurs difficultés les plus criantes. Yves Surel étudie la genèse de cette intervention, son déploiement après 1981 et les relais qu'elle trouve auprès des DRAC ou des conseils régionaux et généraux.[40] L'effort consenti peut sans doute être augmenté, mieux réparti et davantage orienté vers ceux qui en ont le plus besoin, mais tout ne dépend pas de l'instance collective, le lecteur et l'auteur demeurant les deux clés déterminantes de ces problèmes. Le premier, évoqué par Roger Chartier, est confronté à une troisième

38. Jean-Claude Baptiste-Marey, *Éloge des bibliothèques*, *op. cit.*, et Christophe Pavlidès, chapitre XI, font l'un et l'autre le point sur cette question.

39. *Cf.* à ce sujet : « Les dépenses culturelles des collectivités territoriales en 1996 », *in Développement culturel*, bulletin du département des études et de la prospective du ministère de la Culture et de la Communication, numéro hors série, octobre 2000, qui rappelle que les collectivités ont dépensé plus de 30 milliards de francs en 1996, soit deux fois plus que le CA de la seule édition nationale, pour la culture.

40. Yves Surel, chapitre XII, p. 255 *sq.*

révolution des manières de lire, avec l'apparition de l'ordinateur, des « e-books » ou « cy-books » et autres machines à écrans plats. Déroutantes, parfois décrites en termes de concurrence absolue, ces innovations trouveront sans doute ultérieurement leurs publics spécifiques et leurs littératures adaptées à ces supports. Pour le moment, elles étonnent, fascinent[41] ou provoquent des réactions de rejet, mais, loin d'être appelé à disparaître, le lecteur demeure cet animal étrange doué du pouvoir de faire vivre les livres – manuscrits, imprimés ou électroniques –, et les raisons de pronostiquer sa disparition semblent relever de la divination ou de l'incantation verbale.

Dick Brass a bien annoncé, au 26e Congrès de l'Union internationale des éditeurs, qui s'est déroulé à Buenos Aires en mai 2000, la disparition du journal papier et du livre papier pour 2018[42], mais la venue, deux jours après, à la même tribune, des inventeurs du « real-book », le livre électronique le plus semblable à l'ancienne forme du livre[43], a sérieusement ralenti les ardeurs du vice-président de Microsoft et, surtout, permis de ramener le débat à son niveau antérieur. La lecture, activité individuelle et en grande partie solitaire, est aujourd'hui une pratique culturelle parmi d'autres et non plus la seule ou la plus valorisante. C'est dans cet univers où l'ordinateur, l'écran de télévision, le baladeur musical et tant d'autres supports de l'évasion, du rêve et du loisir coexistent qu'elle doit trouver sa place ou la redéfinir. Il lui appartient de le faire sans prétendre écraser de sa superbe ses concurrents, puisque cela ne sert désormais à rien et ne convainc plus les jeunes générations. Il lui faut, au contraire, trouver de nouvelles raisons pour rallier à sa bannière de nouveaux publics, et c'est probablement en admettant la complémentarité de la lecture avec l'utilisation de l'ordinateur qu'elle y parviendra.

Dans un monde où l'analphabétisme, loin de régresser, concerne encore un milliard d'individus, où l'illettrisme est redécouvert par la minorité de pays riches qui croyaient avoir éradiqué ce fléau[44], où l'Afrique et l'Asie

41. Philippe Breton, *La Religion de l'Internet*, La Découverte, Paris, 2000.

42. Voir Roger Chartier, « Édition et numérique : révolution dans la révolution », *Le Monde*, 12 mai 2000.

43. *Ibidem*.

44. Emilia Ferreiro au 26e Congrès de l'UIE, *Le Monde*, 12 mai 2000.

sont sous-équipées en bibliothèques publiques et universitaires, il reste incontestablement un immense espace pour le livre. Encore faut-il que chacun soit persuadé ou veuille bien admettre que l'ordinateur ne peut pas remplacer le cahier imprimé – le codex –, que la numérisation des données n'est qu'une solution, non la panacée, et que, par conséquent, lire des livres demeure une activité légitime, non obsolète, non condamnée par l'évolution des techniques et irremplaçable en termes de défense des libertés de l'individu. Là où, de plus en plus, l'internaute sera tributaire de moteurs de recherches sophistiqués et puissants, qui monteront la garde à l'entrée des tuyaux de la communication, le livre continuera à offrir sa disponibilité. La bibliothèque en libre accès, les meubles ou étagères des appartements modernes conserveront longtemps cette faculté et, si l'on sait s'en saisir, accorderont à tous ceux qui le souhaiteront cette liberté que l'écran, avec son défilement linéaire et ses contraintes physiques, ne remplacera jamais.

Jean-Yves Mollier

Première partie

L'économie du livre

CHAPITRE PREMIER

L'évolution du système éditorial français depuis l'*Encyclopédie* de Diderot

L'existence de deux conglomérats dans l'édition française, depuis les années 1980-1988, a longtemps fait croire aux commentateurs que des bouleversements considérables, inspirés du modèle américain légèrement antérieur, avaient modifié de fond en comble le visage d'une nation jusque-là considérée comme littéraire entre toutes.[1] Sans nier l'importance des mutations qui se produisent dans cette période, à bien des égards climatérique, il faut remonter plus en amont, jusqu'aux changements intervenus dans la deuxième moitié du XVIIIe siècle, si l'on veut comprendre la structuration d'un système qui imposera au monde l'image trompeuse selon laquelle la littérature constitue l'essence même de la production des livres. Longtemps concentrée sur la fabrication de livres religieux ou juridiques, l'imprimerie n'avait pratiquement pas changé depuis sa mise au point par Gutenberg dans les années 1450. L'engouement rencontré par le *Dictionnaire*

1. Priscilla P. Ferguson, *La France, nation littéraire*, Labor, Bruxelles, 1991.

raisonné des arts et des sciences en 1751 obligea les libraires qui en étaient les promoteurs à tenter, pour la première fois à grande échelle, de substituer à la logique de la demande sociale celle, révolutionnaire, de l'offre de produits nouveaux susceptibles de faire naître un besoin. C'était anticiper, de façon empirique, sur le XIXe siècle et sur les pratiques qui seront celles de Louis Hachette, l'homme qui permit à la France de rattraper les deux empires mondiaux du livre du moment, l'anglais et le germanique.

Avec ce personnage mythique[2], l'espace culturel national accomplit une véritable mue, puisque l'apparition du type social que constitue l'éditeur – prototype du Gaston Gallimard de la légende[3] – est rapidement éclipsée par l'émergence souterraine de l'entreprise éditoriale, sorte de monstre qui effraie les observateurs les plus lucides, de Charles Baudelaire aux frères Goncourt[4]. Toutefois, le mythe de l'éditeur romantique, entrepreneur audacieux, certes, et capitaine d'industrie, mais surtout mécène des lettres dominé par son ambition intellectuelle de servir les intérêts des phares de la littérature, des mages du XIXe siècle, de Lamartine et Hugo à Zola, obscurcira pour une longue période ce processus de maturation en profondeur d'un système. L'entrée permanente de nouveaux éditeurs qui semblent reproduire le modèle initial, des Fayard et Flammarion des années 1855-1875 aux Gallimard, Grasset et Denoël du début du XXe siècle, voire René Julliard, Robert Laffont et Hubert Nyssen de l'après-Seconde Guerre mondiale, renforce l'illusion créée par un univers apparemment immobile où l'initiative privée semble capable de briser tous les déterminismes et de se rire des rigidités structurelles apportées par le temps. À suivre cette leçon, omniprésente dans les histoires littéraires publiées avant 1990, au fur et à mesure que les maisons d'édition les plus anciennes perdent leurs capacités de repérer les talents en herbe, de nouveaux professionnels prennent leur place, publiant les avant-gardes, celles de la *NRF* en 1909, des revues surréalistes après

2. Jean-Yves Mollier, *Louis Hachette (1800-1864). Le fondateur d'un empire*, Fayard, Paris, 1999.

3. Pierre Assouline, *Gaston Gallimard*, Balland, Paris, 1984.

4. Jean-Yves Mollier, *Louis Hachette…*, *op. cit.*, et *L'Argent et les lettres. Histoire du capitalisme d'édition. 1880-1920*, Fayard, Paris, 1988.

1919 ou des *Temps modernes* après 1945. La constitution des deux géants du livre, Matra-Hachette en 1980, puis le Groupe de la Cité en 1987, marquerait donc bien une rupture dans l'histoire culturelle du pays, la vieille «nation littéraire»[5] rejoignant contre son gré à la fin du second millénaire le modèle de développement annoncé par le grand frère américain.

Le temps des éditeurs

L'*Histoire de l'édition française*[6], premier monument du genre édifié dans le monde et vivant témoignage de la fécondité d'une recherche lancée par Lucien Febvre en 1952[7], a situé avec raison dans les années 1830 l'immense mutation qui aboutit à faire de l'éditeur la plaque tournante des métiers du livre. Balzac l'avait pressenti en créant le personnage du libraire du Palais-Royal, le Dauriat des *Illusions perdues*, devant qui s'inclinaient humblement marchands de papier, imprimeurs, commissionnaires – les distributeurs d'aujourd'hui – libraires et auteurs. La rupture était nette avec l'Ancien Régime, qui voyait un Voltaire abandonner sans regrets ses manuscrits à son marchand, souvent imprimeur, un commerçant sans véritable politique culturelle et encore moins conscient de l'urgence d'élaborer une stratégie éditoriale digne de ce nom. Le repérage d'une première coupure historique se justifie d'autant plus que le système technique qui soustend la mise au point des volumes n'avait pratiquement pas changé de Gutenberg à l'introduction de la vapeur dans les imprimeries aux environs de 1820-1830, soit pendant près de quatre siècles. Dans le premier tiers du XIXe siècle, la fabrication du papier en continu, et non plus en feuilles, l'apparition des mécaniques anglaises qui démultiplient le travail humain, la stéréotypie et la lithographie bouleversent de fond en comble les conditions de production des livres. L'introduction des rota-

5. Priscilla P. Ferguson, *La France, nation littéraire*, *op. cit.*, date de l'enterrement de Jean-Paul Sartre, précisément en 1980, l'achèvement de ce cycle historique qui faisait de la France un pays à part dans le monde.

6. Roger Chartier et Henri-Jean Martin (sous la direction de), *Histoire de l'édition française*, *op. cit.*

7. Lucien Febvre et Henri-Jean Martin, *L'Apparition du livre*, Albin Michel, Paris, 1958.

tives, après 1850, des monotypes et des linotypes, après 1880, de la photographie au même moment, ne fera que parachever un édifice radicalement différent du précédent.

Les technologies sont effectivement un élément fondamental des modifications qui se produisent dans le déroulement de l'histoire industrielle. Elles n'expliquent cependant pas tout et risquent de faire privilégier la destinée de l'infrastructure au détriment des facteurs humains. Or, avec l'avènement de l'*Encyclopédie* de Diderot et d'Alembert se produisent les premiers craquements significatifs du changement dans le monde apparemment clos de la librairie traditionnelle. Régie par les règlements des corporations, endogame et malthusienne, la Chambre syndicale des libraires du XVIIIe siècle récuse toute innovation et lutte pour maintenir en vigueur les privilèges royaux dont elle bénéficie. Loin de s'opposer à son épanouissement, la censure lui évite d'entrer trop précocement dans l'univers du marché, de la libre concurrence où s'enfonce l'Angleterre, ce qui lui permet de maintenir la prédominance de ses dynasties de grands libraires, Paris ayant pratiquement étouffé la création provinciale grâce à sa proximité avec le pouvoir.[8] *L'Encyclopédie* provoque une explosion dans cet univers en propulsant sur le devant de la scène la figure moderne du grand éditeur, ni imprimeur ni libraire, mais patron d'une entreprise dynamique, utilisant les ressources de la publicité pour créer des besoins dans le public et dominant les hommes de lettres dont il assure l'existence matérielle par le biais de commandes de travaux à intervalles réguliers. Plus que Le Breton, premier éditeur de cette gigantesque collection de livres, c'est Charles Joseph Panckoucke, son repreneur, qui incarne cette mutation brutale du système dans les années 1760-1780[9]. Au total, ce sont plus de vingt-quatre mille séries complètes qui circulent en Europe avant la Révolution, et tout aura été fait pour arracher cette entreprise au cercle des lecteurs aristocratiques auquel elle semblait promise

8. Roger Chartier et Henri-Jean Martin (sous la direction de), *Histoire de l'édition française, op. cit.*, tome II, pour des aperçus sur l'évolution du système du XVIe au XVIIIe siècle.

9. Robert Darnton, *L'Aventure de l'Encyclopédie*, Librairie académique Perrin, Paris, 1981, pour la traduction française, et Jean-Yves Mollier, *L'Argent et les lettres..., op. cit.*, chapitres I et II.

par son format et son prix. La déclinaison de la collection en versions plus portatives et moins onéreuses fut l'une des clés du succès, l'internationalisation de sa fabrication, de son financement et de son placement, une autre, l'utilisation judicieuse des journaux et gazettes pour en assurer la promotion s'avérant également déterminante.

La révolution politique de 1789 interrompit la dynamique enclenchée dans la mesure où la libéralisation immédiate des professions du livre se heurta dès 1810 à la volonté napoléonienne de les réglementer et de contrôler strictement la circulation des imprimés. Jusqu'en 1870, par conséquent, le nombre des imprimeurs sera limité et celui des éditeurs contingenté afin de faciliter la tâche aux policiers chargés de les surveiller. Le risque était grand de voir l'édition stagner ou s'effacer devant la concurrence internationale après 1815, Londres et Leipzig étant devenues les deux capitales de l'imprimé sur le continent. L'introduction du machinisme, après cette date, et l'entrée dans la profession d'hommes neufs, sans attaches avec la librairie d'Ancien Régime, désireux de faire fortune et de s'élever socialement, allaient servir de contrepoids à l'inertie des structures et permettre à ces éditeurs *self made men* de bousculer les habitudes. La cherté des livres était le principal obstacle, parce qu'elle éloignait de la lecture la masse des consommateurs potentiels. Or, en une quinzaine d'années, de 1838 à 1853, le prix des principales collections chuta de 15 F à 1 F en moyenne, les tirages s'élevant parallèlement de 1 000 à 6 600 exemplaires.[10] À cette œuvre s'attachèrent les plus grands noms de l'édition moderne, Gervais Charpentier et sa bibliothèque emblématique[11] en 1838, Michel Lévy et sa « Bibliothèque contemporaine » en 1846 et Louis Hachette et sa « Bibliothèque des chemins de fer » en 1853, toutes collections ancêtres authentiques, avec la « Collection Michel Lévy » à 1 F le volume de 1855, du livre de poche créé en 1953.[12]

10. Jean-Yves Mollier, *Louis Hachette…*, *op. cit.*, pour une vue d'ensemble de ces évolutions, ainsi que « Les mutations de l'espace éditorial français du XVIIIe au XXe siècle », *Actes de la recherche en sciences sociales*, n° 126-127, mars 1999, p. 29-38, pour des exemples précis.

11. Le terme désigne à l'époque les collections, telle la « Bibliothèque rose » où s'illustre la comtesse de Ségur.

12. Jean-Yves Mollier, *Michel et Calmann Lévy ou la naissance de l'édition moderne (1836-1891)*, Calmann-Lévy, Paris, 1984, et Isabelle Olivero, *L'Invention de la collection*, IMEC-éditions, Paris, 1999.

Chefs d'entreprise au tempérament schumpetérien, toujours à l'affût de la novation et du changement, capitaines d'industrie et bâtisseurs de fortunes considérables en un temps où l'imprimé représente 10 % de la production nationale, ces hommes ne séparaient pas la motivation financière, le désir d'enrichissement personnel, de leurs projets culturels. Louis Hachette prit sa revanche sur le pouvoir qui l'avait chassé de l'École normale supérieure en continuant à enseigner par le livre scolaire et universitaire, Michel Lévy entendait créer un besoin de lecture aussi fort que celui de nourriture ou de boisson, et tous misaient sur les progrès de l'alphabétisation, sur la réforme de l'instruction universelle, sur le développement de la presse, des magazines et des bibliothèques populaires pour étendre les limites de leur empire. Parfois réactionnaires en politique mais surtout conservateurs et rarement républicains – sauf de brillantes exceptions, Hetzel, Pagnerre, Larousse et Maurice Lachâtre, l'éditeur du *Capital* –, ces hommes d'ordre croyaient au progrès des sociétés, aux bienfaits de la lecture, au développement intellectuel de la masse de leurs concitoyens, ce qui les poussa à achever de substituer la logique de l'offre à celle de la demande. Il ne s'agissait plus d'attendre que le public exprime ses desiderata pour lui offrir les livres concernés. Il fallait anticiper les marchés à venir, créer des gammes de produits attirantes – guides de voyage, livres pratiques, collections de romans à bon marché, dictionnaires, manuels scolaires – et aller sans cesse au devant des lecteurs pour continuer à se développer. Là où l'Angleterre pouvait compter sur son bassin linguistique de dimension mondiale et l'Allemagne sur sa croissance démographique, la France ne pouvait miser que sur les progrès de la lecture extensive, l'accroissement du nombre de livres lus par la même personne, ce qui était sans aucun doute déclencher une révolution dans les pratiques culturelles.

LA MAISON D'ÉDITION, PARAVENT DE L'ENTREPRISE ÉDITORIALE

Aujourd'hui encore, il subsiste des traces trompeuses de cette époque où l'éditeur recevait ses auteurs à sa table, dans son château ou son hôtel particulier, dans sa loge à l'opéra ou à la chasse sur ses terres, et le terme de «maison» demeure d'un usage répandu dans le monde des livres. En revanche, nul ne songerait à l'utiliser pour désigner une usine textile ou métallurgique, encore moins des mines ou des puits de pétrole. La sociolinguistique permet de mieux saisir la spécificité de cet univers qui fait du livre à la fois un produit matériel, fabriqué industriellement sur machines Cameron et livré en packs comme des cannettes de Coca-Cola[13] et un objet culturel irréductible à cette seule dimension. Gallimard a beau être devenu un groupe puissant, on continue à parler de la «librairie» de la rue Sébastien-Bottin, comme s'il s'agissait du petit Comptoir d'éditions de 1911, ou de la «librairie» Fayard, de la rue des Saints-Pères, alors que celle-ci est une filiale à 100 % du géant Hachette-Livre, morceau de l'empire Matra-Lagardère. De plus, la naissance permanente de nouveaux éditeurs, Hubert Nyssen et Actes Sud après 1978, Viviane Hamy, Odile Jacob, Anne-Marie Métailié ou Jacqueline Chambon plus récemment[14], semble maintenir l'édition en dehors de la sphère économique en lui épargnant les travers du gigantisme, de la rationalité méthodique et des contraintes du management. Tout au plus veut-on bien considérer qu'un changement s'est produit depuis vingt ans, mais il paraît difficile d'admettre que l'auteur avait commencé à disparaître chez Hachette et Cie autour de 1850-1855 et que la loi d'airain du capital avait fait naître un prix d'équilibre du manuscrit acheté au forfait autour de 400 F le volume, prix payé à la comtesse de Ségur et à Flaubert dans ces années où la révolution industrielle bouleversait les structures de la France.[15]

En fait, le premier véritable industriel du livre, Louis Hachette, a attaché son nom à la réforme de l'instruction universelle mise en place par Guizot en 1833. Inventeur du marché du manuel scolaire destiné aux enfants de l'école élémentaire, il a conçu des volumes imprimés à des

13. Une moderne machine Cameron livre les volumes emballés sous film plastique après avoir procédé à toutes les opérations d'impression, de collage, de brochage et de séchage du papier.

14. Pierre Bourdieu, «Une révolution conservatrice dans l'édition», *Actes de la recherche en sciences sociales*, n° 126-127, *op. cit.*, p. 3-28.

15. *Cf.* Jean-Yves Mollier, *Louis Hachette, op. cit.,* pour ces exemples précis. Gustave Flaubert vendit 800 F à Michel Lévy les deux tomes de *Madame Bovary* en 1857, soit 400 F le volume, tandis que Louis Hachette proposait 500 F à la comtesse de Ségur pour ses premiers contes destinés aux enfants.

centaines de milliers d'exemplaires, le premier best-seller de l'histoire, *L'Alphabet et premier livre de lecture*, étant acheté par l'État à hauteur d'un million d'exemplaires en 1832-1834. Avec ces commandes massives de la part du pouvoir central, on sort de l'artisanat, de la routine, et on entre dans le règne de la production planifiée, méthodique, rationnelle, des livres. L'éditeur n'achète plus ses manuscrits à des auteurs travaillant dans le silence de leur cabinet. Il les commande et les fait exécuter en fonction des instructions ministérielles, des programmes officiels et ne souffre pas la moindre fantaisie dans leur élaboration ni le plus minime retard dans leur fabrication. La commande éditoriale provoque une rupture dans l'univers du livre. Un cahier des charges est imposé à l'auteur, qui doit se plier aux exigences du donneur d'ordres ou renoncer à publier. Le maître d'œuvre se réserve le droit de rectifier le manuscrit, de l'élaguer, de le modifier au gré des besoins et des contraintes du marché, les nouvelles éditions successives étant confiées à d'autres rédacteurs alors même que le nom du premier auteur, en général choisi en raison de sa notoriété, de son capital symbolique fort, demeure inchangé sur la couverture.

Cette mutation de la notion d'auteur, d'abord circonscrite au domaine du livre de classe, passe après 1852 à la littérature générale. Devenu le premier diffuseur et distributeur de livres de divertissement avec la mise en place des bibliothèques de gare en 1853 – les futurs relais H –, Louis Hachette se fit éditeur de romans, de guides de voyage, de livres pratiques qu'il rangea dans les sept séries de sa collection phare, la « Bibliothèque des chemins de fer »[16]. Rejetant l'amateurisme et l'approximation, il invente au même moment les directeurs littéraires appointés pour le seconder et recruter une armée d'écrivains qui travailleront tous sous la direction de leur mentor. On continuera à acheter éventuellement des manuscrits proposés par les auteurs mais, dans la plupart des cas, la commande aura précédé l'écriture et profondément transformé celle-ci. L'éditeur – le *publisher* – ou son représentant – l'*editor*[17] – définit a priori les standards de sa collection et les transmet à l'exécutant, le rédacteur de guides ou de livres

16. *Ibidem*, 2e partie.

17. La langue anglaise distingue deux fonctions là où le français se contente du terme vague et polysémique d'éditeur.

pratiques qui devra se plier à toutes les contraintes du genre et accepter que son texte soit révisé pour le faire ressembler aux volumes de la série dans laquelle il entre. Ainsi le livre commence-t-il à s'écarter singulièrement de ce qu'il était auparavant et à s'éloigner insensiblement du modèle littéraire encore prégnant et dominant grâce à la célébrité des grands écrivains romantiques.

La société L. Hachette et Cie, restructurée en ces années 1852-1857, n'est plus la maison d'un éditeur unique qui disposerait du temps nécessaire à la réception de ses auteurs. Elle s'est transformée en une grosse entreprise employant des centaines de commis, vendant des livres dans tout le pays, les exportant un peu partout dans le monde, et cherchant à étendre toujours plus sa domination sur ce secteur de l'économie. Comparable à la firme anglaise W. H. Smith à qui elle avait emprunté le concept des kiosques installés dans les gares, mais concentrant davantage que ses concurrentes anglaises ou allemandes les fonctions d'éditeur, de diffuseur et, après 1900, de distributeur par l'absorption des principales messageries parisiennes[18], la «pieuvre»[19] a étendu ses tentacules au point de susciter un débat au Parlement à propos du monopole de fait dont elle jouit[20]. La centralisation très ancienne de l'État français, antérieure à la mise en place du jacobinisme, a admirablement servi le projet de Louis Hachette et a permis à la France de faire surgir la première entreprise d'édition du siècle, laissant loin derrière elle les maisons rivales installées en Grande-Bretagne ou en Allemagne, et a fortiori dans l'Europe du Sud et de l'Est, très en retard sur l'alphabétisation achevée au nord et à l'ouest du continent. La suite de cette aventure est logique : transformée avant toutes les autres en société anonyme en 1919, ouvrant son conseil d'administration à la Banque de Paris et des Pays-Bas l'année suivante, la société Hachette introduisait les actions de son capital à la Bourse de Paris en 1922 et en cédait une partie à la banque associée à ses destinées cette année-là.

18. Élisabeth Parinet, «Les bibliothèques de gare, un nouveau réseau pour le livre», *Romantisme*, n° 80/1993, p. 97-106.

19. Gabriel Enkiri, *Hachette, la pieuvre : témoignage d'un militant CFDT*, Gît-le Cœur, Paris, 1972.

20. Élisabeth Parinet, «Les bibliothèques de gare...», article cité.

Le temps des concentrations

En partie exceptionnelle et atypique, puisqu'elle s'écarte apparemment du modèle de développement des autres maisons d'édition françaises, demeurées strictement familiales et préférant la forme juridique de la SARL, créée en 1925, à la SA, jugée moins apte à préserver l'autorité des héritiers, la société L. Hachette et Cie a suivi l'itinéraire des grosses papeteries et imprimeries modernes, elles aussi transformées en sociétés anonymes et ouvertes au capital bancaire, la Société générale dominant chez Chaix et le Comptoir d'escompte de Paris aux Imprimeries réunies dès les années 1880.[21] En avance sur son temps mais imposant peu à peu son dynamisme à d'autres grands ensembles, Larousse après 1885[22], Flammarion, qui choisit, lui, la concentration horizontale par achat successif de multiples succursales de vente, à Paris et en province[23], ou Gallimard, dont la croissance est soutenue après 1919, date à laquelle les fondateurs, Gide et Schlumberger, cèdent la main à leur ancien gérant[24], la société Hachette absorbe les éditions Hetzel en 1914, Pierre Lafitte, deux ans plus tard, La Pléiade, créée par Jacques Schiffrin et José Corti, en 1930, et Tallandier en 1932. Le mouvement reprendra après la phase de concentration verticale de la Libération, qui voit la firme du quartier Latin s'installer aux commandes des NMPP – la presse dégageant davantage de profits que le livre. Tour à tour, Le Chêne, éditeur d'art, en 1951, Grasset en 1954, Fayard en 1958, Fasquelle en 1959, Stock en 1961, La librairie des Champs-Elysées et sa collection « Le Masque » en 1971 et Marabout en 1976 viendront compléter la panoplie d'un éditeur qui a initié, en 1953, la révolution du livre de poche[25]. Un militant de la CFDT, Gabriel Enkiri, par ailleurs employé du groupe, ne cesse d'alerter l'opinion

21. Jean-Yves Mollier, *L'Argent et les lettres…, op. cit.*, chapitre VI.

22. *Ibidem*, chapitre IX.

23. Élisabeth Parinet, *La Librairie Flammarion. 1875. 1914, op. cit.*

24. Pierre Assouline, *Gaston Gallimard, op. cit.*

25. Voir Pascal Fouché (sous la direction de), *L'Édition française depuis 1945, op. cit.*, pour tous ces faits, et Aurélie Pagnier, *Le Livre de poche : histoire des premières années d'une collection (1953-1961)*, mémoire de DEA d'histoire, sous la direction de Jean-François Sirinelli, IEP de Paris, 2000.

sur les dangers que fait courir le géant du livre[26], et les économistes décrivent cette entreprise, dans leur langage coloré, comme un « oligopole à frange »[27] ; le PCF dans le cadre de sa théorie du capitalisme monopoliste d'État, ou CME, la soupçonne de se conduire comme un monopole bénéficiant de la bienveillance des pouvoirs publics[28].

Le mouvement de concentration s'était accéléré dans les années 1960-1970, et Gallimard avait repris Denoël en 1951, Le Mercure de France et La Table ronde qu'elle revendra plus tard, en 1958, tandis que des maisons comme Plon, Hatier et Dalloz, qui s'empare de Sirey en 1964, s'inscrivent dans ce mouvement. Un nouveau venu qui a racheté en 1942 les Éditions Albert Ier, Sven Nielsen, est en train de construire un nouvel empire, à partir des Presses de la Cité, fondées en 1947. Il rachète la Librairie académique Perrin en 1959, Solar en 1960, Rouge et Or en 1961, Fleuve noir en 1962 et Plon en 1966, grâce à l'entremise de l'Union générale financière et immobilière. À l'occasion de cette même opération, la maison créée par René Julliard tombe dans son escarcelle, ce qui lui permet de s'emparer de l'Union générale d'édition et de sa collection emblématique « 10/18 », créée par Paul Chantrel en 1962.[29] À regarder de près ces mécanismes, on comprend que la situation de la France commence à ressembler à celle des pays anglo-saxons, où de puissants ensembles se constituent à la même époque. Bertelsmann en Allemagne, Mondadori en Italie, Reed Elsevier et Wolters-Kluwer en Angleterre et aux Pays-Bas[30], ainsi que Time-Warner et Paramount-Simon and Schuster aux États-

26. Gabriel Enkiri, *Hachette, la pieuvre...*, *op. cit.*

27. Bénédicte Reynaud-Crescent, *L'Évolution de la structure de la branche d'édition de livres en France*, doctorat de sciences économiques, Paris I, 1982.

28. Antoine Spire et Jean-Pierre Viala, *La Bataille du livre*, Éditions sociales, Paris, 1976.

29. Le montage financier complexe opéré en 1966 montre que c'est l'Union de transports et de participations qui possédait le plus d'actions de Plon et la totalité de l'UGE et que la Société algérienne foncière et d'équipement était également actionnaire de Plon. *Cf.* Michèle Piquard, *L'Édition pour la jeunesse en France de 1945 à 1980*, thèse de doctorat des sciences de l'information et de la communication, sous la direction de Michael Palmer, université Paris III, 1999, tome I, p. 141.

30. Reed Elsevier et Wolters-Kluwer ont fusionné en octobre 1997 pour donner naissance au premier groupe mondial d'édition et de presse professionnelles mais ont rapidement renoncé à ce « mariage ».

Unis.[31] La différence essentielle réside cependant dans le fait que ce sont déjà, hors de France, des groupes spécialisés dans la communication – le cinéma et la presse pour plusieurs d'entre eux – qui commencent à remplacer les géants de l'industrie, General Electric, RCA, Westinghouse, IBM, ITT ou Xerox, qui s'étaient un temps intéressés à l'économie du livre.[32]

Le premier acteur d'envergure de ce secteur en pointe est précisément la Compagnie européenne d'édition, dite CEP Communication, une filiale de Havas spécialisée jusqu'en 1979 dans la presse scientifique et technique. À partir de cette année-là, elle se lance dans la bataille pour disputer à Hachette sa suprématie dans l'univers du livre. Les éditions Nathan et les éditions Bordas sont l'objet d'un premier raid, suivies par la maison Larousse en 1984, ce qui fait de CEP Communication le second groupe français derrière Hachette, mais il est alors talonné de près par les Presses de la Cité, qui, en 1985, ont repris Dunod et Gauthier-Villars, un groupe constitué avec l'aide de Paribas, ainsi que les éditions Garnier et MDI.[33] Au milieu des années 1980, un autre ensemble se révèle très dynamique, le futur groupe Masson, au départ spécialisé dans l'édition médicale et scientifique, qui rachète Armand Colin en 1987 et le groupe Belfond-Presses de la Renaissance en 1989. Dirigé par Jérôme Talamon et Marc Ladreit de Lacharière, alors numéro deux de L'Oréal, cet outsider dynamique, disposant d'une trésorerie saine et abondante, peut espérer empêcher la marche entamée à pas forcés vers la constitution d'un duopole détenant les deux tiers du marché du livre en France.

Les ultimes batailles de la communication

En décembre 1980, un coup de tonnerre ébranla le ciel du quartier Latin lorsque l'édition, très concentrée dans les cinquième et sixième arrondissements, apprit que Jean-

31. Bernard Guillou et Laurent Maruani, *Les Stratégies des grands groupes d'édition, Cahiers de l'économie du livre,* hors série n° 1, Paris, 1991.

32. *Ibidem*, p. 10-11.

33. Voir Philippe Schuwer, «Nouvelles pratiques et stratégies éditoriales», *L'Édition française depuis 1945, op. cit.*, p. 425-459, et le numéro presque introuvable des *Cahiers de l'économie du livre,* dirigé par Jean-Marie Bouvaist: *Crise et mutations dans l'édition française, op. cit.*

Luc Lagardère venait de racheter, par l'intermédiaire de la Banque privée de gestion financière, 41 % des actions de la société Hachette.[34] La famille, certes minoritaire dans le capital, divisé en 1,7 million d'actions en 1980, mais omniprésente dans les structures dirigeantes jusqu'à l'arrivée de Jacques Marchandise en 1975, cédait la place à un homme d'affaires qui allait, ultérieurement, tenter de racheter TF1 puis, après son échec, participer à l'aventure malheureuse de La Cinq. On était bien entré, avec cette irruption fracassante, dans l'ère des batailles pour la domination des groupes de communication, et la France rejoignait les États-Unis dans cette course pour le contrôle des futurs géants du XXIe siècle. Havas et CEP Communication vont alors réagir et négocier avec les Presses de la Cité, intégrées en 1986 dans la Générale occidentale, de Jimmy Goldsmith, puis cédées l'année suivante à Ambroise Roux, patron de la Compagnie générale d'électricité, un accord de partenariat historique. En 1988, le Groupe de La Cité devenait le premier empire du livre en réunissant à la fois les Presses de la Cité et leurs filiales et CEP-Communication, comprenant désormais Larousse-Le Robert-Nathan et leurs alliés. Avec la reprise des éditions Orban puis du groupe Dalloz-Sirey en 1989, de Robert Laffont l'année suivante, la voie était ouverte pour une aventure qui conduisit le Groupe de la Cité à absorber Fixot et, en 1993, le groupe Masson, qui renonçait par là même à son ambition de devenir le numéro trois du secteur. Son échec à entrer dans le capital de Gallimard l'avait convaincu de la vacuité de son rêve et ce groupe avait préféré vendre ses avoirs au plus haut prix plutôt que de végéter ou de péricliter.

Depuis la fin des années 1980, les deux géants se sont renforcés, Hachette ajoutant Hatier, Didier-Foucher et Calmann-Lévy à son empire, et le Groupe de la Cité s'appuyant sur son alliance avec l'Allemand Bertelsmann, dans le cadre du principal club de livres, France Loisirs, pour étendre ses ramifications, ce à quoi Hachette a, d'une certaine façon, répliqué en négociant avec le groupe

34. Bénédicte Raynaud, «L'emprise des groupes sur l'édition française au début des années 1980», *Actes de la recherche en sciences sociales*, n° 130, décembre 1999, p. 3-10, et Jean-Philippe Mazaud, *De la librairie au goupe Hachette (1944-1980). Transformations des pratiques dirigeantes dans le livre*, thèse de doctorat en histoire, sous la direction de Patrick Fridenson, EHESS, 2002.

américano-canadien Torstar Corporation la moitié des parts de Harlequin France. Dans l'un et l'autre cas, on a affaire à des entreprises qui produisent des millions de volumes chaque année et l'on comprend que l'une et l'autre aient choisi de se répandre dans le monde, Hachette reprenant Salvat en Espagne et Grolier aux États-Unis, tandis que son concurrent récupérait les Britanniques Chambers et Harrap, spécialistes du dictionnaire et de l'encyclopédie. Comme si cette compétition planétaire ne suffisait pas, la CGE, devenue Alcatel-CIT puis Alcatel-Alsthom, a revendu ses participations au groupe Havas, ce qui a déterminé celui-ci à phagocyter purement et simplement sa filiale CEP Communication, transformée, sous l'égide de Jean-Marie Messier, tout-puissant patron de la Compagnie générale des eaux-Vivendi et actionnaire principal de Havas, en société Havas Publications Édition. Nul ne sait quel sera l'avenir de cette dernière entité depuis que Vivendi est devenu Vivendi Universal après le rachat du canadien Seagram et qu'une nouvelle société, Vivendi Universal Publishing, regroupe les avoirs de ce géant dans le monde de l'imprimé.

Détenant plus de 55 % du marché français du livre, lorgnant sans cesse sur les derniers indépendants d'importance – Gallimard et Albin Michel essentiellement, parce que Le Seuil paraît momentanément inattaquable et que Flammarion est entré, en 2000, dans le groupe Rizzoli-Corriere della sera – les deux géants français ont fait accomplir à l'édition nationale une évolution comparable à celle des États-Unis, même si la concentration y est plus gigantesque encore, de l'ordre de 80 % des parts du marché, et si Bertelsmann, repreneur de Random House[35], semble déterminé à demeurer le numéro un mondial dans les prochaines années.

Par rapport aux espoirs nés à la Libération de voir des éditeurs engagés dans les combats de la Résistance régénérer l'édition nationale, Pierre Seghers, Max-Pol Fouchet, Vercors et Pierre de Lescure[36] ou Jérôme Lindon dans le cadre des Éditions de Minuit, Edmond Charlot ou Jean Bardet et Paul Flamand au Seuil, il ne subsiste guère

35. André Schiffrin, *L'Édition sans éditeurs*, *op. cit.*, 1999.

36. Pierre Lescure, PDG de Canal +, est le fils de François Lescure, qui a été journaliste à *L'Humanité,* et le petit-fils de Pierre de Lescure, fondateur des Éditions de Minuit.

aujourd'hui que ce groupe dynamique, pour le moment préservé, les Éditions sociales et le groupe Messidor ayant sombré dans l'effondrement du bloc soviétique, et les Éditions de Minuit ayant refusé de devenir une grosse structure d'édition. Les PUF, autre élément dynamique de l'après-guerre, sont entrées dans une crise grave en 1999 et ont ouvert leur capital à Flammarion en 2000, ce qui fait craindre leur effacement à terme. L'apparition d'Hubert Nyssen à la tête des éditions Actes Sud en 1978 a cependant prouvé que le livre pouvait vivre et se développer en province – à Arles – ce que confirment ses résultats actuels – comparables ou supérieurs à ceux de Grasset-Fasquelle – et le dynamisme retrouvé d'une édition régionale se nourrissant depuis cinq ou six ans de la quête de leurs racines par des Français apparemment déboussolés par la marche de l'histoire. Là encore, toutefois, l'arrivée de Flammarion dans la holding de tête d'Actes Sud n'est pas sans poser de problèmes ou susciter de vives interrogations. Des créateurs non moins doués d'une envie irrésistible de se faire un nom ou une place continuent à émerger ou à apparaître, dans le domaine du livre de jeunesse ou de littérature générale, mais, dans le combat acharné que se livrent les géants de la communication, nul ne sait quel avenir leur sera réservé à l'heure de l'internet et des autoroutes de l'information ou de la fusion AOL-Time Warner et Vivendi Universal.

Christian Bourgois, qui a longtemps travaillé au sein de l'équipe de René Julliard puis aux Presses de la Cité, a repris son indépendance et ne croit plus aux possibilités des groupes multimédia de demeurer des créateurs en matière de littérature. Pierre Bourdieu parie plutôt sur Jacqueline Chambon et ses émules[37] pour revitaliser le système, mais on ignore si Vivendi Universal se maintiendra longtemps sur le créneau qui semble lui avoir souri ou s'il revendra ses filiales par appartements, comme il l'a fait en 2001 en se débarrassant des maisons Masson et Dalloz, ce qui laisse un certain nombre d'incertitudes planer sur le sort du livre en France. Bertelsmann – il pèse le double de toute l'édition française ! [38] – est présent sur le terrain, par

37. Pierre Bourdieu, « Une révolution conservatrice dans l'édition », article cité.

38. Claudia Shalke et Markus Gerlach, « Le paysage éditorial allemand », *Actes de la recherche en sciences sociales*, n° 130, p. 29-47.

l'intermédiaire de France Loisirs, Reed Elsevier et Wolters-Kluwer, très actifs dans l'édition juridique, économique, médicale et scientifique[39], ce qui annonce probablement d'autres batailles dans le cadre de l'Europe élargie. Toutefois, des dangers nouveaux, inconnus jusque-là, se profilent à l'horizon, les gigantesques groupements de libraires imités de l'exemple nord-américain (Barnes and Noble)[40] ou britannique (W. H.Smith, Blackwell, Books Etc et Borders) semblant, pour la première fois dans l'histoire française, constituer une menace sérieuse pour l'édition. Si cette évolution devait se confirmer, on verrait alors la librairie – au sens large – succéder à l'édition, après cent soixante-dix ans de règne, pour lui ravir la place de moteur du système, invitant les Balzac du XXIe siècle à rédiger la suite des *Illusions perdues*, au titre prémonitoire.

Les éditeurs français les plus puissants ont d'ailleurs conscience de cette évolution ou de ses risques. Le groupe Hachette semble s'y être préparé en reprenant le Furet du Nord et ses douze succursales ainsi que la chaîne de magasins Extrapole puis, plus récemment, Virgin. Flammarion, quant à lui, est devenu, avec 23,5 % du capital, l'actionnaire de référence des Librairies du savoir. Gibert a racheté la librairie des PUF boulevard Saint-Michel, et d'autres phénomènes de ce type ne sont pas à exclure dans les années à venir. Toutefois, contraints de rassurer les libraires individuels avec qui ils travaillent toute l'année, lesquels s'organisent également dans le cadre de leurs syndicats ou en groupements régionaux, les éditeurs ont vu avec une certaine appréhension se rapprocher l'heure de l'entrée en vigueur de la monnaie européenne – le 1er janvier 2002. Celle-ci pourrait avoir des répercussions importantes sur la distribution de l'imprimé et hâter l'heure des aggiornamentos. C'est sur la marge importante de ce secteur – 50 à 60 % du prix marqué d'un livre – qu'ils savent pouvoir imposer leur capacité à affronter l'avenir et éviter ainsi la concurrence des librairies sur l'internet.

39. Voir Philippe Schuwer, « Nouvelles pratiques et stratégies éditoriales », article cité.

40. André Schiffrin, *L'Édition sans éditeurs*, *op. cit.*, pour l'exemple américain. À noter également que le grand libraire anglais W. H. Smith possède aujourd'hui près de 500 points de vente ordinaires et 200 dans les gares et aéroports de Grande-Bretagne, ce qui ne manque pas de peser sur les décisions éditoriales en matière de littérature grand public.

Alors que Lagardère est devenu un élément d'EADS, que Vivendi s'est installé à Hollywood en rachetant le Canadien Seagram (Universal Studios et Polygram) et que Bertelsmann continue à occuper la place de leader mondial dans le monde du livre depuis 1998, date de son rachat de l'Américain Random House (Knopf, Doubleday, Ballantine, Bantam, Pantheon, etc.), on ne sait plus très bien quelle place le livre continuera à occuper dans ces énormes conglomérats de la communication que sont, dans l'ordre décroissant d'importance, AOL-Time Warner, Vivendi Universal, News Corporation, Walt Disney, Viacom, Comcast, et Bertelsmann (de 38 à 17 milliards de dollars de chiffre d'affaires en 2001).[41] De plus en plus présent dans les grandes surfaces – 20 % du marché – les super et les hypermarchés – la FNAC et Virgin-Hachette n'ont pas dit leur dernier mot – le livre commence à être décliné sur des ordinateurs portatifs – les e-books –, ce qui contribue à obscurcir la vision de son devenir. Il tente également une percée sur le chemin du papier électronique – avec le real-book[42] et le papier électronique adapté au stylo caméra[43] – ce qui pourrait, alors, contribuer à le réintégrer parmi les objets traditionnellement réservés aux librairies. Là réside peut-être la chance de ces commerces ou boutiques à lire qui, indépendantes ou non, trouveront l'occasion de redire à l'éditeur que s'il enfante l'auteur, l'écrivain, lui, n'a de sens que s'il rencontre son ou ses publics.

41. *Le Monde*, 28 décembre 2001.

42. Roger Chartier, « Édition et numérique : révolution dans la révolution », *Le Monde*, 12 mai 2000.

43. *Le Monde*, 23 novembre 2001.

Chapitre II

Les deux géants du livre français : Vivendi Universal Publishing et Hachette-Livre

Depuis les années 1970 et surtout 1980, le champ de l'édition de livres, dans le parler de Pierre Bourdieu[1], ou l'industrie du livre, dans le langage des économistes, est financièrement dominé en France par deux grands groupes dont les activités premières sont étrangères aux industries culturelles.[2] Il s'agit, d'une part, de Lagardère Groupe, avec Hachette-Livre, entreprise intégrée dans la structure industrielle Matra-Hachette, dont le président directeur général est Jean-Luc Lagardère, et, d'autre part, de Vivendi Universal, dirigé par Jean-Marie Messier, avec

1. Pierre Bourdieu, « Une révolution conservatrice dans l'édition », article cité, p. 3-26

2. Jean-Yves Mollier, « Les mutations de l'espace éditorial français du XVIIIe au XXe siècle », article cité, p. 29-38. Jean-Yves Mollier écrit p. 38 : « Au regard de l'histoire, ni Hachette ni Vivendi, et surtout celui-ci, n'ont plus de ressemblance avec les solides empires éditoriaux bâtis au XIXe siècle, et, s'il paraissait légitime de situer Gaston Gallimard et Bernard Grasset, et même Hubert Nyssen aujourd'hui, dans la lignée des Panckoucke ou de Louis Hachette, les activités principales de Jean-Luc Lagardère et de Jean-Marie Messsier interdisent de poursuivre le parallèle. »

Vivendi Universal Publishing. Ce nom et cette structure multinationale se substituent à Havas Publications Édition depuis le 18 décembre 2000, à la suite de la fusion entre Vivendi, Seagram, qui détenait Universal, et Canal+.

Le groupe Vivendi – avec 275591 salariés et 41,5 milliards d'euros de chiffre d'affaires (273 milliards de F) en 1999 avant la fusion avec le canadien Seagram –, ce qui lui permet d'occuper la deuxième place des entreprises françaises[3], et le groupe Lagardère, nettement moins imposant avec des effectifs de 49961 salariés et un chiffre d'affaires de 12,2 milliards d'euros (80,5 milliards de F) en 1999 ce qui le place au vingtième rang européen, sont de véritables conglomérats (groupes à multiples activités indépendantes) au sein desquels les activités d'édition semblent être des confettis au regard des chiffres d'affaires réalisés par les autres activités de chacun des deux groupes. En 2000, comme en 1999, les contributions au chiffre d'affaires consolidé sont approximativement de 6 % pour Hachette-Livre[4] au sein du groupe Matra-Hachette et de 8 % pour l'entité VUP au sein de Vivendi Universal[5]. Et ces firmes, dont l'essentiel de l'activité se situe hors du monde des industries culturelles, réalisent approximativement à elles deux la moitié de l'activité du secteur de l'édition de livres. L'édition a ainsi perdu le contrôle de l'édition ou, selon la formule de Fabrice Piault: «L'édition échappe à l'édition»[6], devenue progressivement un secteur stratégique pour certains grands groupes industriels de plus en plus opaques à force de multiplier leurs activités.

Déjà, lors de l'absorption de la totalité de Matra-Hachette par la holding Lagardère Groupe, en mai 1996, un professionnel de la finance faisait observer que le

3. Classement réalisé par le magazine l'*Expansion* (qui appartient au groupe Vivendi), n° 633, du 23 novembre 2000 au 7 décembre 2000.

4. 830 millions d'euros environ en 2000 (pour 7,203 milliards pour Lagardère Média, soit donc 11,8 % et 12,192 milliards pour le groupe Lagardère, soit 6,8 %), selon le rapport d'activité de Lagardère.

5. 3,5 milliards d'euros en 2000. Au niveau européen, Bertelsmann et Pearson réalisent un chiffre d'affaires supérieur. En effet, en 1999, Bertelsmann dépassait déjà les 10 milliards de dollars alors que Pearson comptait pour 4 milliards de dollars en 1998.

6. Fabrice Piault, «De la "rationalisation" à l'hyperconcentration», dans *L'Édition française depuis 1945* (sous la direction de Pascal Fouché), Éditions du Cercle de la librairie, Paris, 1997, p. 638.

groupe est «particulièrement diversifié, ce qui ne facilite pas son identité boursière auprès des investisseurs»[7]. Néanmoins, la branche édition semble constitutive de l'identité du groupe, ce qui n'est pas le cas pour Vivendi, dont le nom est encore récent, la structure et le périmètre d'activités instables, et qui est présenté par une étude récente de la banque d'affaires J.P. Morgan, publiée en septembre 1999, comme «un conglomérat trop diversifié»[8].

Plus récemment, une simplification semble cependant se dessiner, malgré un périmètre en évolution. En juin 2000, en annonçant le projet de fusion avec le Canadien Seagram et Canal+, aboutissant à la constitution de l'ensemble Vivendi Universal, Jean-Marie Messier, président directeur général de ce nouveau groupe, affiche plus clairement que par le passé ses orientations stratégiques. Il les rappelle dans la lettre aux actionnaires de Vivendi (septembre 2000) en ces termes: «Cette fusion est une opportunité unique pour assurer le développement de Vivendi dans l'univers "global" de la communication, en unissant les forces d'Havas, Cegetel, Canal+, Universal Music, Universal Studios et USA Networks.» Le nouveau groupe apparaît au deuxième rang mondial dans le secteur de la communication, derrière AOL-Time Warner.

L'objet de ce chapitre est de présenter les deux groupes industriels géants dans leur activité d'édition en analysant l'évolution des structures du marché depuis le début des années 1980 pour mettre en évidence les stratégies industrielles et financières en œuvre dans ce secteur particulièrement réticent à la diffusion de l'information économique le concernant.[9] L'analyse économique se fera en suivant le modèle conceptuel dominant en économie industrielle. Ce modèle, dit SCP (structure-comportement-performance),

7. Perrine Delfortrie, «Lagardère Groupe absorbe la totalité de Matra-Hachette», *La Tribune Desfossés*, archives 96/05/17, archives.latri bune.fr.

8. Cité par Jean-François Jacquier, «Vivendi, ce que prépare Messier», *Le Point*, n° 1415, 29 octobre 1999, p. 114.

9. Le présent travail s'appuie sur les données réunies par mes étudiants en licence et maîtrise en information, documentation et intelligence économique de l'université Lyon III-Jean-Moulin au cours des années 1999-2000. Les demandes répétées par des personnes différentes ont fini par aboutir à des réponses.

implique d'évoquer les conditions de base de l'offre et de la demande dans l'industrie de l'édition, avant d'examiner les structures du marché, et d'analyser les stratégies ou comportements des firmes. En revanche, il ne sera pas possible d'entreprendre une analyse des performances, car les parts de marché de chacun des deux groupes ne cessent de varier en fonction des différentes absorptions faites par l'un ou par l'autre, et le critère du profit est aussi peu pertinent, tandis que le cours boursier des titres est trop déterminé par les activités principales. Cette remarque paraîtra plus évidente après la présentation préalable des deux groupes.

HACHETTE : LA TRANSFORMATION DANS LA TRADITION

La constitution de Hachette-Livre comme filiale à 100 % de Hachette SA[10], dont Lagardère SCA[11] détient la totalité du capital, permet de donner l'apparence d'un sous-ensemble homogène, cohérent et historiquement pérenne. La notoriété du nom de Hachette, que tout un chacun peut aisément identifier comme étant celui d'une maison d'édition bien établie, n'est pas étranger à cette image reçue par le public. Ainsi, le document interne intitulé « Repères 1998 », qui fait la synthèse du rapport annuel d'activité, présente Lagardère comme un groupe présent « dans deux grands domaines d'activité, vecteurs majeurs de la croissance au XXIe siècle : la technologie organisée en deux pôles[12] autour de la marque Matra et la communication avec la marque Hachette ». Cette marque Hachette est présente dans tous les domaines de la communication : le livre, la presse (Hachette-Filipacchi Médias), l'audiovisuel (Europe 1 communication, porte d'entrée de Matra dans la communication *via* la prise de participation de Sylvain Floirat, fondateur du groupe) et le multimédia (Hachette Multimédia, qui a remplacé Grolier Multimédia) en associant la production et la diffu-

10. SA : société anonyme.

11. SCA : société en commandite par actions.

12. Il s'agit, d'une part, des hautes technologies dans le domaine de l'espace, de la défense, des télécommunications, des technologies de l'information, l'imagerie… et, d'autre part, de l'automobile et du transport.

sion de ses propres produits (Hachette Distribution service), mais sans disposer d'un précieux club de vente par correspondance comme son concurrent européen Bertelsman, qui a repris France Loisirs à Vivendi Universal Publishing. La filiale Hachette-Livre, présidée par Jean-Louis Lisimachio, qui nous intéresse ici, est organisée en trois branches correspondant à la littérature générale, à l'éducation et à la vente directe. L'édition proprement dite occupe 775 salariés en octobre 1999, tandis que les effectifs de la distribution s'élèvent à 689 salariés[13].

Un bref survol de l'histoire récente[14] permettra de montrer que la marque Hachette n'a pas seulement une stratégie commerciale d'exploitation d'un nom à grande notoriété, mais qu'elle est également l'expression d'une certaine culture d'entreprise que l'on peut synthétiser à travers les différentes opérations financières et restructurations par la notion d'évolution plutôt que par celle de transformation ou par celle de changement, malgré l'intensité de la crise de l'édition scolaire dans les années 1970.

C'est en décembre 1980, c'est-à-dire dans une période difficile pour le monde de l'édition scolaire, que Matra prend le contrôle de Hachette, les autres principaux actionnaires étant Filipacchi et Paribas. L'entreprise est immédiatement soumise à une opération d'économies budgétaires drastiques avec, en mai 1981, la mise en œuvre d'un plan de redressement aboutissant à la suppression de quatre cents emplois environ. En août de la même année, Jean-Claude Lattès vend le groupe Lattès à Hachette et devient directeur du groupe Hachette. En juillet 1983, c'est la filialisation à 100 % de Marabout, puis en 1984 la prise de contrôle des Éditions classiques d'expression française (Édicef, maison fondée en 1971 par Istra et Hachette), en 1985 la prise de participation de 49,9 % dans le capital de Harlequin France et le rachat de la partie bandes dessinées des Éditions Dupuis en partenariat avec le groupe Bruxelles Lambert, mais cette parti-

13. Source : service communication Hachette-Livre.

14. Il faut rappeler qu'entre 1951 et 1976 Hachette a successivement repris les éditions du Chêne, Grassset, Fayard, Fasquelle et Tallandier, Stock, La Librairie des Champs-Élysées, Marabout ; en 1953, Henri Filipacchi a lancé la célèbre marque Le Livre de Poche. En 1979, Hachette a toutefois été écarté du rachat de Fernand Nathan afin d'éviter des tendances monopolistiques.

cipation sera revendue à Albert Frère en 1993. En 1988, les opérations les plus significatives sont l'achat de l'éditeur américain Grolier au terme d'une OPA et la reprise de l'éditeur espagnol Salvat. En 1991, Hachette reprend le fonds scolaire d'Istra, les activités des Deux Coqs d'Or, et s'associe avec Disney pour fonder Disney Hachette Édition. En décembre 1992, c'est la fusion de Matra et de Hachette : Hachette-Livre devient une filiale du groupe. En 1993, Lagardère Groupe lance une offre publique d'échange sur Matra-Hachette et obtient 92,74 % du capital. Cette même année, Hachette prend 52 % du capital de Calmann-Lévy. En 1994, Grolier est sorti de Hachette-Livre pour être rattaché à Matra-Hachette Multimédia, et finalement revendu en 2000. En 1996, trois importantes opérations sont réalisées : le rachat du groupe Alexandre Hatier avec ses filiales Foucher et Didier, les prises de participation dans le capital des éditions Anne Carrière (20 %), d'une part, et de Ramsay et Michel Laffon (25 %), d'autre part. En 1997, Hachette-Livre prend 18,5 % du capital de Mille et une nuits et 85 % des éditions Hazan. En 1998, les acquisitions ont concerné l'éditeur anglais The Orion Publishing Group (72 % du capital) et l'éditeur japonais Fujin Gaho. En 1999, c'est l'éditeur italien Rusconi Editore qui fait l'objet d'un achat à la hauteur de 80 % de son capital. Au premier janvier 2000, c'est Albin Michel qui a rejoint les diffusés de Hachette tout en participant au capital du Livre de Poche. Puis, en mars 2000, il y a eu les acquisitions de la maison d'édition polonaise Wiedza i Zycie, en mai 2001 de l'éditeur espagnol Bruño par sa filiale Salvat, et en octobre 2001 de l'éditeur anglais Octopus Publishing Group (l'un des premiers éditeurs de livres illustrés anglais avec des maisons comme Mitchell Beazley, Philip's, Coran ou Hamlyn). Par ailleurs, le groupe a installé la SEDIA, à Alger, en mars 2000.

Le tableau ci-contre donne les principales marques de Hachette-Livre en distinguant celles qui relèvent du groupe Hatier.

On voit que, dans le plus grand nombre de ces opérations de concentration, Hachette-Livre prend systématiquement l'initiative, ce qui, à deux exceptions près (la bande dessinée et Grolier dans le multimédia), aboutit généralement à une intégration pérenne dans le groupe,

LES FILIALES DE HACHETTE-LIVRE AVEC LA PART PRISE DANS LE CAPITAL (HORS PARTICIPATIONS MINORITAIRES) en 2001	
100 % Diffulivre	72 % The Orion Publishing Group
100 % Nouvelles Éditions Marabout	57 % Calmann-Lévy
100 % Hachette Partworks Ltd	
100 % Hachette fascicules	GROUPE HATIER
99 % Librairie générale française (LGF)	100 % Centre de traitement des retours
99 % Librairie Arthème Fayard	100 % Centre Hatier international
99 % Le Livre de Paris	100 % Edelsa Grupo Didascalia
99 % HL 93	100 % Graphismes
99 % France Télédistributique	99 % Groupe Alexandre Hatier
99 % LPC	99 % Hatier Développement
99 % Multimédia diffusion services	99 % D 2 H
99 % SCI Raspail	99 % Hatier Littérature générale
99 % Éditions Stock	99 % Les Éditions Hatier
99 % Éditions Jean-Claude Lattès	99 % Les Éditions Foucher
99 % Édicef	99 % Les Éditions Didier
99 % Édition N° 1	99 % Librairie papeterie nationale
99 % EDDL	99 % Rageot éditeur
99 % Biblio participations	99 % SCI Bannier Saran
98 % SM4	99 % SCI du 8 rue d'Assas
90 % Éditions Gérard de Villiers	99 % SCI du 63 boulevard Raspail
85 % Éditions Grasset et Fasquelle	
84 % Fernand Hazan éditeur	97 % Editora Hatier Ltda

même si les maisons continuent à développer leurs propres produits en se livrant à la concurrence interne, comme c'est notamment le cas entre Hatier et ses filiales, d'une part, et Hachette-Éducation, d'autre part, dans le domaine des livres scolaires et parascolaires. Ce dernier aspect de concurrence interne ne veut cependant pas dire absence de partage des moyens ou d'échange d'idées entre les maisons du même groupe, car il ne faut pas oublier que la recherche d'économies de variétés (ou d'envergure, de champs, de diversification)[15] n'est pas absente, si elle ne préside pas, dans ces concentrations.

Parmi les rares traumatismes éventuels que l'évolution du groupe a pu susciter après la première restructuration de 1980, il convient de citer le déménagement dans l'immeuble moderne et fonctionnel du 43, quai de Grenelle (quinzième arrondissement de Paris), après la vente des immeubles historiques et inadaptés des boulevards Saint-Michel et Saint-Germain, à Paris, à la suite de l'échec de la cinquième chaîne de télévision. Le groupe Hachette-Livre est alors apparu comme un trésor au sein du pôle communication de Matra-Hachette, dont la fonction était d'amortir certains chocs financiers d'opérations hasardeuses. Le mythe de l'entreprise culturelle s'est évanoui pour plusieurs années, avant un nouveau réenchantement actuellement en œuvre[16], même si les éditeurs de certaines branches du groupe en jugent la structure trop hiérarchique et ne leur laissant qu'une faible marge de manœuvre, et donc peu de possibilités d'innover et de prendre les risques inhérents au métier du livre.

15. Notion forgée par l'historien des entreprises Alfred Chandler. Les économies de la diversification correspondent aux avantages de la concentration d'entreprises du même secteur mais dont les produits ne sont pas identiques, comme c'est le cas dans l'édition. Ces avantages, en adaptant leur mise en évidence par Pierre-André Julien et Michel Marchesnay, sont : (a) dans le cas d'une jeune firme, la participation à un marché en développement, (b) le bénéfice des effets d'expérience de la firme qui maîtrise un segment et une technique, (c) l'obtention d'une gestion plus souple de la ressource humaine en ouvrant de plus larges perspectives de carrière, (d) le gain, enfin, d'un effet de synergie, c'est-à-dire que le tout soit supérieur à la somme des firmes prises séparément. *Cf.* Pierre-André Julien et Michel Marchesnay, *Économie et stratégie industrielle*, Économica, Paris, 1997, p. 59.

16. Réenchantement tout relatif à la lumière de l'importante grève de 2000 et de certains changements de responsables. Dominique Maillotte, patron de la distribution du groupe, directeur de la branche Industrie et Services d'Hachette-Livre, a été démis de ses fonctions le mercredi 12 septembre 2001. La direction est restée muette sur les raisons qui ont motivé ce renvoi. Il travaillait pour Hachette depuis novembre 1998 et avait joué un rôle majeur dans le transfert d'Albin Michel de la distribution de Vivendi à la distribution d'Hachette avant d'organiser l'adaptation de l'outil logistique du groupe au traitement de ces nouveaux flux commerciaux et aux nouvelles conditions du marché. De même, il y a eu un changement à la tête d'Hatier. En effet, Arnaud Nourry a remplacé Bernard Foulon à la direction générale le 13 septembre. Bernard Foulon a décidé de quitter son poste mais n'a pas souhaité commenter son départ. Dans les années 1980, il avait pris la suite de son père qui présidait depuis 1938 la maison familiale fondée en 1881.

VIVENDI UNIVERSAL PUBLISHING : À LA RECHERCHE D'UNE IDENTITÉ

La cohérence et l'identité forte attachée à Hachette – en partie dues à la stabilité des responsables du groupe[17] – sont moins apparentes dans le conglomérat Vivendi, tardivement constitué avec l'absorption de Havas. C'est au printemps 1997 que Havas lance une offre publique d'achat sur CEP Communication aboutissant à l'absorption de cette dernière en décembre 1997. En mai 1998, Havas fusionne avec la Compagnie générale des eaux (CGE). Mais l'histoire de la croissance externe de ce qui constitue aujourd'hui Vivendi Universal Publishing est beaucoup moins linéaire et moins claire que celle rapidement esquissée pour Hachette. Pour simplifier, il faut décrire les relations en remontant, d'abord, l'histoire.

Le groupe Vivendi Universal Publishing actuel, comme cela a déjà été signalé, prend la suite du groupe Havas Publications Édition, qui est lui-même issu du Groupe de la Cité (GdC), qui à son tour résulte d'un accord, en février 1988, entre la Générale occidentale, filiale à 100 % d'Alcatel-Alsthom, et CEP Communication, filiale à 44 % de Havas. L'accord se traduit par la constitution paritaire (50/50) de la holding Hoche Friedland, qui détient 68 % du capital du Groupe de la Cité, le reste étant détenu par Havas (7 %) et divers groupes financiers (BNP, Crédit agricole, AGF, UAP, etc.). La Générale occidentale apporte les activités des Presses de la Cité : Fleuve noir, Rouge et Or, Éditions Solar, Presses Pocket, Librairie académique Perrin, Plon, Julliard, Christian Bourgois, les éditions 10/18, Bordas (rachetée à Paribas en 1985) avec ses marques Dunod et Gauthier-Villars ainsi que les éditions Olivier Orban acquises en 1987. De son côté, CEP Communication apporte le groupe Larousse-Nathan avec les filiales de chacune des deux maisons. Mais, depuis cette fusion de 1988, le groupe s'est transformé par des rachats de certaines autres maisons ou par la cession de certains actifs. On citera, principalement, la prise de contrôle de Privat à Toulouse (1988), le rachat de l'éditeur britannique Chambers (1989), celui de Dalloz (1989) et l'absorption de Laffont (1990).

17. On peut observer que la dimension dynastique n'est pas tout à fait absente avec la famille Lagardère et celle de Filipacchi.

Parallèlement au jeu de CEP Communication, Masson filialise Belfond en 1989, et ce dernier filialise à son tour Armand Colin en 1990, pour former un nouveau groupe à durée de vie brève, puisqu'il sera racheté par le Groupe de la Cité en 1994. En 1995, Bordas revend Privat. Alcatel cède ses participations dans le Groupe de la Cité à la CEP et ses participations dans la CEP à Havas: ainsi la CEP détient 100 % du Groupe de la Cité et Havas 73,2 % de la CEP. En 1996, Larousse et Bordas fusionnent. Le 17 septembre 1997, CEP devient Havas Publications Édition (HPE), filiale du conglomérat de dimension mondiale Vivendi. En 1998, Masson se retire du sous-ensemble réunissant Dalloz et Armand Colin pour se recentrer sur son métier d'origine – l'édition médicale – et revend son fonds scientifique aux éditions Dunod à l'intérieur de Havas.

L'année 1998 est celle de toutes les transformations. En janvier, HPE s'organise en neuf secteurs: 1. Référence et éducation, 2. Édition scientifique, juridique et médicale, 3. Édition de loisirs, 4. Littérature générale, 5. Salons professionnels, 6. Presse professionnelle, 7. Presse économique et grand public, 8. Diffusion-distribution-services, 9. Multimédia. Ensuite, fin mars 1998, Havas devient majoritaire (51 %) dans les éditions La Découverte et Syros. Puis, en mai, c'est la constitution de Vivendi. Le 1er juin 1998, HPE contrôle Larousse, Nathan, Le Robert, Harrap, Chambers, Dalloz, Laffont, Julliard et Plon. Le même mois, Havas et l'Allemand Bertelsmann s'associent pour racheter le groupe espagnol Doyma. En novembre, par le moyen d'une offre publique d'achat, Havas contrôle 99,47 % du capital d'Anaya (éditeur scolaire espagnol) et devient le numéro un du livre scolaire (460 millions d'euros de chiffre d'affaires). La dernière opération de l'année est le renforcement du pôle médical par le rachat des prestigieuses éditions Vidal, ce qui en fait le numéro un du secteur médical en France, en Espagne et en Italie avec un chiffre d'affaires de 136,5 millions d'euros.

En mai 1999, Havas rachète les 50 % de parts de Bertelsmann dans les éditions Doyma, puis se renforce en littérature générale en rachetant NiL éditions, qui sera intégré au groupe Robert Laffont, conduisant à un chiffre d'affaires du pôle littérature de plus de 150 millions d'euros.

La quête de marchés grand public conduit HPE devenu VUP, comme on le sait, à convoiter, en mai 2001, l'éditeur américain Houghton Mifflin, leader sur le marché des ouvrages et logiciels scolaires aux États-Unis, avec un chiffre d'affaires atteignant 1 milliard de dollars en 2000, grâce à des acquisitions multiples (telle McDouglas Litell, éditeur de manuels scolaires). L'achat de Houghton Mifflin, seul éditeur encore indépendant aux États-Unis, fait de VUP le second éditeur mondial pour l'éducation.

Toutefois, cela conduit le groupe à se séparer de son pôle presse professionnelle, presse gratuite et organisation de salons et symposiums, soit 3 000 salariés concernés. Le fonds d'investissement Cinven exige, en plus des 2 milliards d'euros proposés, le pôle Santé de VUP, ce que Vivendi a accepté à la surprise générale, d'autant plus que ce pôle s'était renforcé autour de Masson-Vidal. L'opération devait être finalisée fin octobre 2001 mais a été retardée.

On commence ainsi à voir apparaître un début de rationalisation avec la constitution de pôles éditoriaux spécialisés, mais les salariés des différentes maisons au sein du groupe et l'observateur externe se perdent un peu dans ces restructurations, ces fusions et scissions .

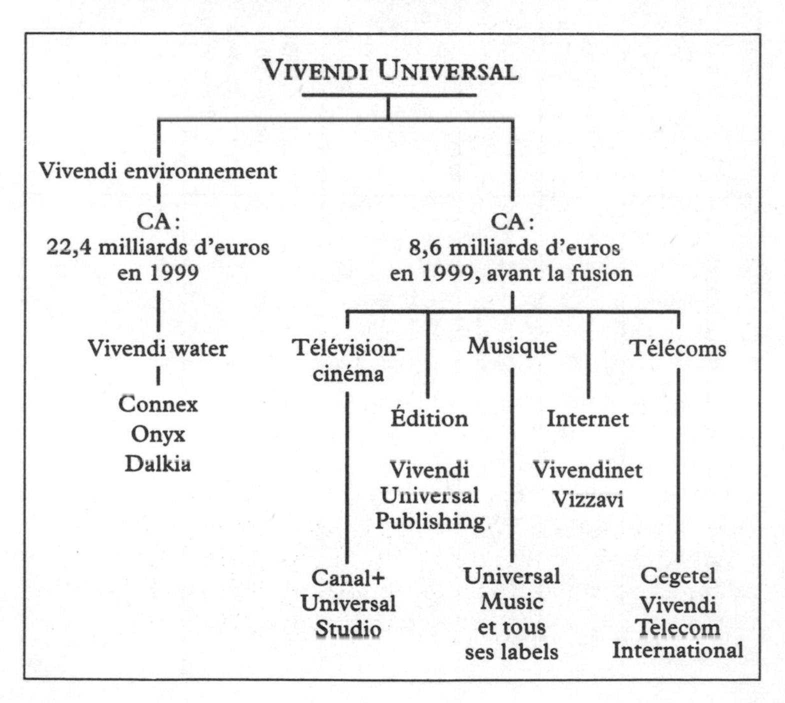

Année	Indépendants	Presses de la Cité puis Groupe de la Cité	CEP	Havas
Avant 1980		Plon, Julliard, 10/18, Perrin.		
1980	Bordas reprend Elsevier Sequoia.			
1981			Les éditions du Moniteur et de L'Usine nouvelle sont regroupées au sein de CEP édition.	
1983		Le fonds Garnier repris par les PdC devient un département de Presses Pocket.	Larousse entre dans CEP.	
1984			Constitution du groupe Larousse présidé par C. Brégou. CEP devient majoritaire dans le groupe Tests.	RTL et Havas deviennent majoritaires chez Laffont.

<table>
<tr><td>1985</td><td>Belfond prend 35 % des éditions S. Messinger.</td><td>Les PdC prennent le contrôle du groupe Bordas.</td><td></td><td></td></tr>
<tr><td>1986</td><td>Orban reprend MA éditions.</td><td></td><td>CEP devient CEP Communication.</td><td></td></tr>
<tr><td>1987</td><td>Lancement des éditions Fixot</td><td>CGE devient l'actionnaire principal de la Générale occidentale, donc des PdC, qui rachètent Orban.</td><td>Nathan rachète Retz</td><td>Havas est privatisé</td></tr>
<tr><td>1988</td><td></td><td colspan="2">Les PdC prennent le contrôle des éditions Odile Jacob. Constitution du Groupe de la Cité par CEP Communication et la Générale occidentale. Bordas prend le contrôle de Privat. GdC reprend l'éditeur britannique Grisewood et Dempsey. Didier Orban cède MA éditions au GdC.</td><td></td></tr>
<tr><td>1989</td><td>Masson prend 57,3 % de Belfond.</td><td colspan="2">Le GdC rachète l'éditeur britannique Chambers. Le GdC rachète Dalloz.</td><td></td></tr>
<tr><td>1990</td><td>Belfond prend 51 % d'Armand Colin.</td><td colspan="2">Laffont est absorbé par le GdC. Les éditions Psi sont reprises par Bordas.</td><td>Havas est actionnaire de Gallimard.</td></tr>
<tr><td>1991</td><td></td><td colspan="2">Constitution du Groupe de la Cité international pour réunir les activités internationales du groupe.</td><td></td></tr>
</table>

Années	Indépendants	Groupe de la Cité	Havas
1992		Chambers reprend Harrap. Seghers devient une simple marque de Laffont.	
1993		Fusion Laffont-Fixot. Fusion Julliard-Bourin. Les PdC deviennent Sogedif, société mère de Julliard, Plon et les presses Solar. UGE-Poche est directement rattaché au GdC.	
1994		Le GdC porte à 80 % sa participation dans Hemma. Le GdC rachète le groupe Masson-Belfond.	
1995		Bordas vend Privat. Regroupement Presses/Solar/Belfond dans GdC. *Alcatel (ex-CGE) cède ses participations dans GdC à la CEP et ses participations dans la CEP à Havas, CEP détient 100% du GdC et Havas 73,2 % de CEP.*	Havas vend ses actions de Gallimard.
1996		Fusion de Larousse et de Bordas.	
1997		OPA d'Havas sur la CEP pour en détenir 100 %. Le 17 septembre, la CEP devient Havas Publications Èdition (HPE).	
2000		**Décembre 2000, par la fusion de Vivendi avec Seagram, HPE devient VUP.**	
2001		Août-octobre VUP revend Masson-Vidal pour acheter l'Américain Hougton Mifflin.	

Le caractère inextricable des relations au sein de Vivendi Universal Publishing, qui ne concerne finalement que quelques marques éditoriales, apparaît pourtant tout relatif au regard de ce que propose la société mère. Sous l'apparente simplicité de deux sous-ensembles – environnement, d'un côté, et communication, de l'autre, avec ses cinq branches (télévision/cinéma, édition, musique, internet, télécoms) – Vivendi Universal est un ensemble beaucoup plus complexe de plusieurs milliers d'entreprises. Avant la fusion avec Universal, Vivendi regroupait déjà trois mille quatre cents entreprises.

Comme le montre le graphique de la page 51, son activité conglomérale se structure dorénavant autour de deux pôles, à la suite de la cession du pôle aménagement en 2000. Ces deux pôles réunissent un grand nombre d'entreprises de différentes nationalités et appartenant à des secteurs aussi différents que l'immobilier, les services de Cegetel (Le 7), l'exploitation cinématographique (UGC) ou la distribution de l'eau. L'environnement est le pôle le plus important par son chiffre d'affaires et ses effectifs salariés. Il a fait l'objet d'une introduction en Bourse le 20 juillet 2000 à la faveur d'une augmentation de capital. Cela a permis à Vivendi d'engranger des liquidités nécessaires pour s'engager plus fortement dans la communication. À l'égard de certaines activités à fort potentiel de la communication, mais encore sans véritables résultats tangibles, l'environnement occupe alors la fonction de « vache à lait » du modèle du BCG. Dans cette matrice

PART DE MARCHÉ

CROISSANCE DU MARCHÉ	Part de marché : Élevée	Part de marché : Faible
Élevée	VEDETTES Télévision Téléphonie	DILEMMES Internet
Faible	VACHES À LAIT Traitement et distribution d'eau Édition scolaire	POIDS MORT Une partie de l'édition

d'analyse stratégique du Boston Consulting Group, l'internet entrerait dans la catégorie des «produits dilemmes», alors que l'édition à faible marge pourrait facilement apparaître comme le probable «poids mort», tandis que la télévision ferait figure de produit vedette. La position la plus discutable est celle de l'édition, qui peut être revalorisée si l'on raisonne en termes de complémentarité et de multimarché pour les œuvres de l'esprit. En effet, le livre peut être un marché dérivé des programmes de télévision, comme celui-ci peut l'être du marché du cinéma en salle, et comme le marché de la vidéo (cassettes et DVD) peut l'être du roman. Néanmoins, dans cette structure complexe du conglomérat multinational Vivendi Universal, il apparaît nettement que l'activité d'édition du groupe est économiquement marginale, comme c'est le cas généralement de toutes les industries culturelles, même si ce sont des activités politiquement essentielles, en particulier du point de vue de l'influence que la presse et l'édition peuvent exercer sur les décideurs politiques .

Jusqu'au changement de nom adopté en décembre 2000, qui semble indiquer une volonté de valorisation des activités d'édition, la publicité relative au lien réel entre Vivendi et la branche édition n'était pas le souci de la direction du groupe. Les entreprises du pôle communication apparaissent même comme des entités autonomes à vocation purement financière dans la stratégie globale de la maison mère. Sous cet angle, elles peuvent faire l'objet de cession à tout moment sans perturber l'économie générale du conglomérat. La cession de Masson et du produit «vache à lait» le *Vidal* en août 2001 indique que cette fonction financière n'est pas encore abandonnée. Ainsi, au lieu d'être une intégration industrielle véritable susceptible de profiter pleinement des économies de variétés ou d'envergure évoquées plus haut pour Hachette, le sous-ensemble VUP s'analyse plutôt comme un regroupement ou une réunion dans un portefeuille d'activités de plusieurs entités aux actifs spécifiques et par conséquent non miscibles.

De plus, avant d'adopter le nom de Vivendi Universal Publishing, les entreprises d'éditions étaient regroupées sous le nom de Havas. Or, Havas, nationalisée en 1945 pour avoir été mise au service du régime de Vichy, puis privatisée en 1987, fut d'abord la première agence de presse de l'histoire, puis une agence de publicité et un voyagiste bien connu (cette branche d'activité, revendue par Vivendi, appartient à une autre entreprise) ; elle ne constitue donc pas en elle-même une marque d'édition. L'entrée de Havas dans ce domaine d'activité s'est faite par la prise de participation à hauteur de 30 % dans le capital de CEP lors de la fondation de celle-ci en 1976. Ainsi, le groupe Vivendi Universal a mis finalement du temps pour afficher par son nom les activités de communication, privilégiant son métier d'origine encore dominant de la distribution de l'eau. On notera, cependant, que le nom du groupe Vivendi Universal n'évoque toujours pas d'activité d'édition de livres. En revanche, le métier d'origine, qui relève de Vivendi environnement, d'une grande utilité sociale, mais exercé avec peu de transparence comme pourraient l'attester les affaires de financement de partis et d'hommes politiques en France, semble s'effacer devant ceux de la communication attachés au nom d'Universal. On fera remarquer que c'est une stratégie radicalement opposée qu'a adoptée Lagardère en donnant immédiatement une grande visibilité à son association avec une marque éditoriale, ainsi qu'à son engagement aux côtés de Berlusconi et de Hersant, dans l'expérience coûteuse de la cinquième chaîne de télévision généraliste en France. Pour le responsable de Matra, groupe principalement orienté vers les industries de la défense, associer son nom à une marque du champ culturel est un investissement en termes d'image dont semblait pouvoir se passer le responsable d'une entreprise dont le pôle majeur est le traitement et la distribution de l'eau, indispensable à la vie. Aujourd'hui, c'est l'image d'un groupe de communication, plus particulièrement de l'*entertainment* (divertissement), et toujours pas de l'édition, que véhicule le nouveau nom Vivendi Universal Publishing.

Les conditions de base de l'offre et de la demande de livres

Dans le domaine de la culture, plus sans doute que partout ailleurs, l'offre suscite la demande, et le marché du livre est ainsi un marché de l'offre, donc un marché risqué, car le produit peut ne pas trouver de lecteur-acheteur. Pourtant, malgré l'offre pléthorique de produits culturels et la concurrence[18] de multiples activités de loisirs, la consommation de livres payants n'a pas subi de ralentissement de sa croissance qui aurait, au mieux, condamné l'industrie du livre à la stagnation ou, au pire, à une régression. En fait, si les comportements culturels des Français se diversifient et si les dépenses en achat de livres tendent à croître moins vite que les autres dépenses culturelles, il faut surtout faire observer qu'il y a lieu de ne pas confondre dépense et consommation.

S'agissant de l'évolution des dépenses effectives des ménages en produits éditoriaux, dont l'indication importe davantage aux éditeurs que les données d'enquêtes sur le nombre moyen de livres lus par an qui mesure la consommation[19] – mais souci légitime du ministère de la Culture –, la croissance des dépenses est toujours sensible, malgré de nombreuses autres sollicitations qui connaissent aussi, il faut néanmoins le reconnaître, une forte croissance. Ainsi, en francs courants, les dépenses des ménages[20] pour les produits de l'imprimerie et de l'édition hors produits de la presse ont été multipliées par 2,84 entre 1980 et 1997 pour un indice des prix qui a été multiplié par 2,1, soit une croissance en termes constants correspondant à un coefficient multiplicateur de 1,35. L'ensemble des dépenses pour la culture, les loisirs et le sport a évolué cependant plus fortement, avec un coefficient de 3,07 en francs courants et de 1,46 en francs constants.

Malheureusement, cependant, cette évolution positive du côté de la demande ne se retrouve pas dans les données relatives à l'évolution du chiffre d'affaires du secteur, même si on tient compte des importations qui constituent une dépense hors du secteur. Le SNE indique par exemple que « la pente ascendante du chiffre d'affaires que la profession a connue depuis 1985 s'est brutalement inversée en 1991. Cette année charnière marque le début d'une période de recul ininterrompu du chiffre d'affaires [...]. Ce recul tient à la fois à la baisse du nombre d'exem-

18. *Cf.* Roger Chartier et Henri-Jean Martin (sous la direction de), *Histoire de l'édition française, op. cit.*, tome IV : *Le livre concurrencé 1900-1950.*

19. Est-il utile de préciser que les lecteurs ne sont pas tous acheteurs et que les acheteurs peuvent ne pas être les lecteurs ?

20. INSEE, Comptabilité nationale, *TEF* de diverses années, *Données sociales de la société française*, 1999.

plaires vendus pour chaque titre produit et à la baisse des prix»[21].

Il est difficile de concilier ces deux types d'analyse, mais l'idée dominante dans l'opinion est celle qui s'appuie sur les données du SNE : l'édition est en crise depuis longtemps, et sa mutation est une nécessité pour faire face au développement des autres loisirs et à la concurrence dans le cadre de la mondialisation.[22]

Par conséquent, du côté de l'offre, la modernisation de la production est une nécessité et une réalité. En plus de cet aspect technologique, il convient de signaler le développement des traductions d'œuvres étrangères, l'effacement du français au niveau international, avec pour effet la réduction du marché à l'exportation, et le dynamisme des éditeurs étrangers francophones (belges, québécois, suisses) malgré leur faible poids et leur spécialisation. Mais le plus important phénomène caractérisant les conditions de base de l'offre est indéniablement la croissance des coûts de production primitifs, que l'on distingue des coûts de reproduction. Ces coûts primitifs de plus en plus élevés sont dus notamment à la vedettarisation des auteurs, de plus en plus rares, alors que les nouvelles technologies de traitement et de reproduction de l'information permettent des coûts de reproduction de plus en plus négligeables. Le télétravail, les logiciels de correction orthographique, la remise des textes sur une disquette au format de la maquette de l'ouvrage et bien d'autres innovations ne font faire que des économies inframarginales pour les éditeurs de littérature générale au regard des autres coûts croissants, tout en participant à l'abaissement des barrières à l'entrée dans le secteur éditorial, pourtant déjà largement ouvert. Ce secteur doit d'ailleurs être toujours ouvert aux aventuriers de l'édition qui assurent le dynamisme du secteur, face à la lenteur des grandes organisations qui sont au centre du secteur.

21. Syndicat national de l'édition, «1980-1997 : quel bilan pour l'édition ?», *L'Édition 1998-1999*, SNE, Paris, p. 4.

22. Ce point de vue est développé notamment par Jean-Marie Bouvaist, *Crise et mutations dans l'édition française*, *op. cit.*, et Hervé Renard et François Rouet, «L'économie du livre : de la croissance à la crise», dans *L'Édition française depuis 1945*, *op. cit.*, p. 641 à 738. L'un des multiples intérêts du chapitre de Renard et Rouet est de discuter la méthode statistique du SNE. Ils démontrent notamment, p. 645 *sq*, que le chiffre d'affaires éditorial est un «indicateur moins lisible qu'il n'y paraît».

Les avantages des nouvelles technologies ne sont exploités qu'à la marge, car les tirages moyens connaissent une baisse régulière depuis plusieurs années. Comme l'indique le SNE, si le nombre de nouveaux titres progresse, le volume de ventes reste stable. La loi Lang sur le prix unique du livre permet aux éditeurs de ne pas subir la pression de la grande distribution tout en assurant la survie de la librairie de détail, mais l'éditeur et le libraire n'ont pas trouvé de véritable parade contre le «photocopillage», malgré le développement, chez la plupart des éditeurs et dans de nombreuses catégories d'ouvrages – notamment universitaires et en littérature générale – des livres à faible pagination et à petits prix. Dans ces conditions, et cela depuis plusieurs décennies, la croissance des groupes passe inévitablement par des acquisitions[23]. C'est ce qu'on appelle la croissance externe à marché stationnaire, ou en quasi-stagnation sur la longue période selon le bilan du SNE, dans lequel les deux groupes sont des ensembles de PME. Cette croissance se fait par rachat plutôt que par véritable intégration ou fusion.[24]

Un changement des conditions de base semble se produire ces dernières années. Selon le SNE, une croissance nominale de 4,3 % a été enregistrée en 2000 pour le secteur de l'édition, le CA passant de 14,382 milliards de francs en 1999 à 14,994 en 2000. Le secteur réalise ainsi sa meilleure année depuis 1989, même si sa croissance est restée légèrement inférieure à celle de l'ensemble de l'économie. Cette reprise des ventes amorcée fin 1998 vient à contre-courant du climat général pessimiste concernant un marché que les libraires et les éditeurs estiment parvenu «à maturité», sans perspective de progression.

Deux facteurs principaux ont été avancés pour expliquer cette progression (inattendue) du marché : la reprise économique générale et le succès rencontré par les innovations éditoriales. Ces innovations ont permis d'attirer de nouveaux lecteurs. C'est notamment le cas pour la jeunesse : le phénomène Harry Potter, édité par Gallimard en France, en est l'un des éléments les plus significatifs, avec

23. Bernard Guillou et Laurent Maruani, «Les stratégies des grands groupes d'édition. Analyse et perspectives», *Cahiers de l'économie du livre,* hors série n° 1, ministère de la Culture et de la Communication-Cercle de la librairie, 1991, p. 34-40.

24. Syndicat national de l'édition, «1980-1997 : quel bilan pour l'édition ?», *op. cit.*

le renouveau des bandes dessinées. On avance également l'idée selon laquelle le livre aurait retrouvé sa valeur de cadeau : le secteur des beaux-arts, en perte de vitesse depuis plusieurs années, s'est rétabli de façon spectaculaire. On peut également évoquer d'autres facteurs qui peuvent expliquer cette évolution positive du marché de l'édition. Ce sont principalement :

— la croissance modérée du prix des livres (+ 1 % contre 1,8 % de hausse de l'indice général des prix) ;

— une plus faible croissance du nombre de titres que les années antérieures (+ 2 % avec près de 40 000 nouveaux titres) ;

— la réduction du taux de retour moyen des ouvrages chez les éditeurs (22 % en moyenne, contre 25 % en 1999).

LE MODÈLE ÉDITORIAL : UN OLIGOPOLE À FRANGE ATYPIQUE

Si l'on néglige la multiplicité des marques pour chaque grand groupe, le marché du livre en France, comme partout dans le monde, est aujourd'hui plus que jamais un marché de concurrence imparfaite caractérisé par une structure asymétrique typique de l'oligopole à frange[25]. En économie industrielle, l'oligopole est une structure de marché qui se définit par un faible nombre d'offreurs d'un produit généralement homogène. Ce modèle est ici inadapté pour rendre compte du secteur de l'édition car, d'une part, les produits sont des œuvres reproduites selon des techniques industrielles[26] et, d'autre part, la nature oligopolistique est davantage financière que technique, en ce sens que chacun des groupes financiers forme un ensemble de petites maisons en concurrence entre elles et en concurrence avec les maisons restées indépendantes dans ce qui constitue la frange. Autrement dit, par exemple dans le scolaire et le parascolaire, Hatier concurrence Hachette Éducation chez Hachette, comme cela a déjà été dit précédemment, Bordas concurrence Nathan chez Vivendi Universal Publishing, et, à ces sous-ensembles, il

25. Bénédicte Reynaud-Cressent : « La dynamique d'un oligopole avec frange : Le cas de la branche d'édition de livres en France », *Revue d'économie industrielle*, n° 22, 4e trimestre 1982, p. 61-71.

26. Augustin Girard, « Industries culturelles », *Futuribles*, n° 17, septembre-octobre 1978, p. 605.

faut ajouter des maisons moins imposantes comme Belin, Bréal, Magnard, etc. Mais ce n'est pas tant la concurrence interne qui forge l'atypicité, ce qui peut s'observer dans l'automobile et l'électroménager par exemple, que la nature prototypique et donc particulière du produit livre. L'atypicité de l'oligopole tient également au caractère distribué du phénomène de concentration. Celui-ci, en effet, n'est pas homogène pour toutes les catégories de livres. La notion de duopole entre des géants serait, dans cet ordre d'idées, quasiment acceptable dans le secteur du scolaire, où les économies d'échelle sont à rechercher, avec à sa disposition un système de diffusion et de distribution lourd qui ne souffre ni improvisation ni retard, alors que la concurrence entre petites maisons est un fait patent dans d'autres domaines éditoriaux.[27] Ainsi, l'alliance, annoncée le 12 octobre 1999, entre Gallimard et Bayard dans le secteur du livre pour la jeunesse leur donne la plus importante part de marché avec 22,3 % devant Hachette.[28]

En examinant le secteur sous cette perspective du capitalisme financier dans les industries culturelles, il est alors possible de dire que le mouvement de concentration, en œuvre dès la fin du XIXe siècle[29] et débouchant sur cette structure oligopolistique atypique, s'est seulement, mais fortement, accentué au cours des vingt dernières années. Il convient d'ailleurs de faire observer que cette période coïncide avec l'ère de Christian Brégou[30] à la direction de la Compagnie européenne de publications (CEP).

Une forte concentration donc, mais sans être cependant un duopole, comme il arrive de l'écrire par simplification.[31] Le terme «oligopole atypique» est le plus approprié pour désigner la structure du marché du livre, car les entre-

27. Renard et Rouet citent ainsi l'édition de livres scientifiques et de livres d'art. *Cf.* Hervé Renard et François Rouet, «L'économie du livre : de la croissance à la crise», *L'Édition française depuis 1945op. cit.*, p. 706.

28. Florence Noiville, «Gallimard et Bayard s'allient pour contrôler 22,3 % du marché du livre pour la jeunesse. L'enseigne Gallimard-Bayard jeunesse devient leader dans le secteur, devant Hachette», *Le Monde*, 13 octobre 1999

29. Jean-Yves Mollier, *L'Argent et les lettres*, *op. cit.*

30. La Tribune Desfossés, «L'ère Brégou aura duré vingt-deux ans». Archives 97/09/02, archives.latribune.fr.

31. Jean-Marie Bouvaist, *Crise et mutations dans l'édition française*, *op.cit.* *Cf.* la première partie : «Le duopole et les dérèglements de la concentration», p. 21 et *sq* ; *cf.* aussi Françoise Benhamou, *L'Économie de la culture*, La Découverte, Paris, 1996, p. 70.

prises moyennes, même lorsqu'elles ont des liens financiers avec l'un des deux grands groupes, ont une réelle autonomie de décision, tout comme un grand nombre de maisons intégrées qui disposent d'une autonomie éditoriale avec un nom de marque et une image attachée à cette marque qui ne se confond pas avec l'image donnée par le groupe ou par les autres marques du groupe. C'est même cette image spécifique qui fait la valeur d'une maison et qu'il convient donc de préserver dans des opérations de concentration.

Toutefois, la sauvegarde des noms des maisons « absorbées » contribue à maintenir l'illusion d'un marché fortement concurrentiel dans tous les domaines de l'édition et à semer des obstacles pour les chercheurs dans leur travail d'accès à l'information. Ce manque de transparence et de fiabilité des informations conduit à donner une estimation grossière du nombre de maisons. On sait déjà, par le panel du Syndicat national de l'édition, que 311 maisons au CA supérieur à 1 million de francs ont répondu en 1997 au questionnaire annuel. L'interrogation des bases de données alimentées par les greffes des tribunaux de commerce ne permet pas d'aller bien au-delà de ce nombre compte tenu du chiffre d'affaires minimum de 1 million de francs. À la suite de Hughes de Noray, secrétaire général du SNE, on peut affirmer que le recensement des maisons d'édition est un exercice particulièrement délicat, puisqu'une maison d'édition peut prendre soit la forme d'une société commerciale clairement identifiée comme une entreprise d'édition de livres (code NAF 221. A), soit constituer un département au sein d'une entreprise plus vaste ayant un autre objet (cas de l'édition des guides Michelin au sein de l'entreprise éponyme dont l'activité principale est la production de pneumatiques). Hughes de Noray signale en outre le cas de maisons d'édition dans le cadre d'une association, ou encore l'activité d'édition des pouvoirs publics, de leurs directions, départements et services.[32] La difficulté du recensement, sur la base de critères juridiques, est aggravée par les considérations économiques, dans la mesure où certaines maisons ont une activité irrégulière qui n'entraîne pas pour autant leur disparition,

32. Réponse d'Hugues de Noray référencée : 99 : ADH/109/JS/HdN/JDR, 1er octobre 1999, à une demande de renseignements sur le secteur.

même si elles sont restées en sommeil plusieurs années. Sur ces éléments, Hughes de Noray évalue à 5 000 le nombre d'éditeurs français présents dans les bases de données de la profession, mais l'estimation du nombre de maisons ayant une activité régulière d'édition ne dépasse pas 800. Au-delà de ce nombre, à l'irrégularité de l'activité s'ajoute un faible chiffre d'affaires (en dessous de 1 million de francs annuel).

Même s'il faut prendre avec beaucoup de précaution les données quantitatives relatives au nombre d'entreprises et à leur activité en termes de chiffre d'affaires et de résultats, tant les évaluations divergent[33], les chiffres clés de l'édition en 1997 proposés par le SNE[34] indiquent que le chiffre d'affaires des 311 maisons d'édition était de 14 milliards de francs (2,13 milliards d'euros) hors club de vente par correspondance. En faisant l'hypothèse hardie de la possibilité de vérifier les données, ces 311 maisons de l'échantillon du SNE constitueraient dans ces conditions une représentation acceptable avec approximativement 90 % de l'activité du marché de l'édition. Dans cet ensemble, 11 maisons enregistraient plus de 250 millions de francs de chiffre d'affaires chacune, ce qui corres-

ÉVOLUTION DE LA RÉPARTITION DES MAISONS D'ÉDITION (en %) selon le chiffre d'affaires dans l'échantillon du SNE*

Classes de CA en millions de francs	1980		1990		1997	
	Maisons	CA	Maisons	CA	Maisons	CA
> 100	3,6	46,7	6,1	63,2	8,4	73,5
50 à 100	2,5	11,7	6,8	15,5	5,8	9,5
10 à 50	19,1	29,5	22,1	15,8	21,5	12,8
1 à 10	44,5	11	44,4	5,2	41,1	7,5
< 1	30,5	1,1	20,6	0,3	23,1	0,2

* Les classes, dans les tableaux du SNE, ne sont pas définies avec une rigueur scientifique, car la borne inférieure d'une classe se confond avec la borne supérieure de la classe qui est en dessous.

33. Hervé Renard et François Rouet : « L'économie du livre : de la croissance à la crise » dans *L'Édition française depuis 1945*, *op. cit.*

34. Syndicat national de l'édition, *L'Édition 1998-1999*, SNE, Paris, juin 1999.

pond à 57 % du chiffre d'affaires global. Dix ans plus tôt, 13 maisons réalisaient un peu moins de la moitié du chiffre d'affaires, alors qu'on comptait 850 maisons qui avaient une activité régulière d'édition de livres.[35] Le tableau ci-dessous permet de voir le fort mouvement de concentration même si les données en francs courants pour les classes de chiffre d'affaires ont été trop agrégées, jusqu'à masquer le phénomène oligopoloïde dont ce texte veut rendre compte.

En effet, les deux groupes dominants réalisent plus de 50 % de l'activité du secteur en 1997 : avec un chiffre d'affaires de 7,5 milliards de francs pour Havas dans le seul secteur de l'édition et de 5,038 milliards pour Hachette-Livre (4,01 milliards hors taxe). La frange correspond à la diversité des segments ou niches qui intéressent plusieurs centaines de petites « maisons » d'édition (moins de 0,5 milliard de chiffre d'affaires en 1997) et 6 « maisons » de moyenne dimension (Gallimard, Flammarion, Le Seuil, Albin Michel et les filiales françaises de Reed Elsevier et de Wolters-Kluwer), réalisant entre 0,5 et 1,4 milliard de francs de chiffre d'affaires en 1997. Le caractère fortement concentré du secteur ne fait pas de doute, mais la présence d'entreprises moyennes à la notoriété non négligeable, comme Gallimard, Le Seuil, Albin Michel, ou Flammarion, et qui se sont, pour certaines, renforcées par des prises de participation ou regroupements, éloigne la concentration observée de l'évolution vers une structure monopolistique.

En effet, le contraste entre les structures actuelles et celles du passé serait encore plus net en comparant les premières avec celles qui prévalaient au milieu des années 1970, c'est-à-dire au moment de la constitution de la Compagnie européenne de publications (CEP) par la transformation en 1976 d'Usine Participation, filialisée à 40 % par Havas, et qui précède de quelques années le rachat des éditions Nathan, en 1979. Dans cette période et jusqu'au début des années 1980, la firme fondée par Louis Hachette et intégrée aujourd'hui dans le groupe Lagardère faisait figure d'un quasi-monopole stigmatisé sous l'expression de la « pieuvre verte », alors que depuis 1993, malgré sa croissance externe par de nombreux rachats

35. Article « Édition » de l'*Encyclopedia Universalis*.

d'entreprises, elle est largement dominée par le Groupe de la Cité, qui deviendra Vivendi Universal Publishing.

Indéniablement cependant, la stylisation du modèle économique – applicable au livre, au disque et au cinéma –, dit «modèle éditorial» et proposé par Bernard Miège[36] à la fin des années 1970, est toujours pertinente pour décrire le secteur de l'édition de livres, sans se limiter au seul cas français, car, comme l'écrit Françoise Benhamou, la situation française ne fait pas exception.[37] Ce modèle indique que l'édition de livres est une activité industrielle de reproduction à large échelle, de diffusion et de représentation auprès du plus large public d'une œuvre ponctuelle (prototype) qui se transforme dans ce processus industriel en une marchandise culturelle. La rationalisation de la production, la recherche d'économies internes d'échelle sont inscrites dans cette logique industrielle de reproduction de prototypes. La concentration des entreprises est alors inévitable pour avoir un large catalogue, couvrant la plupart des segments du marché, mais qui doit s'appuyer sur des produits vedettes dont la mise au point et la commercialisation sont le résultat, le plus souvent, de lourds investissements (avances sur droits, relations publiques...). Néanmoins la grande dimension n'est pas la structure adaptée à la découverte de nouveaux talents, aux nouveaux produits et aux petites séries souvent exigées par ces innovations. Ce sont autant de facteurs explicatifs, d'une part, de la présence d'un grand nombre de petites maisons à la durée de vie variable, mais véritables viviers de talents pour les grandes structures sans en assumer les risques, et, d'autre part, de quelques entreprises moyennes qui ont une certaine pérennité, même si certaines d'entre elles finissent par être absorbées, elles aussi, par les groupes financiers dominants. L'inconvénient de l'inertie

36. Bernard Miège *et alii*, *Capitalisme et industries culturelles*, Presses universitaires de Grenoble, 1978. Voir une analyse plus récente : Bernard Miège, *La Société conquise par la communication*, Presses universitaires de Grenoble, 1989.

37. Françoise Benhamou illustre son propos relatif à l'oligopole à frange en prenant appui sur les cas italien, britannique et américain : les grands groupes de nature éventuellement conglomérale (par exemple, le groupe Pearson est présent dans la presse, l'audiovisuel, l'édition, le pétrole et la porcelaine) coexistent avec de petites structures. *Cf. L'Économie de la culture*, *op. cit.*, p. 68 à 70.

des grands groupes d'édition est compensée par la possibilité de supporter un déficit d'exploitation, avantage obtenu par l'adossement à des conglomérats qui peuvent supporter quelques défaillances, à la condition qu'elles ne se répètent pas.

Vivendi Universal Publishing et Hachette-Livre : deux groupes, deux stratégies

Cela a déjà été dit, les deux groupes dominants en France n'ont pas le même rapport au livre. Le groupe Lagardère veut garder un lien visible avec le livre, ce qui justifie que le pôle communication soit dévolu à Hachette SA, alors que Vivendi, qui a regroupé ses activités de communication et d'édition autour de Vivendi Universal Publishing, dont la stratégie est particulièrement difficile à décoder, ne semble pas vouloir être identifié comme éditeur. La nouvelle dénomination VUP est trop récente pour indiquer un changement significatif dans le champ de l'édition. Le livre voit certes sa part diminuer dans l'activité communication, mais le recentrage sur le livre scolaire et les logiciels éducatifs laisse ouvertes les perspectives de redéploiement. Ce rapport au livre différent ne les empêche pas d'avoir des leviers stratégiques identiques face à des menaces de même nature, tout en ayant des options stratégiques spécifiques.

Il est incontestable que Vivendi Universal Publishing et Hachette-Livre se trouvent souvent en concurrence sur les mêmes marchés, c'est-à-dire proposent souvent le même type de livres, tout en ayant le même projet de développement sur les marchés porteurs à l'international, en particulier le marché anglophone. L'un comme l'autre ont pour « vache à lait », selon l'expression de la matrice d'analyse stratégique du Boston Consulting Group, l'édition scolaire aux tirages de plusieurs centaines de milliers d'exemplaires pour chaque titre, lorsque les livres universitaires connaissent des tirages à mille exemplaires. Dans chaque groupe le développement de la numérisation conduit certaines maisons intégrées à envisager des substituts ou des compléments numériques (cédérom et autres outils multimédias) au livre papier.

Certes, les responsables des deux groupes savent que la mondialisation en marche depuis longtemps s'accélère ces derniers temps à la faveur des nouvelles technologies de la communication, de la plus grande liberté de circulation des capitaux entre des nations où le risque politique ne semble plus concerner que les jeunes nations en développement. Le développement international sur une base nationale renforcée, par une croissance nécessairement externe, est alors une façon de faire face à la concurrence des groupes géants étrangers, tels que Reed Elsevier et Wolters Kluwer, pour n'évoquer que des Européens un moment tentés par la fusion monopolistique. C'est donc, par cette croissance externe, une véritable course à l'acquisition de petites maisons ou de maisons moyennes à laquelle se livrent les grands groupes européens parmi lesquels Bertelsmann, à qui il arrive d'être partenaire de Vivendi Universal Publishing dans certaines opérations. La croissance interne par le lancement de nouvelles collections ou de nouvelles maisons dans le même groupe reste marginale, car plus risquée que le rachat de maisons ayant déjà un catalogue, des auteurs prometteurs, un créneau, un nom et un public. Il importe donc, pour un groupe confronté à la concurrence dans le marché oligopolistique atypique, d'être présent dans tous les secteurs et segments de l'édition. Le rachat de petites maisons est le moyen de pénétrer les nouveaux segments du marché du livre ou de se renforcer sur les secteurs porteurs. Cela ne veut pas dire que les grands groupes n'ont qu'une activité financière de prédateur, car il arrive que le rachat soit sollicité par la petite maison qui, en raison de l'insuffisance de ses fonds propres pour les investissements indispensables au maintien de son indépendance, recherche des repreneurs.

Au-delà de ces remarques générales, Hachette-Livre et Vivendi Universal Publishing présentent des spécificités stratégiques. Avec Hachette, la stratégie semble claire : être présent de manière significative et éventuellement se renforcer dans tous les secteurs et segments de l'édition et dans tous les métiers de l'édition, y compris ceux de la distribution et de la diffusion, sans nécessairement bouder les prises de participation minoritaires – il s'agit souvent d'entreprises clientes du service de distribution du groupe – ni sans chercher nécessairement à remplacer la direction de la maison qui vient d'être absorbée. En d'autres termes,

Hachette préfère l'évolution à la restructuration brutale, une prise de contrôle éventuellement minoritaire, puisque l'intérêt de l'intégration est de récupérer ou de garder le capital immatériel de la maison absorbée. Cette stratégie fait comprendre que, dans le monde de l'édition, ce sont les hommes et les femmes qui constituent le véritable patrimoine ou la valeur et non les immeubles ou autres types de biens dont on peut se passer dès l'instant où un auteur apporte son manuscrit, que l'imprimeur et le distributeur acceptent d'accorder des facilités de paiements. Il n'y a pas de barrières à l'entrée dans l'édition, mais la survie exige les moyens de la grande firme et les idées des petites maisons.

C'est ainsi qu'Hachette-Livre, en décembre 1996, se contente d'une prise de participation de 25 % dans le capital des éditions Ramsay (catalogue de littérature générale) et Michel Laffon (biographies de célébrités et ouvrages signés par des personnalités, produits très lucratifs mais qui coûtent très cher en publicité et en à-valoir, comme le fait observer Michel Laffon[38]), après une opération de même nature, mais à 20 %, dans le capital des éditions Anne Carrière, jeune maison fondée trois ans plus tôt, spécialisée dans les nouveaux talents et la traduction d'auteurs étrangers. (Anne Carrière a eu l'heureuse fortune d'intégrer à son portefeuille de titres *L'Alchimiste*, du Brésilien Paulo Coelho.) On signalera également, à titre d'illustration de cette spécificité de Hachette, la prise de majorité dans le capital de la société Hazan, connue pour être l'une des plus prestigieuses maisons d'édition d'art, en septembre 1997, tout en laissant Éric Hazan à la tête de la direction. De la même manière, à la suite d'une mise aux enchères qui a réuni la plupart des maisons de moyenne dimension en plus du géant Hachette, l'absorption à la fin mai 1996 du groupe Alexandre Hatier – comprenant Hatier, Didier, Foucher –, troisième éditeur scolaire, ne remet pas en cause son autonomie et son identité éditoriale, tandis que les directeurs descendant des fondateurs gardent les responsabilités qu'ils avaient dans les structures du groupe. Cette opération est, par ailleurs, particulièrement éclairante pour mieux comprendre certains aspects de la stratégie de Hachette-Livre. La

38. Déclaration reprise dans le quotidien *La Tribune*, 3 décembre 1996.

présence dans l'édition scolaire à un niveau significatif, avec 38 % des parts du marché contre 48 % pour le groupe Vivendi Universal Publishing et ses filiales, est incontestablement le moyen de se pérenniser dans un marché captif et permanent, et de réaffirmer l'attachement de la direction actuelle à la grande œuvre éducative qui est l'histoire du groupe de Louis Hachette.

Contrairement aux opérations de croissance pour la croissance de la période de la CEP et du Groupe de la Cité, la nouvelle stratégie de VUP semble plus sélective que celle de Hachette, aussi bien dans les secteurs que dans le choix des hommes qui doivent assurer la gestion des entités regroupées. Comme chez Hachette, les activités stratégiques et lucratives de diffusion et de distribution du livre sont conservées dans le portefeuille d'activités ; pour les activités purement éditoriales internes ou à acquérir, c'est en fonction des opportunités qui se présentent de revendre dans de bonnes conditions ou d'acheter des maisons intéressantes, eu égard à la nouvelle orientation opérationnelle du groupe depuis la fin 1997. En effet, Vivendi Universal et son directeur cultivent, à l'image du changement de nom du groupe déjà évoqué, la restructuration et la notion de métier, comme si la dispersion dans un trop grand nombre d'activités industrielles ne devait pas être aggravée au sein du pôle communication par la multiplicité des spécialités éditoriales.

C'est dans cette perspective que Pierre Dauzier, à la tête de Havas, et Jean-Marie Messier, président de Vivendi Universal, ont l'un comme l'autre exprimé leur volonté de développement à l'international par acquisition de groupes étrangers, seuls ou en partenariat, en abandonnant la stratégie de société holding pour celle d'un groupe opérationnel, impliquant la vente des titres des sociétés dans lesquelles Havas est minoritaire et le rachat des parts minoritaires dans ses filiales. C'est ainsi, par exemple, qu'au début du mois de février 1999, Havas a cédé à Gallimard les 12,5 % du capital de cette dernière qu'il détenait. De même, en juin 1998, la filiale de Vivendi s'est associée de manière paritaire à Bertelsmann pour racheter le groupe d'édition espagnol Doyma, alors qu'il s'est engagé seul dans l'offre publique d'achat amicale du deuxième groupe d'édition espagnol, Ananya, ce qui lui à permis de devenir le numéro un européen du livre scolaire.[39] Néanmoins, la systématisation de cette stratégie et la recherche du leadership dans l'édition scolaire ont conduit quelquefois à des arbitrages surprenants, comme la cession, au cours de l'année 2001, de Vidal et de Masson, qui sont des leaders « vache à lait » dans le domaine de l'édition médicale.

La réorientation des activités, dans la perspective de l'opérationnalité du groupe prenant le pas sur la stratégie financière d'une holding, s'est surtout manifestée par les changements d'hommes à la tête des filiales. Le plus notoire a été, le 1er septembre 1997, la décision du président de Havas, Pierre Dauzier, de mettre fin aux fonctions de Christian Brégou à la tête de CEP Communication qui devient, dès ce moment, Havas Publications Édition. Pourtant, c'est sous la direction et à l'initiative de C. Brégou que fut fondé en 1976 CEP communication pour devenir en 1988 le deuxième groupe d'information économique, professionnelle et technique en Europe et le deuxième éditeur français par le biais de ses filiales Nathan et Larousse. La maison Nathan, « vache à lait » par le scolaire et pionnier dans les nouvelles technologies éducatives, acquise en 1979, sera la base du développement de CEP et ensuite de HPE. Larousse, entrée en 1983, a dû être transformée et restructurée pour l'adapter à la demande du marché qui n'est pas en mesure d'absorber, dans les limites du marché étroitement français, les ouvrages de référence coûteux de la marque. Mais, malgré la restructuration, l'ensemble Larousse-Nathan comporte encore de nombreuses supplémentarités – activités en concurrence interne – que les responsables du groupe cherchent à transformer en complémentarité assez rapidement.

UNE HISTOIRE SANS FIN ?

Ce chapitre ne peut avoir de conclusion car le monde de l'édition, comme le reste de l'activité dans la plupart des pays industrialisés, est engagé frénétiquement dans un mouvement de concentrations, prises de participation, restructurations, de rachats et de reventes, sans qu'il soit possible d'en prévoir le terme. On peut seulement avancer

39. José Alvès, « Havas acquiert l'éditeur espagnol et devient numéro un européen du livre scolaire », *Les Échos*, 14 septembre 1998.

que Vivendi Universal Publishing et Hachette-Livre sont des grands groupes d'édition à l'échelle de la France, mais de la France seulement. Leur maintien à ce rang est dû à leur adossement à un conglomérat de taille mondiale (Vivendi Universal) ou européenne (Lagardère Groupe), mais cela ne signifie pas que la croissance externe qu'ils ont réalisée depuis plus de vingt ans puisse se poursuivre indéfiniment sans susciter l'appétit et l'intervention de prédateurs de taille mondiale intéressés par les nombreuses petites maisons encore indépendantes. Seul l'avenir nous dira si les transformations opérées dans la décennie 1990 dans les deux groupes, dans la perspective de l'affrontement de la concurrence à un niveau mondial, seront efficaces. Mais il est vraisemblable que la rationalisation n'est pas achevée, ni à l'échelle de la France ou de l'Europe ni encore moins du monde.

Chapitre III

L'avenir incertain des éditeurs de taille moyenne

Pendant les cinquante premières années du siècle, la structure de la branche édition est restée la même. La Librairie Hachette dominait la profession, grâce à une production industrialisée depuis le XIXe siècle et à une double diversification : dans la librairie, à travers les bibliothèques de gare, et dans la distribution, avec les Messageries Hachette. Le reste de la profession se composait de maisons de tailles très différentes, de la très petite maison spécialisée dans un domaine littéraire ou scientifique aux grosses maisons de l'édition scolaire ou de la littérature générale. À partir des années cinquante s'amorce un mouvement de concentration qui profite surtout, dans un premier temps, à la Librairie Hachette. Puis, alors que l'appétit de la «pieuvre verte» semble faiblir, les Presses de la Cité prennent le relais, si bien que, au début des années quatre-vingt-dix, la branche édition se compose ainsi : une multitude de petites et très petites maisons, dont le nombre est à peu près stable autour de trois cents ; quelques maisons de moyenne importance, dont le chiffre d'affaires annuel est compris entre 500 millions et 1 milliard de francs; loin devant elles, deux géants à l'échelle de la France, Hachette-Livre et Vivendi Universal Publishing, dont le chiffre d'affaires se situe entre 4 et 7 milliards de francs selon les années et les activités prises en compte.[1]

Malgré un contexte économique morose ces dix dernières années, le mouvement de concentration ne s'est pas arrêté. Hachette et Vivendi Universal Publishing, respectivement intégrés à Lagardère Groupe et à Vivendi, ont poursuivi leur politique de rachats.[2] Les faibles perspectives de croissance interne, dans un secteur très concurrentiel où les parts de marché sont d'autant plus difficiles à gagner que la demande globale stagne, ne leur laissaient guère d'autre choix s'ils voulaient maintenir la progression de leur chiffre d'affaires. Et la concentration déjà forte dans l'édition française – environ 4 % des entreprises font les deux tiers du chiffre d'affaires global de l'édition[3], alors qu'elles n'en faisaient que la moitié il y a trente ans – s'en est trouvée encore accrue.

Les victimes de cette évolution ont été, au premier chef, les maisons de taille moyenne. Certes, la vie des petites maisons a souvent été difficile; beaucoup ont sombré, beaucoup ont été rachetées, mais il en est apparu suffisamment de nouvelles pour que leur nombre reste à peu près stable depuis vingt-cinq ans. Il n'en est pas de même pour les maisons de taille moyenne, qui ont été, et sont encore, la principale cible des deux groupes[4], comme l'ont rappelé les rachats, en 1996, de Masson et de Hatier. Ce phénomène est particulièrement sensible dans certains domaines comme celui du livre scolaire où il ne subsiste plus aucune maison de taille moyenne qui soit indépen-

1. Il faut noter que, dans le classement des maisons d'édition par chiffre d'affaires, entre Hachette et Gallimard vient s'intercaler France Loisirs, dont la nature n'est pas exactement la même.

2. *Cf.* ci-dessus, le chapitre II.

3. Alain Salles, «98, une année morose pour l'édition», *Le Monde*, 26 novembre 1999 (sources SNE).

4. François Rouet note que, entre 1985, date d'une enquête de la Dafsa, et 1992, date de son propre recensement, trente entreprises moyennes sur quatre-vingts ont perdu leur indépendance. Il faudrait aujourd'hui y ajouter une dizaine d'autres éditeurs (*Le Livre: mutations d'une industrie culturelle*, *op. cit.*, p. 79-80). Cet article doit beaucoup à ce livre qui lui a servi de base de comparaison.

dante à l'exception de Belin. Toutefois, les autres maisons n'ont pas été épargnées non plus, Hachette recherchant des fonds riches en littérature pour nourrir les collections du Livre de Poche, les Presses de la Cité donnant une priorité à la rentabilisation de leurs compétences en matière de distribution. De là à conclure que, dans l'édition comme dans d'autres branches industrielles, les maisons de taille moyenne sont vouées au rachat, il n'y a qu'un pas, vite franchi. L'attention s'est donc focalisée sur les plus grosses des maisons « moyennes » avec d'autant plus de sollicitude qu'elles ont des fonds littéraires plus riches : le rachat de Masson n'a guère ému, alors que les péripéties de la recomposition du capital chez Gallimard ont été suivies pas à pas par la presse. Aux yeux de certains, le sort de ces maisons semble préfigurer celui de la culture française. Cette crainte repose sur l'idée que les grands groupes éditoriaux, à l'instar des groupes industriels, cherchant les profits maximum, uniformisent la production pour obtenir un produit moyen susceptible de plaire au plus grand nombre et fuient les ouvrages difficiles dont la rentabilité ne peut être appréciée que sur le long terme. Ceux qui penchaient pour une vision plus optimiste, fondée sur une spécificité des produits culturels en France, ont vu leur position affaiblie lors de la publication, au printemps 1999, du livre d'André Schiffrin, *L'Édition sans éditeurs*. Au terme d'une carrière menée dans des maisons de taille moyenne, l'auteur brosse, à titre de mise en garde des éditeurs européens, un tableau assez noir de l'édition aux États-Unis. Un vaste mouvement de concentration a fait tomber dans l'escarcelle de grands groupes de communication, comme ceux de Rupert Murdoch ou de l'Allemand Bertelsmann, des maisons autrefois vouées à la littérature de qualité. Contrairement aux intentions proclamées lors de ces rachats, les responsables éditoriaux ont été rapidement priés de se soumettre à une logique du profit immédiat le plus élevé possible ou de se démettre. La culture propre à chaque maison s'efface devant une uniforme volonté de fabriquer des best-sellers, avec le soutien des médias appartenant au groupe ; les sciences humaines et la création littéraire n'ont plus d'avenir éditorial. Ce petit livre a eu un grand écho dans les milieux intellectuels français car il rattachait les interrogations concernant l'avenir des maisons moyennes à une dénonciation plus vaste des menaces que font peser les multinationales de la communication sur les cultures nationales.

Dans ce contexte, l'annonce, en octobre 2000, du rachat de la Librairie Flammarion, la doyenne des quatre grandes maisons indépendantes de littérature, par Rizzoli-Corriere della sera a ravivé les inquiétudes. Il est vrai que le cas de Flammarion est exemplaire des stratégies qui ont permis à ces entreprises de prospérer jusqu'ici, mais aussi des menaces qui pèsent sur elles.

Le rachat de Flammarion

La prise de contrôle d'une maison d'édition ne peut être réalisée – c'est une évidence – que dans deux cas : un besoin de financement de sa part ou une crise de succession en son sein. Et le second, parfois renforcé par le premier, il est vrai, n'est pas le moins fréquent. En effet, jusqu'à la Libération, les maisons d'édition appartiennent encore majoritairement à celui qui les dirige ; rares sont les sociétés anonymes. Absence d'héritier, dissensions entre héritiers trop nombreux ou incapables de parvenir à un partage équitable des responsabilités et des capitaux, volonté de disposer librement de son héritage..., les raisons sont multiples pour mettre l'entreprise en vente. Si la conjoncture économique est peu favorable et la rentabilité de l'entreprise incertaine, les héritiers seront d'autant plus tentés de vendre, quitte à négocier, en contrepartie, l'attribution de fonctions salariées importantes dans le groupe intéressé.

Le Seuil, Albin Michel et Gallimard ont jusqu'ici réussi à éviter que la mort du patron ne marque aussi la fin de l'indépendance de l'entreprise. Généralement, la succession a été préparée de longue date, en associant l'héritier désigné à la direction de la maison. La transmission s'est faite ainsi de Robert Esménard, gendre d'Albin Michel, à son fils Francis, de Gaston Gallimard à son fils Claude et de celui-ci à son fils cadet Antoine, après que son fils aîné Christian, d'abord désigné, eut été écarté. Toutefois, les péripéties qui ont accompagné le règlement de la succession de Claude Gallimard ont montré que la situation de celui qui possède le pouvoir de décision sans posséder un pouvoir financier suffisant est difficile car sa légitimité peut être remise en cause par les autres héritiers qui se jugent lésés. Antoine Gallimard n'est sorti de la crise ouverte par la décision de l'une de ses sœurs de vendre sa part du capital qu'en augmentant sa propre participation au capital avec l'aide d'une banque. En procédant ainsi, il a reproduit, avec des capitaux extérieurs, la politique que les Flammarion avaient menée avec leurs capitaux propres. Ernest Flammarion, plusieurs années avant de prendre sa retraite, avait attribué à son fils Charles la maison d'édition, et à son fils Albert l'entreprise de librairie; sa fille avait reçu une compensation financière. À la génération suivante, Henri Flammarion racheta au fils d'Albert sa part de l'entreprise de librairie de façon à conserver l'unité de l'entreprise. Ces opérations, si équitables soient-elles sur le plan financier, n'en reposent pas moins, elles aussi, sur cette discipline familiale forte qui les rend, dans certains cas, inutiles. Les héritiers de Raymond Gallimard n'ont pas fait défaut à leur cousin Claude, pas plus que Claude Flammarion à son frère Henri. La présence dans l'entreprise de certains héritiers (Isabelle Gallimard à la tête du Mercure de France, Alain et Jean-Noël Flammarion dirigeant les activités de distribution et de librairie, Henri et Jean-Pierre Esménard, Élisabeth Bardet, Pascal et Bruno Flamand[5]...) ne s'explique pas seulement par le souci de se concilier des détenteurs du capital. Elle témoigne de leur part d'un attachement au projet familial que la publicité donnée à certaines dissensions ne doit pas faire sous-estimer. Cependant, au fil des générations, le sentiment d'appartenance à une entreprise familiale tend à se diluer, et on ne peut prédire de quel poids pèsera sur l'avenir de ces maisons ce type de facteur humain.

La nécessité de faire appel à un financement extérieur pour combler un déficit passager ou se donner les moyens d'une politique ambitieuse a été fatale à l'indépendance de beaucoup de maisons; la simple prise de participation, qui semble d'abord moins douloureuse, prélude généralement à une limitation de l'autonomie de l'équipe éditoriale, voire à un rachat complet. L'indépendance de Gallimard, du Seuil, d'Albin Michel (et de Flammarion jusqu'à l'au-

5. Le cas des éditions du Seuil, qui ont été fondées et dirigées par Jean Bardet et Paul Flamand, est un peu différent. On peut penser que l'attribution, en 1970, de 30 % du capital au personnel de la maison a joué un rôle dans le sens de la stabilité.

tomne 2000) est le fruit d'une politique éditoriale et commerciale habile qui leur a évité de dépendre de capitaux extérieurs, malgré le handicap inhérent à leur taille. En effet, les économistes ont coutume de penser qu'une maison de taille moyenne, quelle que soit son activité, est difficile à gérer : trop grande pour tirer avantage de structures légères, trop petite pour investir. Le premier de ces inconvénients touche toutes les maisons moyennes car, depuis quarante ans, sont apparues de nombreuses fonctions nouvelles dans les maisons d'édition. Services commerciaux et comptables, de la publicité et du marketing se sont étoffés au point que les collaborateurs directement littéraires ne représentent plus qu'environ 10 % des effectifs d'une maison comme Gallimard. Cette évolution semble difficilement évitable car elle est liée, pour une grande part, à l'intensification de la concurrence et à l'apparition de nouvelles règles de fonctionnement du marché, comme l'importance des médias et l'évolution du réseau de librairie. Pour en limiter les effets, une partie des tâches artistiques a été sous-traitée, et certains travaux non spécialisés confiés à des sociétés situées dans des pays à faible coût de main-d'œuvre. Cela ne réduit que très partiellement les inconvénients inhérents à la taille de l'entreprise. La lourdeur des frais fixes jointe à la faible capacité d'investissement conduisent donc ces éditeurs à mener, d'abord, une politique de développement interne dont la diversification du catalogue et des activités semble avoir été le moyen le plus efficace.

L'INDISPENSABLE DIVERSIFICATION DU CATALOGUE

Hier comme aujourd'hui, la diversification du catalogue apparaît comme une nécessité aux yeux des éditeurs. Elle avait été une préoccupation constante chez Flammarion depuis les années 1878-1879, où Ernest Flammarion fit une entrée en fanfare dans le monde de l'édition en publiant un livre de vulgarisation scientifique, *L'Astronomie populaire,* et un roman à succès en édition illustrée, *L'Assommoir* ; dans les années qui suivirent, il ajouta de nouveaux domaines à son catalogue : livre pratique, livre pour enfants, livre d'histoire, de réflexion scientifique, essais... Parallèlement, il étendait sa production du livre populaire au livre de demi-luxe. Cette politique n'a jamais été abandonnée par ses successeurs. Charles Flammarion a renforcé le secteur jeunesse, assez mineur jusque-là, grâce aux albums du Père Castor dans les années 1930, tandis que, après la guerre, était créé Flammarion-Médecine; Henri Flammarion, qui dirigea la maison aux côtés de son père avant de lui succéder en 1967, donna un nouvel élan au domaine pratique avec un rajeunissement du catalogue des livres de cuisine et fit de sa maison un grand éditeur de livres d'art. Il sut aussi saisir la vogue des sciences humaines avec la «Nouvelle Bibliothèque scientifique» dirigée par Fernand Braudel et la «Bibliothèque d'ethnologie historique», qui nourriront ensuite la collection de poche «Champs». Flammarion a donc abordé les années quatre-vingt-dix avec un catalogue toujours très diversifié. Le cas d'Albin Michel est assez semblable. Dès ses débuts, Albin Michel, un ancien vendeur d'Ernest Flammarion, devenu libraire soldeur puis éditeur, a choisi la littérature générale avec le désir de toucher le grand public; le grand succès qui marque l'émergence de sa maison est *L'Atlantide* de Pierre Benoît, et tous les autres romans de cet auteur feront le fonds de roulement d'Albin Michel pendant longtemps. Dans un autre domaine et pour un autre public, il accueille, dans les années trente, l'ambitieuse collection historique «L'évolution de l'humanité» d'Henri Berr. La collection perdure depuis lors, avec une déclinaison en livre de poche, et Francis Esménard a soin de continuer à l'enrichir, malgré le repli des sciences humaines. Les gros tirages n'ont pas pour autant déserté la maison: Stephen King et Mary Higgins Clark ont remplacé Pierre Benoît, devançant de peu les documents d'actualité, un genre apparu dans les années 1920 déjà chez Albin Michel. Le même constat peut être fait à partir des catalogues du Seuil, qui a bâti une grande part de son image et de sa fortune avec les essais et les sciences humaines grâce à Foucault, Lacan, Dolto, Lévi-Strauss et les historiens. Cependant, à côté d'un domaine littéraire qui a toujours été solidement représenté, un secteur jeunesse et un secteur policier sont venus accentuer, à côté de quelques ouvrages pratiques, la diversité du catalogue. Chez Gallimard, en revanche, la tradition n'est pas aussi forte: malgré la présence d'une «Bibliothèque des idées» dès 1927, la gloire de la maison s'est bâtie, dans l'entre-deux-guerres, sur la littérature française et étrangère, principalement. L'après-guerre est marqué par un début de diversification dans deux directions différentes. Le domaine littéraire s'étend, à partir de 1945, au roman policier avec la « Série noire », qui prend un développement sans rapport avec les quelques livres policiers des années trente. Par ailleurs, la « Bibliothèque de philosophie » de Merleau-Ponty et Sartre, créée en 1950, montre la volonté de Gallimard d'exploiter le domaine des idées à la faveur du succès d'un courant de pensée. De même, la « Bibliothèque des sciences humaines » (1966) et la « Bibliothèque des histoires » (1971) de Pierre Nora accompagnent et amplifient la vogue des sciences humaines et de la nouvelle histoire. Le développement d'un département Jeunesse, à partir de 1972, et Nouveaux loisirs, plus récemment, ont mené encore plus loin cette diversification du catalogue, riche aussi en ouvrages d'art. Enfin, les collections de poche témoignent de cette même recherche avec des collections thématiques comme « Idées », lancée dès 1962, ou la subdivision « Essai » de « Folio ».

Un catalogue diversifié est un atout, car il permet d'amortir les effets d'une désaffection pour une catégorie de livres. Ainsi, les quatre maisons ont supporté sans trop de dommage la baisse des tirages en sciences humaines. Toutefois, un catalogue diversifié ne suffit pas à assurer la prospérité d'une maison moyenne et à préserver son indépendance, Fayard ou Plon en sont des exemples. En effet, si nécessaire qu'elle paraisse à la fortune d'une entreprise moyenne, la diversification n'est pas toujours sans danger. Elle présente le risque de brouiller l'image de l'éditeur dans l'esprit du public et des libraires. Flammarion s'accommode de ce flou depuis sa création, réussissant à être un grand éditeur de livres d'art et l'éditeur de romans très grand public susceptibles de nourrir la collection « J'ai lu ». À l'intérieur même d'une spécialité, sa production est encore diversifiée : « Tout l'œuvre peint », collection de vulgarisation à succès, voisine avec le somptueux et ambitieux *Matisse*. Toutefois, l'éditeur reste fidèle à l'image du Père Castor pour regrouper les collections destinées à la jeunesse, conscient de son impact commercial. De même, Albin Michel, comptant sur l'ancienneté de sa diversification et de sa notoriété, s'accommode d'une image ambivalente. Au Seuil, en revanche, on semble attentif à se diversifier tout en restant proche de son public habituel : s'il faut s'intéresser au sport, Le Seuil – comme Gallimard – se tourne vers la voile (*Cours de navigation des Glénans*) de préférence au football, et le succès étonnant de *Don Camillo* n'a pas, pour autant, orienté la production romanesque vers le roman populaire. L'importance de l'image d'éditeur littéraire de qualité qui s'attache à Gallimard depuis longtemps rendait sa diversification dans la littérature enfantine périlleuse ; la sophistication des maquettes proposées par Pierre Marchand a évité une banalisation de ces collections et leur a donné une distinction comme l'avait fait précédemment la maquette de Massin pour la collection de poche « Folio ». Le second risque de la diversification est l'éparpillement. Pour être rentable, un secteur doit comporter un certain nombre de titres, avoir une certaine visibilité pour les libraires et les lecteurs, une crédibilité pour les auteurs et les négociateurs de droits. L'exemple de Gallimard montre, avec la littérature enfantine et les guides, que la création d'un nouveau département peut être longue à porter ses fruits et qu'elle comporte toujours un risque, si éprouvées que semblent les formules. Diversifier son catalogue demande donc du temps et des investissements si l'on veut qu'un département puisse en équilibrer d'autres moins rentables, et plus encore s'il doit être le moteur du développement de l'entreprise. En effet, on constate que la bonne santé d'un secteur de l'édition comme la littérature enfantine ou le parascolaire et, aujourd'hui, le para-universitaire, attire aussitôt tous les éditeurs, inquiets de passer à côté d'un domaine porteur. Ainsi, sur le marché du livre pour enfants, sont présentes toutes les maisons moyennes, mais aussi des maisons plus petites dont ce n'était pas la spécialité, comme Actes Sud. Dans un contexte si concurrentiel, les parts de marché deviennent difficiles à conquérir ou même à conserver. Le rachat des sociétés belges Caramel en 1998 et, surtout, Casterman en 1999 par Flammarion, le rapprochement entre la filiale Gallimard Jeunesse et Bayard illustrent cette volonté de « peser plus lourd » dans ce domaine. La diversification du catalogue, d'abord pensée comme un moyen de développement interne, aboutit à une politique de rachat ou, du moins, d'accord avec des partenaires extérieurs. Elle n'est pas seulement affaire de sensibilité et de rapidité de réaction aux attentes des lecteurs, elle est affaire aussi de capitaux, nous y reviendrons.

L'aubaine du livre de poche

Les grands éditeurs moyens sont aussi des maisons qui possèdent un fonds important d'ouvrages de littérature ou de sciences humaines ; le développement du livre de poche a été pour eux une aubaine. Flammarion, le premier, a compris qu'il y avait place sur ce marché pour un autre éditeur que Hachette et il est entré dans « J'ai lu » dès 1958. Par la suite, l'irrésistible expansion du livre de poche a convaincu que la formule pouvait être étendue à des domaines autres que la littérature et à des publics plus spécialisés ; Gallimard a donc lancé « Idées » pour la philosophie, et Flammarion les classiques en édition soignée de la collection « Garnier-Flammarion » ; puis les sciences humaines triomphèrent avec « Champs » chez Flammarion, « Points » au Seuil, « L'Évolution de l'humanité » chez Albin Michel, tandis que Gallimard et Le Seuil choisissaient de rentabiliser eux-mêmes leur fonds romanesque avec « Folio » et « Points Roman ». Aujourd'hui, soixante-dix éditeurs environ proposent des livres en format de poche ; les textes tombés dans le domaine public existent dans plusieurs collections, toutes les ressources des fonds ont été exploitées, ou presque. Le passage de titres nouveaux en livre de poche n'a plus pour fonction que de rentabiliser les livres récents de bonne vente auprès d'un public sensible à l'effet de prix. D'où une baisse des tirages moyens, perceptible aussi dans ces collections. Le cas du livre de poche montre bien le rôle que joue la présence d'un fonds riche dans ces maisons moyennes. Il est un facteur de stabilité rassurant auquel on peut sans doute imputer une partie de la prospérité actuelle de ces éditeurs en même temps que leur image de marque. Toutefois, il ne dispense pas de la recherche d'un renouvellement, à commencer par les formes de l'exploitation de cette richesse. Flammarion a saisi l'occasion d'une nouvelle attaque sur le prix du livre lancée par Mille et une nuits, à la suite d'éditeurs italiens, pour emboîter le pas en baissant le prix de certains volumes de la collection « J'ai lu » et surtout en lançant « Librio » en 1994. Gallimard, dont la tradition est différente, finit pourtant par faire de même, en proposant une série de « Folio » à 2 euros en 2002, tout en essayant de redynamiser « La Pléiade », qui perd son public. En revanche, les clubs de livres, qui offraient une possibilité de rentabilisation du fonds, n'ont guère suscité l'enthousiasme de ces éditeurs. Ils ont mis du temps avant de se décider à investir dans cette nouvelle forme de vente et s'en sont retirés assez vite, laissant le champ libre à Bertelsmann, allié aux Presses de la Cité, pour l'implantation de France Loisirs. Seul Albin Michel, avec le Grand Livre du mois, a tenté de concurrencer ce club sans réussir à l'inquiéter.

Avec cette incursion dans le monde de la vente par correspondance, Albin Michel donne un exemple de la diversification des activités, chère aux quatre éditeurs. Elle peut prendre des formes différentes, selon l'histoire et la personnalité de la maison. La librairie n'intéresse ni Le Seuil ni Albin Michel alors que Gallimard et, plus encore, Flammarion possèdent des librairies à Paris et en province. En toute rigueur historique, les Flammarion sont même libraires avant d'être éditeurs, puisque Ernest Flammarion s'associa d'abord au libraire Marpon en 1874, avant d'éditer ses premiers livres en 1877. Depuis lors, pendant les deux guerres mondiales notamment, les Flammarion ont pu mesurer tout l'intérêt de compenser les résultats d'une activité par l'autre. Aujourd'hui, le réseau de libraires a lui-même été diversifié : d'une part des librairies généralistes à Paris et surtout en province (Grenoble, Lyon, Dijon) ; d'autre part, des librairies concédées par des musées (Centre Pompidou, Musée des arts décoratifs, Louvre...) et spécialisées en histoire de l'art. L'annonce, en septembre 1999, de l'intégration des librairies de province au réseau des Librairies du Savoir, en échange d'une prise de participation de 23,5 % dans le capital de ce groupe, témoigne d'une volonté de développement dans ce domaine.

Autre forme de diversification, plus mineure, l'investissement dans la presse. La pratique n'est pas nouvelle. Hachette, très tôt, a montré que la presse périodique était rentable directement d'abord, et indirectement par sa complémentarité avec le livre. Nombreux sont donc les éditeurs qui, au XIXe siècle, sont aussi propriétaires de périodiques assez divers (journaux pour enfants, revues de lecture, revues littéraires, journaux satiriques...). Au

XXe siècle, cette habitude se maintient, la nouveauté résidant dans l'intérêt de certains éditeurs de l'entre-deux guerres pour des journaux d'opinion (*Candide* et *Je suis partout* chez Fayard, *Marianne* chez Gallimard) dont le succès est conjoncturel. Aujourd'hui, la presse périodique est florissante ; *Beaux-Arts* et *Fluide glacial* pour Flammarion permettent donc, sans trop de risque, de soutenir l'activité de la maison d'édition. En revanche, des revues littéraires et philosophiques comme *Esprit, La Nouvelle Revue française, L'Infini, Diogène, Les Temps modernes, Le Débat* relèvent d'une autre politique : ce sont, pour Le Seuil et Gallimard, des investissements intellectuels.

Les ressources de la distribution

D'un tout autre poids financier est l'activité des sociétés de diffusion et de distribution appartenant aux éditeurs. Créées pour diffuser et distribuer la production de l'entreprise sans recourir aux services de sociétés rattachées à Hachette ou à Vivendi Universal Publishing, elles apparaissent d'abord comme une garantie d'indépendance. Ainsi, la dénonciation de l'accord qui liait Gallimard à Hachette pour l'exploitation de son fonds dans le Livre de Poche précipite-t-elle l'organisation de sa distribution dans le cadre de la Sodis. Mais ces sociétés deviennent aussi sources de revenus, en prenant en charge les intérêts de petits éditeurs. Ce travail de prestataire de services est, d'ailleurs, doublement rentable, car il tisse des liens privilégiés avec des petites maisons dont le rôle de découvreur est précieux mais la vie souvent aventureuse. On voit ainsi Le Seuil, qui, depuis sa création, assure lui-même sa distribution, offrir ses services, dans les années quatre-vingt, aux Éditions de Minuit, à Arléa, à Odile Jacob ainsi qu'à L'École des loisirs, à Christian Bourgois ou aux Éditions de la Réunion des musées nationaux. Flammarion, lui, a mis sur pied en 1971 sa propre structure de distribution, Union-Diffusion, qui devient une société autonome en 1983, sous la présidence d'Alain Flammarion. Quant à Gallimard, après avoir pris en charge la distribution d'autres éditeurs, il crée le CDE, chargé de leur diffusion, tandis qu'il garde pour son compte personnel son équipe de représentants. Dans ce contexte, la décision d'Albin Michel d'abandonner ses activités de distribution a surpris; elle peut peut-être s'expliquer par l'histoire agitée d'Inter-Forum, longtemps partagée avec Robert Laffont, la seule maison ayant une activité de distributeur qui ait été rachetée. L'activité de diffusion-distribution a donc évolué d'un service interne, né, parfois, de la pression des événements, à une activité autonome, productrice de revenus; de plus, les accords de distribution ont souvent préludé à un rachat ou à une prise de participation.

En effet, toutes ces politiques, qui avaient assuré jusqu'ici l'indépendance de ces maisons moyennes, ont atteint leurs limites. Les éditeurs ont donc cherché à assurer leur croissance, comme les deux groupes dominants, en prenant le contrôle d'autres entreprises. Les éditions du Seuil ont privilégié la prise de participation, qui laisse une plus grande autonomie à des éditeurs avec qui elles ont de telles affinités qu'elles partagent parfois les mêmes collaborateurs. Flammarion, qui a déjà racheté Aubier-Montaigne en 1975, La Maison rustique en 1976, Arthaud en 1977, reprend cette politique avec Delagrave en 1995, Caramel (société belge d'albums pour petits) en 1998, Casterman en 1999 et prend des participation dans les Presses universitaires de France (17,6 %) et dans Actes Sud. Albin Michel acquiert 80,5 % du capital de Magnard mais aussi les modestes éditions Médicis-Entrelacs. Quant à Gallimard, il signe, en octobre 1999, un accord avec Bayard pour créer un pôle de littérature pour la jeunesse qui ferait prévaloir la complémentarité sur la concurrence, partagerait les services de diffusion et étudierait la création d'un site internet destiné aux jeunes. Ces opérations qui ont pour but, soit d'accroître la diversification, soit de renforcer un pôle déjà important, posent de façon plus aiguë la question des capacités de financement nécessaires à cette politique.

Bien qu'elles affichent toutes une grande prudence[6] avec un taux d'endettement d'environ 20 %, on a vu deux d'entre elles chercher un financement du côté du marché et des établissements financiers. En 1996, Flammarion est entré en Bourse sur le second marché, en ouvrant un peu plus de 20 % de son capital au public; le reste du capital

6. Ce qui n'est pas le cas des «petites» entreprises moyennes, dont le chiffre d'affaires est inférieur à 50 millions de francs, et pour qui «le taux d'endettement a atteint plus de 60 % des fonds propres», Alain Salles, «98, une année morose pour l'édition», article cité.

étant concentré entre les mains de la très proche famille, les frères Flammarion restaient maîtres de leur maison et il était impossible de les en déposséder par le seul rachat massif des actions. Le cours du titre, depuis son introduction, s'est lentement affaissé, malgré des résultats honorables dans le contexte éditorial. L'annonce des pourparlers avec Casterman et les PUF a redonné un peu de dynamisme au titre, mais son rendement (4,2 %) est resté faible. Le bilan en demi-teinte de ce recours au marché boursier devrait conforter la circonspection des autres éditeurs à l'égard de ce mode de financement. D'une part, l'édition est une branche qui offre des rendements faibles, peu attractifs pour des investisseurs, sauf perspective de rachat qui fait monter ponctuellement le cours du titre ; d'autre part, elle est très sensible aux effets d'annonce, et il n'est pas forcément souhaitable de devoir s'y soumettre. Antoine Gallimard, lui, a fait l'expérience de l'entrée d'une banque et de divers investisseurs dans le capital de son entreprise. Dans l'un et l'autre cas, l'appel aux capitaux extérieurs a été organisé de façon à permettre le développement de l'entreprise sans en perdre le contrôle. Notamment, Gallimard a choisi de filialiser les deux départements Jeunesse et Nouveaux loisirs, de façon à protéger des aléas éditoriaux le cœur de l'entreprise, son fonds littéraire. Cependant, la gestion de l'entreprise ne peut plus ignorer tout à fait l'opinion des investisseurs, et le risque est toujours que, en cas de difficultés, il faille ouvrir davantage le capital et qu'un gros actionnaire s'engouffre dans la brèche. Entre nécessité d'investissement et maîtrise de l'endettement, la marge de manœuvre est étroite. Or, le contexte, en rapide évolution, semble exiger à l'avenir des investissements de plus en plus lourds.

QUEL AVENIR POUR LES MAISONS DE TAILLE MOYENNE ?

On a vu que, en saisissant à temps l'innovation du livre de poche, ces maisons s'étaient donné un avantage important. Aujourd'hui, toutes se demandent ce que l'édition électronique leur offrira comme possibilités de développement. La première voie à s'offrir a été celle du cédérom. Alors que le cédérom encyclopédique remportait un certain succès, Gallimard, Le Seuil et Flammarion ont décidé d'explorer d'autres voies plus en rapport avec leurs moyens financiers et le contenu de leur fonds. Ils y ont connu des succès inégaux. La réelle créativité, saluée par la critique, d'*Opération Teddy Bear* et du *Livre de Lulu* n'a pas assuré à Flammarion des ventes à la hauteur de ses espérances, alors que la très banale adaptation du bon vieux *Cours de navigation des Glénans* se classait parmi les meilleures ventes de cédéroms ; de son côté, Gallimard, après un dispendieux *Petit Prince*, s'est essayé au cédérom documentaire, avec un cédérom *Proust*, lié à l'exposition organisée par la BNF, qui n'a guère convaincu ; et l'édition génétique des *Caves du Vatican*, en 2001, correspond à une opportunité, non à la reprise d'un programme de cédéroms. Après une période d'engouement, la production semble se recentrer aujourd'hui autour de quelques domaines spécifiques, surtout pédagogiques et documentaires ; encore faut-il noter que l'ouverture du site de l'*Encyclopædia Britannica*, puis de l'*Encyclopædia Universalis* sur l'internet ont remis en question cette utilisation du cédérom. L'attention des éditeurs s'est donc focalisée, plus que jamais, sur l'édition en ligne. Le contrat passé par les éditions du Seuil avec 00h00 pour mettre sur l'internet, à l'été 1999, le dernier livre de Pierre Bourdieu en même temps qu'il paraissait en librairie, avait valeur de signe : Claude Cherki n'attendait pas de grandes rentrées financières du téléchargement du texte par de patients internautes, mais il voulait montrer ainsi qu'il était prêt à exploiter toutes les innovations qui pourraient profiter au livre et aux éditeurs. De son côté, Gallimard proposait sur son site internet les richesses de sa photothèque et de certains pans de son fonds documentaire. C'étaient des positions d'attente destinées à montrer que les éditeurs n'étaient pas décidés à abandonner à d'autres, extérieurs à l'édition, les possibilités offertes par l'électronique. Depuis lors, on voit ces éditeurs pris entre le désir de ne pas laisser passer d'opportunités et l'inquiétude devant l'importance des investissements demandés. Ils s'étaient trouvés devant le même dilemme quand la diversification dans l'audiovisuel semblait pleine d'avenir ; ce fut un échec coûteux, surtout pour les éditions du Seuil. Les péripéties du projet de rachat de Bibliopolis par Gallimard illustrent bien les difficultés auxquelles ils se trouvent confrontés. En avril 2000, Gallimard s'engage à racheter Bibliopolis, une entreprise d'édition électronique, créée en 1996, qui a besoin de financements ; l'idée est de créer une filiale Gallimard numérique dans laquelle Bibliopolis apporterait sa compétence et ses moyens techniques, et Gallimard sa richesse éditoriale En juin, l'éditeur renonce à l'opération.[7] Outre un désaccord sur la valorisation de l'entreprise rachetée et une crise de confiance générale chez les financiers à l'égard des sociétés liées au commerce électronique, il semble aussi qu'ait joué dans la décision d'Antoine Gallimard une méfiance à l'égard des investissements élevés nécessités pour le développement d'activités dont la rentabilité n'a pas été encore établie. De même, le projet de portail associé au rapprochement entre Gallimard Jeunesse et Bayard n'a pas eu de suite : la coopération éditoriale pour la production de livres de jeunesse s'est donc mise en place, mais, l'incertitude sur les contenus venant renforcer les incertitudes financières, Gallimard a laissé Bayard faire cavalier seul pour la création du portail Bayardweb, en novembre 2001. La prudence semble aussi de mise au Seuil, dont le site Seuil.com, ouvert en octobre 2000, témoigne d'une volonté d'accompagner l'évolution plus que d'innover. Les maisons moyennes se trouvent donc, en matière d'édition électronique, devant le choix suivant : consentir, à l'image de la grande distribution ou de Vivendi Universal Publishing, qui s'est lancé dans une entreprise de numérisation ambitieuse, des investissements lourds dont le retour peut être long à venir, ou attendre que la situation se stabilise pour investir à coup sûr, en prenant le risque d'être distancé irrémédiablement par les plus riches.

Le sort des maisons d'édition dépend également d'un environnement plus large. Si les tendances observées depuis vingt ans ne s'inversent pas, le marché du livre, en France, n'est pas promis à une grande expansion ; les jeunes adultes lisant moins, la consommation globale a peu de chances de croître. Dans un tel cadre, la lutte économique ne peut être que plus dure, les erreurs plus lourdes de conséquences. Les éditeurs ne semblent pas avoir d'autre choix que la poursuite de la politique entreprise ces cinq dernières années : une recherche de la croissance par le développement d'activités connexes et la prise

7. Daniel Garcia, dans *Livres Hebdo*, n° 390, 25 août 2000, p. 63.

de contrôle d'autres éditeurs, sans doute des «petits» moyens, aujourd'hui très vulnérables, à moins que ces reprises ne se fassent à l'étranger. La distribution, qui représente une part importante de leur diversification, risque de connaître des transformations qui priveront les éditeurs d'une partie des ressources qui leur reviennent aujourd'hui. En effet, la distribution du livre en France repose sur un système peu performant, lourd et coûteux, qui fait l'unanimité des utilisateurs contre lui. Sa réforme est un serpent de mer du monde de l'édition car on ne sait trop quelles en seraient les conséquences financières, mais, si la situation du commerce du livre se dégrade, les éditeurs-distributeurs ne pourront y échapper. De plus, la transformation introduite par les grandes surfaces de vente dans la librairie commence à susciter de nouvelles formes de distribution dont l'un des buts est de laminer le prix de la distribution. Il y a donc là une incertitude qui pourrait être lourde de conséquences sur les capacités de financement des éditeurs.

La prospérité des maisons moyennes est aussi dépendante de décisions relevant du politique. À court terme, il est évident que les mesures annoncées pour compenser les manques à gagner dus au «photocopillage» et à la lecture en bibliothèque devraient leur profiter. Les indemnités versées devraient, quel que soit le système de répartition finalement choisi, profiter aux éditeurs de sciences humaines et, de façon plus générale, aux éditeurs dont la politique éditoriale fait montre d'une certaine exigence. Il ne faut pas néanmoins surestimer l'aide qui découlera de ces mesures protectrices. De même, la loi Lang, en protégeant l'existence des librairies traditionnelles, joue en faveur de ces éditeurs. Pour deux d'entre eux au moins, il est vital que subsiste un réseau de librairies qui acceptent de prendre des livres de rotation assez lente ou de vente aléatoire : collections littéraires de Gallimard, livres de sciences humaines du Seuil, production des petits éditeurs dont ce dernier assure la distribution... Le rôle décisif que jouent ces libraires dans le succès de leurs livres justifie aux yeux de Gallimard et du Seuil, surtout, le maintien d'une équipe de représentants pourtant coûteuse. Cette dépendance à l'égard de la librairie traditionnelle a fait des éditeurs, d'abord réticents lors des débats des années soixante-dix sur le prix du livre, d'ardents défenseurs de la loi, même si, paradoxalement, elle a facilité le développement des rayons de livres des hypermarchés. Toutefois, il n'est pas certain que la loi Lang réussisse à protéger indéfiniment la librairie traditionnelle des assauts des grandes surfaces ou de la librairie électronique, par exemple, ni qu'elle résiste à une confrontation avec les lois communautaires.

La vente de Flammarion au groupe italien Rizzoli peut sembler de sinistre présage pour les trois autres maisons d'édition tant leurs politiques, nous l'avons vu, ont été semblables, jusqu'à l'automne 2000 du moins. Justifiant devant la presse la décision de la famille Flammarion de céder la totalité de ses parts (soit 77,6 % du capital de l'entreprise), Charles-Henri Flammarion a mis en avant l'impossibilité de financer les investissements nécessaires à la croissance d'une entreprise comme la sienne sans l'appui d'un grand groupe. Et de citer ses projets de diversification accrue dans la presse magazine qui ne peuvent être réalisés qu'avec des moyens financiers importants. L'exemple choisi avait l'avantage d'ouvrir des perspectives d'avenir et de minimiser les problèmes qui avaient, sans doute, précipité l'opération. Il y avait pourtant là une autre illustration de la difficulté que rencontrent les maisons moyennes à supporter seules le poids des investissements. Le rachat de Casterman, les prises de participation dans Actes Sud et les Presses universitaires de France ont été des opérations coûteuses, qui ne pouvaient porter leurs fruits immédiatement ; le redressement de l'éditeur belge, notamment, peut prendre plusieurs années et grever les comptes du groupe. Les résultats déficitaires pour le premier semestre 2000, présentés peu après l'annonce de la vente, ont confirmé la difficulté, au moins temporaire, à équilibrer une telle opération. De son côté, Gianni Valardi, qui a mené les négociations pour Rizzoli, a souligné, lui, le retard pris par Flammarion en matière d'édition électronique et l'aide que son groupe peut lui apporter pour valoriser son fonds grâce aux nouveaux médias.[8] Et tous deux ont souligné que leur regroupement permettrait de poursuivre une politique d'expansion européenne passant par le rachat de nombreuses entreprises d'édition et de presse. La vente de Flammarion serait donc la démonstration qu'il n'y a plus de développement possible pour les

8. Alain Salles, *Le Monde*, 19 octobre 2000, p. 24.

maisons moyennes sans investissements lourds ni, par conséquent, sans rattachement à un grand groupe. Le choix de Rizzoli-Corriere della sera a surpris car, pour la première fois, une maison d'édition de littérature générale échappait aux deux géants de l'édition française. Dans cette décision, comme dans celle de céder en bloc tout le capital familial, il entrait sans doute des motivations particulières à cette transaction : importance de l'offre du repreneur[9], choix personnels des membres de la famille Flammarion, perspectives plus riches... Si l'on en juge par les expériences précédentes, un rachat par l'un des deux grands groupes français se serait traduit par une subordination à la politique du groupe en France et l'arrivée de gestionnaires dépêchés par Vivendi ou Lagardère Groupe. En choisissant un groupe italien, Charles-Henri Flammarion, fort de son expérience dans l'espace francophone, pense pouvoir poursuivre sa politique de développement européen. Du moins, aussi longtemps que ses résultats seront jugés satisfaisants... C'est une chance à courir. Quant aux autres éditeurs, ils s'interrogent sur les conséquences pour leur entreprise de l'évolution de Vivendi Universal Publishing et de ses décisions récentes. Devenu le deuxième groupe mondial dans le domaine de la communication, il se sépare, à l'automne 2001, de ses titres de la presse professionnelle française. Le but est de constituer un ensemble cohérent de médias consacrés à l'éducatif et au divertissement, indépendamment de leur support, même si l'édition électronique y est privilégiée. Pour l'édition traditionnelle, cette politique signifie que le groupe va se concentrer sur les éditeurs de livres scolaires et universitaires, d'ouvrages de référence, de livres de jeunesse et de littérature. Hachette, en 1988, avait plus timidement amorcé une telle politique en rachetant Grolier et Salvat, pour accéder aux marchés anglophones et hispanophones des dictionnaires et encyclopédies et mettre en commun une expérience de l'édition électronique encyclopédique. Si elle se poursuit, cette politique des deux grands groupes français va continuer à faire peser une menace forte sur les dernières maisons moyennes de littérature générale, même si le désir affiché par Vivendi Universal Publishing d'être présent sur les

9. Rizzoli a offert de racheter 512 F le titre Flammarion dont le cours moyen, depuis le début de l'année 2000, s'établissait à 208 F.

marchés hispanophones et anglophones peut momentanément le distraire du marché français.

L'actuelle indépendance des éditeurs étudiés ici n'est pas le fruit du hasard, mais d'une volonté obstinée de résister, qui les a condamnés à multiplier les stratégies, en fonction de leur tradition et de leurs atouts. Toutefois, la défection récente de Flammarion a montré leur difficulté à financer de nouveaux développements. Même si l'ambition des grands groupes n'est plus de dominer le marché national, mais de conquérir une part du marché mondial dans une spécialité comme l'éducation ou le divertissement, il est difficile d'en évaluer précisément les répercussions sur les maisons moyennes. Ainsi, l'avenir n'offre guère de certitudes sur leur sort, sauf celle de nouveaux défis à relever.

CHAPITRE IV
La librairie, nouveau moteur de l'édition ?

« La porte de la librairie Coup de théâtre s'ouvre en douceur. Entre un grand jeune homme, cheveux noirs en bataille, yeux pervenche, blouson, baskets.

— Auriez-vous, monsieur, s'il vous plaît, *Vingt Minutes avec un ange*, la pièce d'Alexandre Vampilov ?

— Peut-être, je ne suis pas sûr, elle n'est parue qu'une fois, dans un numéro de la revue *L'Avant-Scène*, voilà pas mal d'années déjà, répond Patrick Isabel, le maître de la maison.

Il se lève, va se pencher sur un rayon, dans un coin.

— Une chance ! Il reste un exemplaire, je croyais l'avoir oublié.

Sourire ouvert de l'inconnu, il remercie, règle, s'en va. »

Cet extrait d'un dialogue vécu dans une librairie théâtrale (*Le Monde*, 9 septembre 1999) illustre bien, à sa manière, la place et le rôle que peuvent jouer les librairies. Elles peuvent être des lieux permettant aux amateurs de livres de se rencontrer librement, ou, comme l'écrit Jérôme

Lindon en 1988, «des lieux où l'on trouve les nouveautés le jour de leur parution, mais aussi des ouvrages anciens, connus ou non, dont le choix est la plus juste expression d'une personnalité. Des lieux où l'on peut parler de livres à des gens qui les ont lus, qui peuvent vous informer, voire vous conseiller. Où chacun est en mesure de se constituer sa propre bibliothèque. L'avenir du livre repose sur ces librairies.»[1]

Il s'agit bien de cela: quelles sont aujourd'hui les relations entre l'édition, la distribution et la librairie? De même qu'il existe un paysage éditorial diversifié, de même le paysage de la librairie est-il lui-même très varié. Mais, au-delà de ces différences, un phénomène commun et croissant s'impose: la concentration.

À la concentration de l'édition et de la distribution répond en effet aujourd'hui la concentration de la librairie. Deux grands pôles dominent l'édition française: le groupe Vivendi Universal Publishing et le groupe Hachette-Livre. Ils dominent le paysage éditorial français par le volume de leurs chiffres d'affaires, mais également par la puissance de leurs structures de diffusion-distribution.[2]

Il en va de même pour le paysage de la librairie aujourd'hui en France. Un rapide historique permet de situer cette évolution:

— Dans les années 1970, il y avait un peu plus de mille «véritables» librairies visitées par les représentants des équipes de diffusion.

— Dans les années 1980, ce chiffre est tombé à environ sept cents lieux. Il s'agit ici du *premier niveau* de détaillants, ceux qui ont la responsabilité des meilleurs points de vente.

— Au début des années 1990, la profession estime qu'il y a environ cinq cents librairies susceptibles de proposer des assortiments variés de livres et d'assurer un véritable environnement au livre.

Le nombre de librairies capables de *lancer* des titres (découvrir un auteur, promouvoir une collection ou

1. Avant-propos du catalogue des Éditions de Minuit, ce texte a fait l'objet d'une étude dans Philippe Lane, *La Périphérie du texte*, Nathan, Paris, 1993.

2. On pourra se reporter à l'ouvrage dirigé par Bertrand Legendre, de l'UFR Communication-Paris XIII, *Les Métiers de l'édition*, Éditions du Cercle de la librairie, Paris, 1999. *Cf.* également, *supra*, le chapitre II, d'Ahmed Silem.

encore s'attacher un premier public) et de *maintenir* des fonds éditoriaux est, en fait, lui-même encore plus bas.

Il faut sans doute rechercher les raisons de cette baisse ailleurs que dans la seule croissance démographique des grands centres urbains ou encore le développement des nouveaux médias. La concentration de la librairie s'est accélérée au fil de ces dernières années. La progression en parts de marchés des hypermarchés non spécialisés et des grandes surfaces spécialisées est flagrante. Aujourd'hui, la FNAC et Leclerc sont deux grands libraires en France ; à quoi il faut ajouter la politique récente de Hachette en matière de distribution et de renforcement dans le domaine de la librairie. Il faut en effet mentionner le rachat des magasins Virgin en France par Hachette en juillet 2001, faisant de Hachette le rival direct de la FNAC ; Hachette devient ainsi le deuxième libraire de l'Hexagone.

Reprenons ici les chiffres avancés par Pascal Fouché : « Globalement, les grandes surfaces spécialisées (FNAC, Virgin, Extrapole, etc.), les hyper et supermarchés, les maisons de la presse et les kiosques représentent déjà plus de 60 % du commerce du livre de détail. Si l'on y ajoute les chaînes de librairies (Librairies du Savoir, Gibert, Plein Ciel) et les librairies d'éditeurs (Eyrolles, Flammarion, Gallimard), on est déjà à plus de 80 %. Dès 1996, on estimait que la librairie traditionnelle ne représentait plus que 21 % des ventes, celle-ci incluant des libraires de chaînes et des librairies d'éditeurs. »[3] Ainsi, si l'on suit le classement des librairies effectué par *Livres Hebdo,* seules deux cents librairies indépendantes figurent parmi les trois cents premières, et encore ne réalisent-elles pas, toutes ensembles, le chiffre d'affaires « livres » de la FNAC.

Les stratégies des premiers libraires de France sont comparables à celles des grands groupes d'édition : aux concentrations verticale et horizontale de l'édition correspondent les ouvertures ou rachats de magasins. Cet expansionnisme n'explique toutefois pas à lui seul les difficultés des librairies indépendantes. Citons simplement : l'augmentation des loyers commerciaux en centre ville,

3. Pascal Fouché, « Irrésistible chute de la librairie indépendante ? », *Le Monde*, 1er juillet 1999, et Pascal Fouché (sous la direction de), *L'Édition française depuis 1945, op. cit. Cf.* également ASFODEL, *Le Métier de libraire,* Éditions du Cercle de la librairie, Paris, 1995.

l'informatisation, les investissements publicitaires. Bien qu'elles se soient très professionnalisées, les librairies se débattent dans un cercle vicieux : d'une part, les appels d'offres des bibliothèques ou les marchés scolaires leur échappent en partie et les fortes ventes de best-sellers se font de plus en plus en grandes surfaces, ne laissant aux librairies traditionnelles que des livres plus « difficiles » à vendre ; d'autre part, les remises accordées par les éditeurs sont moins importantes, les négociations plus difficiles et le développement des librairies en ligne ne permet évidemment pas d'apaiser les craintes à l'heure où AOL rachète Time Warner et constitue un nouveau géant surdimensionné.[4]

Les librairies en ligne et la menace sur le prix unique

Si le développement des librairies en ligne a été important durant l'année 2000, force est de constater que l'avenir n'est pas tout tracé pour elles : Amazon recentre son activité, Barnes and Noble voit ses ventes en ligne plafonner, c'est ce qu'indique Fabrice Piault lorsqu'il précise que « les États-Unis voient s'éloigner leur rêve de virtualisation du marché »[5].

Amazon, société américaine de Seattle, a été la première librairie en ligne, référençant près de 5 millions de livres, disques et vidéos et augmentant son chiffre d'affaires d'environ 50 % tous les trimestres. Amazon est aujourd'hui le troisième libraire des États-Unis sans avoir jamais ouvert une seule boutique réelle. La société a considérablement diversifié son offre de produits et ce numéro un mondial des librairies en ligne devient un géant du commerce électronique avec ses 12 millions d'acheteurs enregistrés. Amazon vient de franchir un nouveau cap en ouvrant une galerie commerciale où d'autres commerces peuvent vendre, moyennant une commission par article vendu. Le livre aura ainsi sans doute été la barrière d'accès à l'entrée dans le commerce électronique dans sa globalité la moins onéreuse. La situation a toutefois évolué de manière

4. AOL-Time Warner pèse autour de 1 800 milliards de francs, soit l'équivalent de l'économie française.

5. *Cf. Livres Hebdo*, n° 433, 6 juillet 2001.

critique dans la toute dernière période, nécessitant un plan de réduction des coûts drastique, et, en France, Amazon.fr se heurte aux fortes positions de la FNAC.[6]

Le grand concurrent américain d'Amazon est Barnes and Noble, qui s'est allié au groupe Bertelsmann et qui réalise plus de la moitié de son chiffre d'affaires avec le livre. En proposant un nombre grandissant de produits, en attirant ainsi de nouveaux consommateurs, ces librairies en ligne fidélisent toujours plus les clients. Ces chaînes de librairies accentuent également, à leur manière, la concentration éditoriale. C'est ce qu'André Schiffrin souligne fort bien lorsqu'il écrit : « Ce sont les livres à plus fort tirage qui sont mis en avant et les éditeurs sont invités à payer de fortes sommes en publicité sur les lieux de vente (*co-op advertising*), s'ils veulent être sûrs que leurs titres soient bien en place. Pratiquement, Barnes and Noble exigent des éditeurs un dollar par exemplaire pour avoir un emplacement bien en vue dans le magasin, service que les librairies traditionnelles fournissent bien sûr gratuitement. »[7]

Dans ce contexte, les maisons d'édition petites et moyennes qui assument des risques éditoriaux importants ne pourront accéder aux exigences financières de ces chaînes, et leurs livres auront peu de chances d'être bien présentés. De même, les conséquences sur les librairies indépendantes sont-elles importantes : celles-ci ferment les unes après les autres et ne réalisent plus qu'environ 17 % des ventes et ce chiffre diminue chaque année.

En France, la librairie en ligne se développe : parmi les plus présents, BOL (Havas/Bertelsmann)[8], qui a ouvert son site au début de l'année 1999, revendique déjà plus de 400 000 références. Rappelons ici, à titre comparatif, qu'une belle librairie de quartier propose environ 30 000 titres et que la plus grande FNAC, celle des Halles, dispose de 150 000 références. Alibabook, lancé en décembre 1998, a été racheté par la FNAC en juin 1999 (après avoir été convoité par Amazon). Le ticket d'entrée sur l'internet est estimé aujourd'hui à 40 millions de francs, il comprend la constitution de la base de données de réfé-

6. Sur cette question, *cf. Livres Hebdo*, n° 412, 9 février 2001.

7. André Schiffrin, *L'Édition sans éditeurs*, *op. cit.*, p. 79.

8. Bertelsmann, propriétaire de France Loisirs, est à l'heure de profonds changements, ainsi que le Grand Livre du mois. *Cf.* la revue *Entreprises et Histoire*, n° 24, éditions Eska, juin 2000.

rences, la résolution des questions de logistique et la nécessaire politique de communication.

Cependant, bon nombre de librairies en ligne (Planète Livre, Alapage, Galaxidion, Chapitre ou encore France Loisirs) entrent sur un marché infiniment moindre. Il faut dire que le concept est résolument fonctionnel : moteur de recherche sophistiqué, habillage personnalisé, base de données actualisée, paiement en ligne sécurisé. Les effets commerciaux de la concentration et les aspects pratiques du commerce électronique sont les arguments principaux du développement des librairies en ligne.

C'est bien ce que soulignait Jean-Michel Escalas, président de la SFL (Société française de livres), lors du lancement d'Alibabook en décembre 1998 : « Sur Internet, tout le monde a encore sa chance, même les petits. Il est vrai qu'on note un fort engouement pour le commerce électronique dans notre secteur, et qu'il y aura bientôt des morts. Mais désormais, l'expansion de nos entreprises passe par le Net. »

À n'en pas douter, le commerce électronique du livre se développera, comme le souligne le rapport Cordier sur le livre numérique (mai 1999). Cinq caractéristiques du livre font de celui-ci un produit très adapté au commerce électronique : le grand choix possible pour le client, la non-standardisation du produit, la nature physique du produit, l'adaptation aux besoins exprimés et le rythme de la production elle-même. La loi Lang sur le prix unique du livre est bien sûr au centre de l'avenir des librairies en France. Un indice récent de l'acuité de ce problème nous est fourni par l'activité de la société belge Proxis, basée dans un pays où il n'y a pas de législation sur le prix du livre, qui vend des ouvrages français sur l'internet en contournant la loi Lang (avec des remises pouvant aller jusqu'à 23 % du prix fixé par l'éditeur). Certes, son volume d'activité en France reste faible (elle réalise 5 % de son chiffre d'affaires en France), mais les menaces qui pèsent ainsi sur le prix unique sont bien réelles. Elles ont été clairement réaffirmées lors d'un débat récent publié le 25 novembre 1999 par *Livres Hebdo* intitulé « Libraires en ligne contre libraires en ville » : « Nous sommes obligés de regarder de très près ce que les professionnels et les pouvoirs publics vont prendre comme décision. Si la loi Lang est mise en danger par Proxis ou par d'autres, c'est que la profession a accepté qu'elle soit mise en danger. Le fait que personne n'attaque Proxis est un signe. Nous ne sommes pas des discounters, ce n'est pas la FNAC qui cassera la loi Lang. Mais on réagira très vite si la profession ne fait rien»[9], explique Jean-Christophe Hermann.

Il est vrai que le gouvernement français souhaite défendre la loi Lang. Il l'a notamment montré lors de la présidence française de l'Union européenne, au second semestre 2000. L'enjeu est de taille et le danger réel, car la Commission européenne laisse, elle, planer des menaces, au nom du respect de la concurrence. Elle a, par exemple, engagé une procédure visant à mettre en cause l'accord conclu entre professionnels du livre allemands et autrichiens et visant à instaurer un régime de prix unique commun sur leurs zones linguistiques communes. Il faut donc une loi adaptée non seulement au contexte nouveau des librairies en ligne, du livre numérique, du téléchargement des textes, mais aussi à la construction européenne, soit en étendant le régime de prix unique au niveau européen, soit en uniformisant sur le plan européen le système du prix unique. Cette dernière hypothèse est sans doute la plus réaliste, sans être nécessairement la plus facilement réalisable. Trois arguments plaident en sa faveur : le soutien à la création éditoriale, la préservation du réseau de librairies, la souplesse du prix unique (et non fixe).

La volonté politique du gouvernement a été réaffirmée par la ministre de la Culture, Catherine Trautmann : «Le prix unique du livre a pour but principal de remplir ces deux exigences. Les éditeurs peuvent, d'une part, viser une rentabilité globale de leur activité sans être soumis à un objectif de profit titre par titre, ce qui condamnerait la plupart d'entre eux. En privilégiant une concurrence sur la qualité du service de l'offre fournie aux clients, le prix unique du livre favorise, d'autre part, le maintien d'un réseau dense de librairies, au plus près des lecteurs.»[10] Cette position a depuis été réaffirmée par Catherine Tasca, au nom du gouvernement français.

C'est là un grand enjeu culturel si la France ne veut pas d'une édition affaiblie à la solde de la distribution. C'est

9. Alain Salles, «Internet et le prix unique du livre», *Le Monde*, 3 decembre 1999.

10. «Pour une Europe du livre», *Le Figaro*, 10 novembre 1999.

aussi ce que Jean-Marie Bouvaist défendait : « Tous les efforts de la rationalisation économique des industriels de l'édition portent sur l'accélération de la rotation des stocks (« un titre chasse l'autre ») et sur l'uniformisation des assortiments. On diversifie éventuellement les thèmes, mais dans les étroites limites du même consensus unificateur de marché. Toute la technique du distributeur se concentre sur l'imposition de standards de production et d'approvisionnement à l'échelle nationale.

« En revanche, tout le talent du libraire est d'établir au plus près l'adéquation entre son savoir sur l'offre éditoriale et la connaissance fine de ses clientèles, qu'il adapte chaque jour, tout en sachant prendre des distances raisonnables vis-à-vis des modes passagères. La diversité des librairies du premier niveau et la multiplicité des choix objectifs de chaque sélectionneur sont les seules garanties pour donner dans l'avenir une chance aux livres que les grands médias ne lancent pas, tous en même temps, avec cette efficacité éphémère qui convient aux grosses machines à distribuer. »[11]

À cet égard, l'exemple du disque reste à méditer, avec la disparition des grands éditeurs phonographiques français et la fermeture quasi totale du réseau des disquaires indépendants en moins d'une dizaine d'années.

Il s'agit donc bien aujourd'hui de définir au niveau européen de nouvelles règles qui organisent et instituent un régime de prix unique et une harmonisation de la TVA.

Les librairies et le livre numérique

Il est un autre domaine d'investigation que les livres « physiques » en ligne, c'est celui des livres numériques, et donc de leurs relations aux librairies. Il est certain aujourd'hui que le livre numérique ne remplacera pas le plaisir de manipuler l'objet livre lui-même, ce contact matériel et charnel avec le livre, et cette dimension essentielle est sans nul doute à conserver. Il est non moins certain que l'accès et la circulation des livres se trouvent modifiés par la numérisation. Cette nouvelle donne de l'édition et de la distribution doit faire réfléchir les professionnels sur ce nouveau mode de diffusion, en plus du poche ou du club,

11. Jean-Marie Bouvaist, *Crise et mutations dans l'édition française*, *op. cit*, p. 388.

qui peut toucher les nouveautés, avec le risque de mise en péril des librairies sur lesquels les éditeurs s'appuient.

Mentionnons simplement ici l'édition en ligne d'ouvrages de référence, et, en particulier, en 2000, la mise gratuite sur l'internet de l'encyclopédie *Atlas* (11 000 articles, 6 000 iconographies). Si l'intérêt de l'édition en ligne pour les ouvrages de référence peut se comprendre, il nous faut réfléchir à cette « culture de la gratuité » dont parle le rapport Cordier. En agissant ainsi, Atlas pense se rémunérer par la vente d'espaces publicitaires, la mise au point de fichiers de clients et le commerce électronique lui-même. L'*Encyclopædia Universalis*, si elle est également en ligne, n'a pas fait le même choix, invoquant le souci de la qualité et le doute relatif à la publicité.

Signalons aussi les pressions des professionnels du multimédia, à en juger par un éditorial de la revue *SVM* intitulé « Que reste-t-il du livre d'antan ? » : « Que reste-t-il du livre d'antan, si ce n'est le livre lui-même, cet assemblage de feuilles mises en cahiers, eux-mêmes assemblés sur un "dos carré" par quelques points de colle ? Du bricolage. Dont on pourrait bien se passer, pour peu que l'on dispose d'un petit écran, tenant dans la poche et offrant un confort de lecture digne du papier imprimé. C'est désormais chose faite, ou presque... »[12]

Invoquant (interprétant ?) McLuhan et le caractère archaïque de la civilisation du livre dans une époque de complète mutation électronique, ces informaticiens affirment sans nuances que cet « archaïsme » a vécu... Mort du livre ? mort des librairies ? La réalité est heureusement différente.

Depuis l'an dernier, les Virgin Megastore américains possèdent des bornes de téléchargement de musique numérique disponible sur l'internet. Il est possible, moyennant un faible coût, de graver sur place un CD de dix titres de son choix. Il est donc envisageable, avec l'arrivée des livres électroniques, de disposer de semblables bornes de téléchargement de livres. Les arguments des sociétés informatiques sont les suivants : davantage d'écrits de jeunes auteurs accessibles, moins de risques de fabrication et de retour d'invendus pour les éditeurs, gain de place pour plus de livres présentés par les libraires, plus

12. « Que reste-t-il du livre d'antan ? », *SVM*, septembre 1999.

grand choix et prix moindres pour les lecteurs. Ces arguments reposent sur l'idée que le livre est considéré comme un produit comme un autre, qu'on peut le vendre comme des tomates et que c'est un produit bien adapté au commerce électronique. Si le rapport Cordier analyse correctement ce fait, il précise pourtant également : « Le livre n'est pas une chose jetée au hasard dans un caddie à côté de la lessive et des cornichons. » Fondement de l'exception culturelle, cette dernière thèse, on le voit, est mise à mal par les acteurs du développement du commerce en ligne. C'est la légitimité même de cette expression qui est mise en cause, et la disparition des librairies « réelles » – ou, du moins, leur diminution progressive – qui est programmée en conséquence.

Les géants du commerce électronique s'en défendent : Il ne s'agit pas de remettre en cause les librairies physiques, à condition que celles-ci « fassent mieux que le Web » (Jeffrey Bezos, PDG d'Amazon), c'est-à-dire que celles-ci se concentrent sur ce qu'un magasin peut offrir de plus (ou mieux) que n'importe quel site : l'animation et la possibilité de sortir avec son achat dans les mains. Triste constat : les librairies seraient de plus en plus amenées à remplir ce rôle de divertissement (notamment en offrant la restauration dans les magasins eux-mêmes). C'est également ce que Pascal Fouché redoute dans l'article précédemment cité : « Les seules grandes librairies indépendantes en province ont compris que ce n'est pas en s'arc-boutant sur le livre qu'elles pouvaient résister. Les divers développements de ce que l'on appelle les librairies et grandes surfaces spécialisées qui ont allié livre, disques, vidéo et produits multimédias ont montré que ceux qui n'avaient pas peur d'être pris pour des épiciers réussissaient à s'en sortir. Triste constat : l'avenir de la librairie est probablement en grande partie en dehors du livre, même si les autres produits ne sont conçus que comme complémentaires. »

Il faut pourtant nuancer ce jugement en insistant fortement sur les capacités d'initiatives des libraires eux-mêmes : en effet, les associations locales de libraires se sont multipliées ces derniers temps, de nombreuses actions collectives ont été entreprises, d'importantes manifestations culturelles de libraires méritent d'êtres mentionnées dans beaucoup de régions.

La distribution et les librairies

Des progrès réels ont été accomplis dans le domaine de la distribution : diminution des délais de traitement des commandes et de transport, informatisation des échanges, modernisation des centres de distribution. Mais cela a renforcé encore davantage la concentration de la distribution (les deux pôles principaux étant Hachette et Vivendi, le troisième pôle constitué du GIE Livre-Diffusion – Sodis, Union-Distribution, Le Seuil).

Deux grandes questions, notamment posées par André Imbaud, directeur général de la Sodis, engagent l'avenir de la distribution en France :

— Le commerce électronique va-t-il bousculer les flux en établissant notamment une relation directe entre l'éditeur ou son distributeur et son lecteur ?

— Qui va mettre en œuvre ce nouveau commerce : les éditeurs, les prestataires informaticiens, les distributeurs ? Y aura-t-il une réflexion interprofessionnelle ?[13]

Les changements en cours impliquent de tels questionnements : en effet, un libraire en ligne ne peut logiquement passer commande auprès d'un distributeur qu'après avoir effectué une vente ; or, pour accroître leur rapidité de livraison, les plus importantes librairies en ligne intègrent de plus en plus la fonction de distributeur/grossiste. C'est ainsi, par exemple, que Barnes and Noble a repris le distributeur de livres Ingram, à la fin de l'année 1998, lequel assurait jusqu'alors une grande partie de la logistique de son grand rival, Amazon. On comprend bien sûr tout le bénéfice qui peut être tiré du distributeur (accords commerciaux, coûts de distribution, données marketing, etc.)

Aujourd'hui, l'éditeur, le distributeur et le libraire demeurent bien distincts : le commerce électronique des livres est une activité complémentaire d'une activité première (Barnes and Noble, par exemple, s'appuie également sur un grand réseau de librairies). Pour demain, c'est l'évolution des librairies en ligne qui est la moins prévisible, du fait de règles qui restent à définir. De fait, l'univers numérique inverse le schéma traditionnel « imprime, puis distribue » en lui substituant un nouveau schéma « distribue, puis imprime ».

13. André Imbaud, « La distribution », *in Les Métiers de l'édition, op. cit.*

Le débat suscité en France par la parution du livre d'André Schiffrin, précédemment cité, a eu entre autres le mérite de souligner que le livre est un enjeu essentiel dans le paysage culturel français.

Même si les situations sont très différentes dans les deux pays, comme le montre Florence Noiville: «L'existence de ce dernier [le prix unique du livre] constitue la différence clé entre l'Amérique et la France. C'est lui qui rend viables les quelques trois cents librairies indépendantes qui s'intéressent à la création et continuent de prendre des risques sur des "œuvres en gésine". Aux États-Unis, où la bataille du discount fait rage [...], les chaînes de librairies sont devenues si puissantes qu'elles peuvent peser sur l'offre éditoriale. Rien de tel en France, où les éditeurs ont réellement la main. Cela ne veut pas dire qu'il faille relâcher la vigilance. On remarquera que, comme à New York, des librairies indépendantes [...], Le Divan, les PUF [...] ferment boutique. On notera que l'influence de la distribution s'est fait sentir, dit-on, lorsqu'il s'est agi de trouver un éditeur à une biographie de François Pinault.»[14]

Cependant, ce modèle américain n'est pas responsable de tous les maux. Les nouveaux défis auxquels la librairie a à faire face sont aussi liés aux bouleversements technologiques dans la circulation de la pensée. Ces nouveaux enjeux ne peuvent être traités par les seuls libraires, mais nécessitent une réflexion alliant les différents acteurs de la chaîne du livre. Cette réflexion, appelée de ses vœux par Olivier Bétourné[15], a déjà commencé sous l'égide du ministère de la Culture; il est sans doute nécessaire de la développer et de l'ouvrir au grand public.

Il est important de souligner ici l'action déterminante de l'ADELC[16]: l'action de cette association pour l'aide au développement de la librairie de création a permis à de nombreux libraires de mener à bien leurs projets. C'est par exemple ce qu'indique clairement M.-R. Guarniéri, libraire: «L'ADELC présente le grand intérêt d'aider au

14. Florence Noiville, «Le devoir d'imagination des éditeurs européens», *Le Monde*, 24 septembre 1999.

15. Olivier Bétourné, «Édition: non au modèle américain», *Le Monde*, 31 août 1999.

16. L'ADELC, Association pour le développement des librairies de création, a été mise en place en 1988 par Jérôme Lindon, PDG des éditions de Minuit, et fondée par Gallimard, Le Seuil, La Découverte et Minuit, avec le soutien de France Loisirs et du ministère de la Culture.

financement tout en offrant deux ans de franchise qui permettent d'atteindre un certain volume d'affaires avant de commencer à rembourser les prêts. »[17]

La librairie, nouveau moteur de l'édition?. La formule qui sert de titre à ce chapitre est quelque peu paradoxale. Elle veut surtout indiquer qu'il est urgent d'appréhender la chaîne du livre en France non plus seulement du côté de l'édition, mais bien davantage à partir de la commercialisation et des nouveaux enjeux qui la caractérisent. Trois enjeux plus évidents et quotidiens s'ajoutent à ceux qui ont été déjà examinés dans ce chapitre.

Le premier est de trouver un accord sur le prêt en bibliothèque. Le nombre de lecteurs qui empruntent gratuitement les livres en bibliothèque a en effet augmenté de 160 % en seize ans. Il est important de se mettre d'accord sur le règlement d'un droit obligatoire sur les prêts dans les bibliothèques, mesure réclamée par les auteurs, les éditeurs et les libraires. Cette demande doit faire l'objet d'une négociation avec les bibliothécaires, ce qui est en passe d'aboutir fin 2001.[18]

Le deuxième enjeu concerne les collectivités territoriales et la limitation des rabais ; la logique des appels d'offres fait qu'elles se procurent leurs ouvrages surtout chez les grossistes et non chez les libraires eux-mêmes. Il serait bon de trouver une parade à ce contournement de la loi sur le prix unique, et c'est le sens des propositions faites par le ministère de la Culture à la fin de l'année 2001.

Le troisième enjeu est relatif à l'édition et à l'augmentation constante du nombre de titres qui asphyxient la librairie et ne permet plus aux libraires de prendre connaissance des ouvrages qu'ils reçoivent, « ces libraires dont le rôle est vital », pour reprendre l'expression de Jérôme Lindon.[19] Les libraires ne sont pas de simples vendeurs de livres, mais de véritables médiateurs entre l'édi-

17. « Les libraires », débat animé par M. Jammet, dans « Les rendez-vous de l'édition », BPI, Centre Georges-Pompidou, 2000.

18 Sur cette question, voir le dossier de *Livres Hebdo*, n° 441, 17 octobre 2001 et, *infra*, le chapitre XI, p. 231 *sq*.

19. « Ces libraires dont le rôle est vital », Jérôme Lindon, *Le Monde*, 21 septembre 1999. (Jérôme Lindon, grande figure de l'édition, malheureusement disparu en 2001.)

teur (et l'auteur) et le lecteur, capables d'adapter leur connaissance du marché éditorial aux représentations de leur propre clientèle.

Il est en effet aujourd'hui indispensable d'accorder la plus grande importance à la librairie : face au développement de la concentration, face à l'apparition du commerce électronique, face aux nouveaux défis du multimédia, il est urgent de considérer l'avenir du livre et de la lecture à partir de la librairie. Cette conversion du regard a pour objectif de soutenir ce maillon le plus fragile de la chaîne du livre. Deux types d'institutions ont dès lors à renforcer leur action pour maintenir et développer ce maillage de librairies indépendantes en France : les pouvoirs publics, et notamment les collectivités territoriales, d'une part, l'interprofession, et surtout la mise en commun d'objectifs professionnels avec l'édition, d'autre part.

Véritables lieux de vie et d'échanges, les librairies peuvent être de réels foyers d'effervescence culturelle où les rencontres et discussions autour des livres sont nombreuses et variées. Ce sont des lieux de vente privilégiés pour mettre en valeur des choix personnels dans un temps et un espace qui ne soient pas ceux du brouhaha (ou de l'anonymat) des grandes structures.

L'époque est pleine de risques et de défis : notre mobilisation doit être totale pour continuer de garantir la plus grande diversité de l'offre éditoriale et sa commercialisation : le monopole et l'uniformisation n'ont jamais permis un développement de la qualité et de la liberté. Ce qu'il nous faut éviter, ce n'est pas seulement l'édition sans éditeurs, mais aussi (et surtout ?) la librairie sans libraires.

Deuxième partie

Résistances et mutations de l'édition

CHAPITRE V
Le dynamisme de l'édition pour la jeunesse

La cause est entendue : après l'épisode des Pokémon, puis le succès de la série romanesque de Joanne K. Rowling et la fièvre qui a gagné les foules enfantines et adultes à l'annonce de la sortie en décembre 2001 du film tiré du premier volume *Harry Potter à l'école des sorciers*, le livre de loisir pour enfants élargit son lectorat : il est désormais indissociablement lié aux pratiques du multimédia, du jeu et des techniques publicitaires dans le cadre de la mondialisation et de la consommation de masse. L'édition, devenue pour certains, dans la perspective de la rentabilité du « marché », un champ économique comme un autre, est aussi incluse dans de vastes ensembles internationaux centrés sur la concurrence des moyens de communication. Les éditeurs français ayant les moyens d'acquitter des droits fort élevés traduisent ainsi de plus en plus les œuvres étrangères « rentables » et certaines maisons en tirent même le plus clair de leur profit : quelle est la part de ces traductions dans le chiffre d'affaires de Gallimard,

Bayard Presse et Pocket Jeunesse, exploitant Harry Potter, « Chair de poule » et Bruce Coville ?

En même temps, on observe que les éditeurs exigeants apportent un soin extrême à la publication et à l'illustration des contes du patrimoine, en particulier des *Contes* de Perrault, comme on le verra plus loin, à la suite de la très belle exposition organisée à la Bibliothèque nationale de France au printemps 2001. Le conte serait-il toujours le domaine de l'enfance par excellence, un patrimoine paré du prestige du « Grand Siècle » et de la voix du peuple qui apporterait une réponse sûre aux inquiétudes entraînées par la perte des repères en matière de culture nationale ?

Nos auteurs et illustrateurs contemporains, d'autre part, sont très mal connus du monde anglo-saxon, d'où proviennent maintenant les ouvrages les plus populaires : il n'existe pratiquement pas de traduction de nos livres en langue anglaise, si l'on excepte les œuvres de Michel Tournier, le très original *Solange et l'ange* de Thierry Magnier, des auteurs et illustrateurs introduits par Creative Editions aux États-Unis, comme Jean Claverie, Guy Billout et quelques autres. Seuls résistent vaillamment Babar, les magazines de Bayard Presse et *Le Petit Prince* d'Antoine de Saint-Exupéry. En septembre 2000 encore, le directeur d'Andersen Press, une importante firme britannique, interrogé lors d'un colloque à Cambridge, déclarait n'avoir pas encore traduit d'albums français, mais se proposait de publier *Plouf* de Philippe Corentin, une œuvre datant de quelques années : il regrettait aussi le fait que les Américains n'achètent pas ses livres, comme s'il existait une hiérarchie implicite depuis le centre des affaires new-yorkais...

De fait, *Le Petit Prince*, d'abord publié aux États-Unis en 1943, réalise encore des prouesses en France en 2001 et arrive au quatrième rang des ventes dans la catégorie « Poche Jeunesse », en tête après les trois premiers volumes d'Harry Potter, avec 173 000 exemplaires vendus par Gallimard Jeunesse, contre, respectivement, 646 000, 465 000 et 449 000 pour ces derniers.[1] Chiffres impressionnants, quand on sait que le tirage moyen dans notre pays est de 8 000 à 9 000 exemplaires. Chiffres néanmoins dérisoires en regard des 6,5 millions d'exemplaires vendus

1. *Cf. Le Marché du livre 2001*, supplément au numéro 417 de *Livres Hebdo*, 16 mars 2001, p. 33.

en France pour les quatre volumes de la série Harry Potter à la fin de 2001.[2]

Ces remarques préliminaires expriment assez clairement le dilemme d'un secteur de l'édition qui se trouve dans l'obligation de conjuguer marketing, éducation et loisirs. En matière de loisirs, c'est un fait, la culture de l'enfant en France connaît un nouvel essor entériné, entre autres, par l'apparition de revues d'information destinées à certains parents et aux éducateurs, telles que *Paris mômes,* qui fait la publicité des spectacles (films, théâtres et «animations»), et présente aussi des livres. L'engagement politique des maisons d'édition, telles que Syros (actuellement passée chez Nathan, dans le cadre de VUP) ou Rue du Monde, attachées à la formation des citoyens, ou de la grande presse laïque et catholique (Milan et Bayard Presse), nous rappelle, d'autre part, que depuis les origines et plus précisément la Contre-Réforme, sensible dans les contes et *Les Aventures de Télémaque* de Fénelon, fiction écrite à l'intention du petit-fils de Louis XIV, le propos est bien toujours «d'instruire en divertissant». Entre ces projets complémentaires d'instruction et de divertissement s'étend un vaste champ de plus en plus diversifié, puisqu'il est censé représenter, même sans l'aide des livres scolaires, «le premier secteur en termes économiques de l'édition contemporaine», comme le faisait remarquer Jacques Binsztock, directeur du Seuil Jeunesse, dans un entretien rapporté par *Livres Hebdo*. Un secteur, regrettait-il avec Geneviève Brisac, directrice de collection à L'École des loisirs, qui est, malgré une timide et très récente évolution, encore largement ignoré par la presse et les grandes chaînes de l'information.[3] Un secteur absent de la critique universitaire: il n'existe plus de chaire de littérature de jeunesse depuis que j'ai quitté l'université Paris XIII.

Dans ce contexte, les intentions nouvellement affirmées de Jean-Marie Messier, le PDG de Vivendi Universal, de «dominer l'édition scolaire» américaine à travers l'achat de l'éditeur Houghton Mifflin sonnent comme un coup de tonnerre.[4] Après la prise de contrôle d'USA Networks qui

2. Claude Combet, «L'édition jeunesse un an après Harry», *Livres Hebdo*, n° 447, 23 novembre 2001, p. 68

3. *Ibidem*.

4. Voir les articles de Martine Orange et d'Alain Salles dans *Le Monde*, 18 et 21 décembre 2001, p. 21 et VII.

fait de ce groupe un « géant des médias » et le place à un rang important dans la maîtrise de la télévision d'outre-Atlantique, l'arrivée de Houghton Mifflin, qui réalise 90 % de son chiffre d'affaires dans les livres scolaires (un marché potentiel de 57 millions d'enfants), offre peut-être une ouverture à certains de nos auteurs, à ceux qui, tout au moins, sont passés dans les manuels scolaires de Nathan et autres éditeurs du groupe VUP. On peut s'attendre aussi à une nouvelle politique de traduction en anglais, bien qu'un tel objectif soit loin d'être déclaré pour l'instant, même si la connaissance du secteur que possède Agnès Touraine, ancienne directrice chez Hachette Jeunesse et actuelle patronne de VUP, permet de l'espérer.

C'est dans ces conditions que se présente en ce début de millénaire l'édition pour la jeunesse, un ensemble complexe et néanmoins fascinant de livres et d'objets difficiles à définir : depuis les livres-objets et les livres animés jusqu'au livre électronique (brièvement exploré) et surtout jusqu'aux cédéroms interactifs reprenant les scénarios d'œuvres littéraires écrites pour les enfants (*Alice au pays des merveilles*). Un secteur dans lequel les débats sur la nature et la qualité de la littérature destinée aux enfants sont permanents et loin d'être épuisés.

La vraie « Guerre des étoiles » pour les « enfants de la vidéosphère »

Les enfants d'aujourd'hui sont, en effet, les « enfants de la vidéosphère »[5] et ont accès à l'espace de la communication inaugurée par la numérisation des messages ; celle-ci permet le transfert de l'information d'un média à un autre dans une culture populaire internationale qui prend aussi l'aspect d'une culture de « la société ludique » décrite par Alain Cotta en 1982. Ainsi, au cours des derniers mois de l'an 2000, un bonne part des jeunes Français âgés de quatre à dix ou douze ans se sont-ils trouvés pendant une heure et demie tous les mercredis devant leur émission télévisée favorite des Pokémon, une série développée à partir d'un jeu vidéo sur console portable créé par la firme japonaise Nintendo.

5. Formule tirée du titre de la première partie de mon livre : Jean Perrot, *Jeux et enjeux du livre d'enfance et de jeunesse*, Éditions du Cercle de la librairie, Paris, 1999, p. 23.

Le phénomène a été une déferlante dans tous les pays industrialisés (quatre-vingts millions de consoles vendues dans le monde) ; l'entreprise bénéficiait du soutien d'un lourd appareil publicitaire, du relais de films en exclusivité (le deuxième film Pokémon est sorti moins d'un an après le premier, et le troisième a suivi, illustrant la loi des trilogies[6]), et de magazines, appuyés par un large réseau de vente de produits dérivés (depuis les « stickers », autocollants et albums de coloriage, cartes de collections qu'on échange dans les cours de récréation, jusqu'aux tee-shirts, ballons de baudruche, figurines, etc.). De toute évidence, les concepteurs des Pokémon (terme qui vient de la contraction de l'anglais « Pocket-monster », « monstre de poche », renvoyant aux Tomagotchis, animaux virtuels programmés sur consoles et introduits dans les années quatre-vingt-dix par les Japonais) exploitent parfaitement le goût de la collection, ainsi que les pratiques ludiques des enfants et les théories du jeu. En 2000, dans la section « jeunesse » des meilleures ventes, *L'Album officiel Pokémon* et *Le Guide officiel des Pokémon* diffusés par Gallimard Jeunesse ont été vendus à 194 000 et 175 000 exemplaires, venant tout juste après les 580 600 de *Harry Potter et la coupe de feu.*[7]

Ainsi Pikachu, la souris « électrique », le Pokémon devenu jouet et mascotte d'une génération, est, comme les Ewoks de *La Guerre des étoiles*, une sorte de peluche, qui peut émettre une énergie extraordinaire dans certaines circonstances (surtout quand il est agressé), et foudroyer ceux qui s'en prennent à lui. Il conjoint la douceur de « l'objet transitionnel », selon le terme employé par Donald W. Winnicott pour désigner les substituts ludiques maternels, et la violence vengeresse des justiciers. Il est l'attribut du couple des héros exemplaires, Sacha et Ondine, et représente un fort objet d'identification que tout écrivain désirant être reçu par les jeunes lecteurs-téléspectateurs de cet âge doit « neutraliser », pour s'imposer dans une « guerre des étoiles » où il n'est pas sûr d'avoir l'avantage. Ainsi la veillée de Noël fin de siècle sur TF1

6. Une loi qui devrait régler la parution du *Seigneur des Anneaux*, le film de Peter Jackson tiré du livre de John Ronald Reuel Tolkien en 2001, un livre vendu à plus d'un million d'exemplaires par Houghton Mifflin qui en a retiré 25 millions de dollars, comme *Le Monde* du 21 décembre 2001 le rappelait.

7. *Le Marché du livre 2001*, *op. cit.*, p. 34.

a-t-elle été célébrée par une abondance d'épisodes de la série Pokémon. Ce soir-là, pourtant, dans un sursaut du sentiment national sous contrôle parental, c'est *Astérix et le coup du menhir* qui, à la même heure sur M6, a remporté la manche: 23, 3 % contre 21,2 % à l'Audimat, comme le précisait *Le Monde* du 30 décembre 2000.

La séduction des jeux vidéo, en réalité, tient d'abord dans la manipulation de la console et dans la fragmentation des scénarios. On comprend que les éditeurs contemporains, désireux de défendre une culture et une littérature spécifiques de qualité, se trouvent entraînés à recourir à des principes d'animation similaire pour regagner des lecteurs ou, tout au moins, ne pas trop en perdre. Ils associent, en tout cas, de plus en plus fréquemment jeux-vidéo et albums ou livres, par un double mouvement qui va de l'un à l'autre.

Ainsi le succès magistral de la série des cédéroms centrés sur le personnage de l'oncle Ernest a-t-il conduit Albin Michel Jeunesse à publier en décembre 2000 le très bel album *Le Trésor de l'oncle Ernest*, écrit et conçu par Éric Viennot, l'auteur des trois cédéroms et dont le dernier ,produit en 2000, a pour titre *L'Île mystérieuse de l'oncle Ernest;* la même quête du trésor et de l'aventure se fonde sur la lecture des codes et des énigmes. Ce qui stimule les lecteurs surtout, outre les surprises du scénario, c'est la qualité des images rappelant celles du cédérom, et aussi la reconnaissance des personnages et des objets. Le lecteur n'est pas ici dans une contemplation passive et esthétisante des «choses» à la manière de Georges Perec, mais entre dans une interaction dynamique de déplacements et de provocations avec elles. Nous avons pu constater que cet album, non seulement incitait à la lecture, mais était aussi, à travers son style, un facteur éventuel d'initiation littéraire: le «trésor» de l'oncle Ernest dans ce cas n'est, d'autre part, que l'image du Nautilus du capitaine Nemo de Jules Verne, impliquant une sensibilisation aux subtilités de l'intertextualité.

De même, le succès et les qualités graphique et narrative du film de Michel Ocelot, *Kirikou et la sorcière* (plus de 1,5 million d'entrées et 500 000 cassettes vendues en 2000), justifient-ils la transposition livresque du conte publiée par les éditions Milan. Symétriquement, les albums réalisés pour les plus jeunes lecteurs par Jacques

Duquesnoy sur la série des «petits fantômes», toujours pour Albin Michel Jeunesse, sont accompagnés par le récent cédérom *Minuit fantôme* publié par Syrinx en 2000, qui exploite, avec une faible interactivité toutefois, les mêmes personnages et scénarios. Certes, la ligne est fine entre le «produit commercial» et le véritable investissement créateur, mais il ne fait pas de doute que de nouveaux scénaristes et écrivains s'imposent aujourd'hui à travers la galaxie des «messages composites» fondés sur la triple union du texte écrit, de l'image mobile et de la voix, du son ou de la musique. Bien hardis les adultes qui s'aventureraient à dénier la qualité du littéraire à certaines de ces formes inédites de récit.

L'arrivée du quatrième volume de Joanne K. Rowling, *Harry Potter et la coupe de feu*, justement, a mis en lumière les interférences internationales qu'entraînent la reconnaissance tacite des particularités de l'enfant-lecteur et les stratégies commerciales qui l'accompagnent: lors de la journée du 29 novembre 2000, proclamée «magique» par les éditions Gallimard et célébrant l'événement, une mise en scène qui imitait la sortie londonienne du livre a mobilisé un bus dans les rues de Paris et a dramatisé cette parution fixée à une heure d'ouverture nocturne des librairies (il fallait être là à minuit pour avoir le précieux objet!). Elle s'accompagnait d'une cassette audio du premier volume de la série lue avec brio par Bernard Giraudeau (des «Audio Book-CD» et des «Audio Book K7» sont maintenant disponibles pour deux titres). Le dépliant publicitaire annonçait le tournage du film (dont l'acteur principal a été choisi au terme d'une compétition internationale) et déclinait aussi les chiffres fabuleux des ventes: «en Allemagne, 500 000 exemplaires du tome IV vendus le jour de la sortie, plus de quarante millions d'exemplaires vendus dans le monde» (en décembre 2001, les 120 à 150 millions, selon les chiffres, seraient atteints). Bref, tout affirmait l'évidence d'une «magie» de Joanne K. Rowling. Il ne fait pas de doute que le succès commercial ici s'est fondé sur des spécificités littéraires (goût du merveilleux, des sorciers, de l'aventure, etc.) agréées par toute une classe d'âge qui sait maintenant imposer ses critères aux adultes susceptibles de les partager. Rien d'étonnant, si l'on pense que la société advenue après l'effondrement des utopies «rationnelles» des pays socialistes donne sa préférence au «retour des magiciens» et au reflux des Lumières, malgré une riposte de plus en plus appuyée des «Citoyens».

De quoi donner le tournis aux enseignants qui désespèrent de la lecture des jeunes et frapper d'horreur ceux qui considèrent la littérature de jeunesse comme «de la pâtée pour les chats», comme un digne universitaire l'a qualifiée au dernier festival du livre de Fougères en décembre 2000! Du moins, disent Christian Baudelot et Marie Cartier, ces enfants «lisent-ils...»[8], car la lecture pour certains a pris le pas aujourd'hui sur la littérature dans un contexte où l'illettrisme est considéré à juste titre comme un mal de la démocratie.

Les mêmes phénomènes de rejet global des récits offerts à la jeunesse ont été observés dans les années quatre-vingt avec l'apparition des «livres-dont-vous-êtes-le-héros» et avec la série «Chair de poule» diffusée au cours des cinq dernières années. On a implicitement dénoncé alors ce que David Riesman, dans *La Foule solitaire*, appelait les effets de «la communication de masse au stade de l'extro-détermination», c'est-à-dire cette perméabilité qu'ont les enfants aux messages supposés venir de leurs pairs.[9] Ce qui n'a pas empêché certains écrivains français, dans un subtil décalage parodique, d'écrire des récits fantastiques tout à fait originaux.[10] Le barrage élevé contre les bandes dessinées américaines par la loi du 16 juillet 1949, rappelons-le, répondait à des considérations du même type. L'édition contemporaine porte donc à un degré sans précédent les tendances qui, depuis les albums de Benjamin Rabier et, même bien plus tôt, avec les publicités des poupées «Jumeau» au XIXe siècle associant fiction, image, publicité et parfois jouet, ont hérissé le cercle des critiques et législateurs académiques.

Certes, il n'est pas question d'engager ici un débat sur les qualités littéraires des quatre romans de Joanne K. Rowling, en la circonstance honorée par sa reine: cette œuvre a fait depuis l'objet d'une étude d'Isabelle Smadja,

8. Voir le débat avec *Et pourtant ils lisent* dans notre introduction à *Jeux et enjeux*, *op. cit.*, p. 18.

9. David Riesman, *La Foule solitaire. Anatomie de la société moderne*, Traduction en français: Arthaud, Paris, 1964, p. 146.

10. Voir Jean Perrot, «Le fantastique fin de siècle», *Jeux et enjeux...*, *op. cit.*, p. 278.

publiée par les Presses universitaires de France, qui y lit une critique du système fasciste, de même qu'une étude anglaise y a vu des allusions à l'histoire anglaise. Nous avons, nous-même, distingué, dans le deuxième volume de la série notamment, une référence explicite au livre *Isis dévoilée* de Mme Blavatsky, un best-seller de l'ésotérisme du XIXe siècle. La naïveté apparente de l'œuvre, sa bonne humeur et sa convivialité cachent donc des secrets littéraires bien gardés, mais ce qui est en cause dans le point de vue des censeurs concerne le statut de la culture mise en jeu autant que celui des lecteurs. Rappelons ici que deux écoles s'affrontent dans notre pays : l'une considère que le littéraire s'instaure dans une distance prise par rapport à la culture populaire, et que l'école, en partie, est l'instrument de cette coupure légitimée par le système de l'Académie. Attitude institutionnelle typiquement française, qui contraste avec les pratiques du monde anglo-saxon dominé par l'image de la totalité shakespearienne : n'est-ce pas Quentin Blake, un illustrateur bien connu dans les festivals du livre de jeunesse en France, qui, dans une extension du système du « Poet Laureate », a été élevé au rang de premier « Children's Laureate » ? Ce second point de vue, soutenu chez nous par des écrivains de plus en plus nombreux, prend résolument en compte, et dans sa reconnaissance entière, le statut de l'enfant-lecteur et considère le livre de loisirs pour enfants comme un lieu littéraire légitime.

Réalités du marché et contre-offensive institutionnelle

Les ventes « magiques » que nous venons d'évoquer nous amènent à nuancer la satisfaction que pourraient encourager des chiffres suggérant une bonne santé et une position honorable du livre de jeunesse dans le palmarès de la vente des livres en France. Ainsi « l'excellente rentrée » de l'automne 2000, avec une progression de 8 % du chiffre d'affaires en francs constants, annoncée pour le troisième trimestre par *Livres Hebdo* du 10 novembre 2000, et faisant suite à « un ralentissement sensible du deuxième trimestre », avait une cause évidente : principalement la reprise de Noël et les séries (les trois volumes publiés de Harry Potter et le volume XXV des *Tom-Tom et Nana : les*

Mabouls déboulent, de Jacqueline Cohen chez Bayard Presse, venant en tête des ventes dans la liste fournie par *Livres Hebdo* le 10 novembre). Pour l'année 2000 entière, « millésime exceptionnel », le meilleur depuis dix ans, la progression globale du chiffre d'affaires a été de 9 %, et les séries sont toujours l'élément moteur : entre autres, celle de *Tom-Tom et Nana,* dont l'un des volumes arrive en sixième position des ventes (après les Harry Potter et *Le Petit Prince*) et représente plus de 700 000 exemplaires vendus, et la série « Danse », d'Anne-Marie Pol, dont l'écriture recherchée réalise aussi un score remarquable, avec des volumes dont les ventes dépassent les 40 000 exemplaires.[11]

En réalité, il semble que la « crise » ressentie à la fin du siècle ait été en partie masquée par le développement des apports internationaux, mais que la reprise soit maintenant effective. Si l'on tient compte des statistiques fournies par le SNE au printemps 1999 concernant les ventes de 1997, il apparaît, en effet, que les livres destinés à la jeunesse représentaient alors près de 18,6 % des ventes, toutes catégories confondues, soit 63 747 000 exemplaires (dont 34 039 000 livres et 29 708 000 albums). Un an plus tard, en relation avec le tassement de 1,2 % du chiffre d'affaires de l'édition, les ventes en secteur jeunesse, d'après les résultats communiqués en 2000, étaient tombées à 59 612 200 exemplaires (dont 41 040 000 livres et 18 571 000 albums). Le nombre de titres s'avérait en légère progression, passant de 6 793 en 1997 à 7 287 en 1998.[12] Ces éléments permettent de mieux interpréter les chiffres de l'année 2000 : 61 239 000 livres pour la jeunesse ont été vendus (+ 10 % par rapport à 1999, mais 2 millions de moins qu'en 1997), soit 17,3 % des exemplaires du marché de l'édition (soit 1, 5 % de moins qu'en 1997). Certes, en 2000, la bonne tenue du secteur jeunesse français tient en partie au développement de la grande distribution dans les hypermarchés. Mais il ne faudrait pas sous-estimer, toutefois, une remarquable créativité des petites et moyennes maisons, ce que traduit la

11. *Le Marché du livre 2001, op. cit.*, p. 2 et 33.

12. Chiffres commentés annuellement par Raoul et Jacqueline Dubois, « L'édition pour la jeunesse en 1997 », *Bulletin du CRILJ,* n° 65, juin 1999, p. 3-8, et « L'édition pour la jeunesse en 1998 », *Bulletin du CRILJ,* n° 68, octobre 2000, p. 5-10.

progression des livres d'éveil: 747 titres de livres d'éveil (+ 26,4 %). Cette créativité n'est pas l'apanage des grands éditeurs, et l'on ne peut se limiter au constat de François Rouet déclarant, après Fabrice Piault, dans *Le Livre, mutations d'une industrie culturelle,* que: «Des pop-ups aux livres-jardins des éditions Hachette Jeunesse, en passant par les livres puzzles de Gallimard, le livre semble avoir exploré toutes les voies qu'il pouvait emprunter sans se renier lui-même...»[13]

L'analyse de l'édition, en effet, si elle ne veut pas en rester aux succès éditoriaux appelés par les seules contraintes du marché, doit prendre en compte certains aspects de la politique du livre définie tant au niveau national, par les divers ministères de la Culture, de l'Éducation nationale, etc., que régional ou local par les collectivités territoriales. La littérature de jeunesse semble avoir enfin ses entrées dans les programmes de l'Éducation nationale; le ministère, à la suite de diverses «listes» et «compléments aux programmes de sixième-troisième», a publié en décembre 1995 *Programme de sixième, 1996,* dans lequel la littérature de jeunesse est introduite officiellement.[14] Les lois relatives aux enseignements artistiques de 1995 et 1998, puis aux programmes de troisième, de première et de terminale aussi, ont facilité l'utilisation des romans, des livres d'art et du théâtre. Les mesures annoncées par le ministre Jack Lang dans le cadre du plan sur les arts et la culture à l'école (CNDP, juillet 2001) devraient en renforcer les effets et constituer une incitation à l'édition: des livres comme *Le Louvre à la loupe* de Claire d'Harcourt (Le Seuil, 2001) ou *La Peinture au fil du temps* de Caroline Desnoettes (Réunion des Musées nationaux, 2000) constituent des réponses directes à ces besoins.

Par ailleurs, l'Observatoire national de la lecture fonde explicitement l'enseignement de la langue française sur l'introduction des albums, récits, etc., dans les écoles, avec la brochure *Livres et apprentissages à l'école* (CNDP/Savoir Lire, Diffusion Hachette, 1999), une sélection de livres de littérature de jeunesse réalisée par Serge et Marie-Claude Martin et Marie-Claude Bajard. Dans les lycées et collè-

13. François Rouet, *Le Livre, mutations d'une industrie culturelle, op. cit.*, p. 16 et 214.

14. Jacqueline Konrat, «La littérature de jeunesse au fil des ans», *Inter-CDI*, n° 154, juillet-août 1999, p. 39.

ges, le relais des CDI soutenu par les revues spécialisées des documentalistes (*InterCDI*), des CRDP de Créteil ou de Grenoble (*Argos, Lire au collège*, etc.) ou des éditeurs (*L'École des Lettres*, de L'École des loisirs) valorise une offre de qualité promue encore par près de deux cents librairies spécialisées.

Loin de nuire, l'impact des animations menées en bibliothèque et à l'école sur la vente des livres semble être positif, car l'achat et le prêt ne « seraient pas des pratiques concurrentes, mais plutôt complémentaires »[15]. Le ministère de la Culture n'est pas étranger à la mutation effectuée : il agit à travers des prêts accordés aux éditeurs, par l'attribution de bourses aux auteurs et illustrateurs et par le financement des visites d'auteurs dans les établissements scolaires, enfin à travers une politique systématique d'encouragement à la lecture par les bibliothèques départementales de prêt, l'organisation de journées nationales sur la lecture et la liaison des bibliothèques municipales et des écoles dans des projets communs d'animation et d'ateliers d'écriture. L'action des conseils généraux qui offrent des albums comme cadeaux aux nouveau-nés de l'année n'est pas, non plus, une aide négligeable pour certains petits éditeurs, comme par exemple les éditions Être, aidées par le conseil général du Val-de-Marne pour la publication de l'album *Chonchon* en 1998. La mairie de Nanterre enfin a adressé à l'illustrateur Paul Cox une commande dont le résultat est l'album *Ces nains portent quoi???* au graphisme original (Le Seuil, 2001).

Alors qu'il y a vingt ans, les municipalités se targuaient de posséder une piscine ou des équipements sportifs, c'est maintenant la bibliothèque pour la jeunesse et le festival annuel du livre d'enfants qui cristallisent les énergies culturelles dans un combat pour la lecture contre les inégalités sociales et la marginalisation des publics réputés difficiles. La manifestation la plus importante est le Salon du livre de Montreuil, d'envergure nationale, comme la Foire de Bologne : mis en place par Henriette Zoughebi et repris par Sylvie Vassallo et son équipe de bibliothécaires, il est marqué par un colloque annuel, par des expositions et la création de nombreux prix encourageant les écrivains

15. Sandrine Leturc, « Les commandes des CDI et leur impact sur la production éditoriale », *InterCDI*, n° 162, novembre-décembre 1999, p. 66.

et les illustrateurs (les Totems, etc.). On ne compte plus les prix littéraires dans le secteur jeunesse : prix du ministère de la Jeunesse et des Sports, prix Sorcières (de l'ABF, Association des bibliothèques de France) et des libraires spécialisés, prix de l'Humour du festival de Beaugency, etc.

Tous ces développements sont liés aux entreprises locales et à l'important travail d'information effectué par les revues spécialisées : *La Revue des livres pour enfants* de l'association La Joie par les livres (qui publie aussi en 2001 un guide sur les meilleurs albums, romans et documentaires et deux monographies : *L'Édition africaine pour la jeunesse* et *L'Édition pour la jeunesse dans les pays arabes*), *Livres jeunes aujourd'hui* de l'Association des bibliothèques pour tous, *Lecture Jeune* de l'association Lecture Jeunesse, *Nous voulons lire*, *Griffon*, et *Citrouille* publiée par l'Association des libraires spécialisés jeunesse qui publie maintenant des numéros spéciaux consacrés à divers pays (l'Inde, dans le numéro 30 de décembre 2001, à l'instigation de l'écrivain Patrice Favaro). La Joie par les livres, en relation avec la section française de l'IBBY (International Board on Books for Youth, regroupant bibliothécaires, organismes et spécialistes divers de quatre-vingts pays décernant le prix Andersen, sorte de « Nobel » de la littérature de jeunesse) travaille à la promotion de l'édition française et à sa reconnaissance au niveau international, comme l'Institut international Charles-Perrault, qui a créé, avec l'aide de la Bibliothèque de l'heure joyeuse et de la Joie par les livres, le prix de la Critique, récompensant les meilleurs travaux dans le domaine, et se propose de regrouper les chercheurs et d'établir des relations avec les autres pays européens et les associations internationales.

Un processus de légitimation est donc en cours qui, jusque dans les crèches, avec l'aide de l'association ACCES, va recruter les « bébés lecteurs » à un âge de plus en plus précoce, à partir de six-neuf mois. Fait récent, sans précédent, ce sont les jeunes lecteurs eux-mêmes qui sont de plus en plus nombreux à décerner les prix : prix Goncourt des lycéens, prix des Incorruptibles de Bobigny, prix Bernard-Versèle, etc.[16] Cette mutation rencontre l'invention des auteurs et éditeurs obligés de se renouveler sans cesse pour faire face au goût de nouveauté et au prin-

16. Voir l'article « Quand des milliers de jeunes lecteurs constituent des jurys… », *Bulletin du CRILJ*, n° 70, juin 2001, p. 10-18.

cipe de rotation des biens culturels n'épargnant pas le livre. Celui-ci, objet de consommation courante, rivalise certes avec les jeux informatiques, les films et cédéroms de l'industrie des loisirs, mais occupe cependant une place à part dans la constellation des médias, assurant une stabilité et une présence concrète du message que les univers virtuels ne peuvent apporter.

Au premier rang de ces enjeux, la démocratisation de la lecture, qui, même soutenue par les bibliothèques, dépend du prix des livres : alors que Hachette Jeunesse en 2000 a lancé sa collection « Côté court » de livres à dix francs (avec, par exemple, *Le Chien de Brisquet* de Charles Nodier), les collections de romans poche ont bénéficié en 2000 de prix allant de 26,50 à 33 francs pour le Livre de Poche Jeunesse, de 19 à 48 francs pour Castor Poche, de 15 à 44 pour Pocket Jeunesse, de 36 à 64 pour L'École des loisirs et Syros (collection Les uns les autres), 65 francs pour la collection Fiction du Seuil. Les albums, eux, demeurent chers, de 30-40 à 150 francs (prix moyen de 60 à 70 francs, soit 10 euros).

Malgré une politique obligée de « relooking » des couvertures, la qualité esthétique des textes n'est pas assez considérée et s'efface devant le seul intérêt porté aux contenus et à l'information : la tendance de certains éditeurs est de supprimer leur service de presse, les livres, de leur point de vue, « se vendant tout seuls », au mépris de toute valorisation symbolique des auteurs dans l'institution. La naissance de la Charte des auteurs et illustrateurs pour la jeunesse en 1975 entérinait ainsi la nécessité d'une réelle reconnaissance : celle de professionnels liés au statut d'un enfant-lecteur dont les spécificités ne sont pas tout à fait explicitées. La Convention des droits de l'enfant de 1989, signée maintenant par plus de cent pays, accorde le droit à l'information et à l'éducation aux moins de dix-huit ans, mais pas clairement le statut d'un lecteur à part entière. De même la loi sur la jeunesse de 1949 place l'enfant sous la protection morale de l'adulte, sans évoquer les exigences attendues des prescripteurs en matière d'esthétique.

Dernier enjeu, et non le moindre, celui qui surgit à propos du prêt payant dans les bibliothèques. Dans l'attente des décisions de la ministre, les débats se sont faits vifs. Signalons la prise de position engagée qui s'est exprimée dans la publication, le 24 novembre 2000, de l'album

Livre de bibliothèque des éditions Thierry Magnier, fondées en 1998. Sur la couverture de ce livre, on peut lire: «Attention! Ce livre doit être prêté gratuitement dans les bibliothèques.» Le volume contient divers témoignages, dont celui de Gudule, romancière-phare pour un certain nombre de collections chez Hachette, Gallimard, Nathan, et qui raconte comment, arrivant du Liban avec deux enfants, un mari malade et sans argent, elle a moralement survécu grâce au prêt quotidien gratuit de la «fabuleuse bibliothèque» d'Aubervilliers...

STABILITÉ DU TEXTE ENTRE JOUETS, FICTION ET DOCUMENTS

La concurrence se joue d'abord dans le livre à travers une véritable débauche symbolique (un potlatch!) de l'emballage et des formats: ainsi, celui, volumineux, des romans de Joanne K. Rowling (gros caractère et papier épais), est-il censé traduire l'appétit ogresque de lecture et de consommation que cette œuvre a suscité et que n'auraient su satisfaire les petits livrets de «Côté court», dont la collection vient précisément – constat d'échec? – de s'arrêter. En revanche, la collection «Tête de lard», de Thierry Magnier, petits carrés de 12 cm sur 12 cm, cartonnés et épais comme des biscuits, ou les collections carrées de la maison provinciale les Éditions du Rouergue (la «20 x 20», la «17 x 17») stimulent les réflexes des jeunes lecteurs par l'adéquation des contenus avec la forme de leur message: ainsi l'album *Choco* de Frédérique Bertrand, en collection 12 x 12. Enfin, les grands albums du Seuil et d'Albin Michel Jeunesse, par leur graphisme sophistiqué et la recherche de leurs couleurs, induisent aussi des gammes d'émotions cultivant une hiérarchie tacite de la réussite, succès légitimé, dans le cas de l'album *Jésus Betz* de Fred Bernard et François Roca (Le Seuil), par la remise d'un Baobab au Salon du livre de Montreuil en 2001.

Si l'emballage lui-même peut être ludique, les bibliothèques, de nos jours, sont des lieux en évolution, et deviennent des médiathèques incluant disques et cédéroms, en attendant une fusion avec les ludothèques, tant les livres dits «animés» tendent au statut de jouets. Les progrès dans le domaine de l'impression et de la découpe des plastiques, la qualité des couleurs et des images obtenues par la palette graphique (Photoshop, etc.) amènent, en effet, une transformation du livre-objet, qui se voit obligé d'introduire du mouvement dans ses structures. Ainsi la firme Intervisual Communication Incorporated, qui produisait les superbes albums de la Geographic Society, associe-t-elle maintenant un livre, une maison de poupée et même un train électrique dans un même coffret. De même, *La Main magique* de Jay Young, traduit par Le Seuil en octobre 2000, est-il un documentaire fonctionnant sous forme de questionnaire dont les réponses sont données à l'aide d'une puce électronique. Se multiplient donc les livres-puzzles (*Dinopuzzle* d'Anne Sharp, Le Seuil, 2000), les livres à trous, à languettes, à tirettes (*Le Voyage de Turlututu* d'Elzbieta, Pastel, L'École des loisirs, 2000). Plus simplement, les séries Gallimard, « Mes premières découvertes », par exemple, se diversifient en ajoutant des filtres opaques aux mystères et aux séductions des transparents : la série « J'observe », mise au point par Claude Delafosse, repose sur l'illusion de l'utilisation d'une lampe de poche (*J'observe les spectacles*, etc.) L'album est proche des activités manuelles enfin avec la collection « Dépliemages » d'Albin Michel jeunesse (*Le Loup*, *La Sorcière*, etc.).

Le ludisme triomphe encore dans l'invention de nouvelles versions et illustrations des contes. Dans la période précédant Noël 2001, notamment, sont parues pas moins de deux éditions séparées du *Petit Poucet* de Charles Perrault superbement illustrées par Jean-Marc Rochette (Casterman) et Isabelle Chatellard (pour l'adaptation de Jean-Pierre Kerloc'h, chez Didier Jeunesse), deux éditions de *La Barbe Bleue* illustrées respectivement par Éric Battut (Bilboquet) et Sibylle Delacroix (Casterman), une édition remarquable des *Fées* illustrée par Philippe Dumas (L'École des loisirs), une reprise de *Cendrillon* par Roberto Innocenti (*Monsieur Le Chat*, chez Grasset). Des albums dont le prix va de 70 à 120 francs, et qui s'opposent à la collection *Mille Ans de contes classiques* de Milan, et des livres à dix francs « Côté court », Hachette Jeunesse, qui juxtaposent *La Barbe Bleue*, *La Belle et la Bête* et *Sindbad le Marin*, un conte de Nodier, etc. De tous côtés, les versions du folklore oral sont reproduites et illustrées : douze volumes de contes de divers pays à L'École des loisirs, *365 Contes de la tête aux pieds* par Muriel Bloch, Gallimard

Jeunesse-Giboulées. Quant au *Petit Chaperon rouge*, véritable héros de l'édition internationale, il s'inscrit au catalogue de Grasset, du Seuil Jeunesse et de Bilboquet sous les illustrations d'Isabelle Forestier, d'Alain Gautier et d'Éric Battut, et se retrouve même dans les livres pour tout-petits avec la version aux chaudes couleurs de Kimiko chez Loulou & Cie, à L'École des loisirs. On n'oubliera pas qu'un film, *Le Petit Poucet*, a été mis à l'affiche fin 2001 avec un succès modéré...

Que le livre habite en partie la conscience des nouveaux médias est aussi une évidence perçue par ceux qu'intéressent les mutations du récit pour la jeunesse : l'un des premiers, et mondialement célèbres, cédéroms destinés aux enfants n'est-il pas *Le Livre de Lulu* de Romain Victor-Pujebet édité par Organa-Flammarion en 1995 ? La lecture s'y présente comme la traversée fictive d'un imprimé virtuel. L'accès au sens caché « au fond du livre » implique un sens du parcours et des liaisons définies par le schéma arborescent, et non linéaire, de l'intrigue. Le littéraire se confond aussi avec le ludique pour les 30 000 internautes de tous pays pratiquant un jeu vidéo *on-line* qui, en cette fin de siècle, fait actuellement fureur : *Mankind*, créé par A. Ledent, Y. Mercier et F. de Luca à partir des livres d'Isaac Asimov, *Fondation*.

Le livre, d'emblée, s'est donc engouffré dans le créneau du multimédia, comme le montre l'adaptation immédiate de certains albums répondant à la logique qui avait déjà amené Benjamin Rabier à faire passer ses histoires de l'album au dessin animé dans les années 1920. Le texte écrit, loin d'être périmé, assume ainsi de nouvelles fonctions : il intervient sur le registre de l'oralité, comme soutien au déploiement de l'image. C'est une fonction qu'il avait déjà, certes, dans les CD, comme le montrerait bien la série « Mes premières découvertes de la musique », associant livre et CD, et publiée par Gallimard Jeunesse en 1997 ; ainsi le petit conte *Fifi & Albert et les voix* racontant la capture d'une souris par un chat, puis sa libération par son amoureux souriceau, est-il écouté par l'enfant qui ne sait pas encore lire et qui suit sur les images le déroulement du drame, les airs chantés et la musique de Betsy Jolas. Autre CD remarqué : *L'Alphabet du jazz* d'Yvan Amar (2001). Les derniers cédéroms accordent une part plus grande à l'interaction et à la création du lecteur qui s'approprie les histoires et peut devenir en quelque sorte écrivain dans l'échange établi à parité avec lui.

La multiplication de telles productions dans le système des objets contemporains dessine un ensemble qui va du livre animé (proche du jouet et souvent produit en coédition ou résultant d'une politique d'importation, car en très forte croissance sur le marché international) et de l'album jusqu'aux bandes dessinées (présentant une augmentation de 24 % des titres en 2000 par rapport à 1999, avec 1286 nouveautés), à la presse (avec la rivalité bien connue entre Milan et Bayard Presse déclinant des magazines parallèles pour les mêmes tranches d'âge), aux livres reproduisant les scénarios de films de cinéma, jusqu'aux romans illustrés. Les livres scolaires eux-mêmes recourent, pour les lecteurs réputés fantasques que sont les enfants, au soutien de l'image et de la littérature de loisir, et même au petit jeu des «quiz», ces questionnaires proliférant dans tous les domaines, pour promouvoir indirectement grammaire, réflexion et transmission du patrimoine littéraire.

La stabilité du texte dans la vidéosphère apporte ainsi encore, malgré les ambiguïtés du système régi par la concentration et la production de masse, une stimulation à la création littéraire. Le documentaire, toutefois, connaît une nette baisse de ses titres en 2000 (- 10,6 %), car, semble-t-il, le besoin fortement accru d'information est satisfait par les cédéroms, avec un stockage des données d'une ampleur inégalée, comme le montre, par exemple, *Le Secret des couleurs,* conçu par François Pignet dans la collection «Sciences pour tous» chez Chimagora en 1997. Dans le documentaire, genre difficile à évaluer, car rédigé en principe par des spécialistes confirmés de disciplines fort diverses, l'image prend ainsi de plus en plus de place, sur le modèle surtout de la collection «Découvertes Gallimard» créée en 1986. Comme le remarquent Françoise Ballanger et Annick Lorant-Jolly, ces livres adoptent des formes variées, allant même jusqu'au narratif, «maniant le poétique, l'affectif, voire l'humour»[17]. Si bien qu'on peut, dans une telle perspective, considérer les manuels scolaires

17. Françoise Ballanger, Annick Lorant-Jolly (sous la direction de), *À la découverte des documentaires pour la jeunesse*, coédité par le CRDP de l'académie de Créteil et La Joie par les livres, «Argos Démarches», Le Perreux, 1999, p. 12.

comme des « documentaires disciplinaires »[18]. Signalons ici que de superbes couleurs ajoutent à la saveur de certains documentaires plus prosaïques, comme le chatoyant *Une cuisine grande comme le monde* d'Alain Serres et Zaü (Rue du Monde, 2000).

Sous le règne simultané du document et de l'image triomphante, il ne faut pas ignorer les raisons et les résistances de quelques romanciers, comme Nadèjda Garrel, qui veulent demeurer fidèles à la linéarité et à la littérarité du texte seul et qui refusent de voir leurs œuvres illustrées. Réserves qui amènent à considérer la production des livres sous un angle peut-être paradoxal : il importe de partir, en effet, de la réalité des concepts éditoriaux qui, par delà les fusions de holdings ou les restructurations des équipes dans les différentes maisons cherchant à acquérir une taille européenne pour résister à la concurrence et affronter avec succès l'épreuve de la mondialisation, confèrent ses spécificités à l'édition contemporaine. Ainsi peuvent se dégager les tendances majeures d'un tel contexte, dans lequel chaque écrivain ou artiste authentique conserve un style unique et personnel.

« Jeu des chaises musicales » et stratégies éditoriales

Casterman repris par Flammarion bien vite racheté par le groupe de presse Rizzoli-Corriere della sera en octobre 2000. Les éditions Syros Jeunesse se retrouvant, avec Pocket et les ex-Presses de la Cité, liées au Canadien Seagram, après sa fusion dans Vivendi Universal, qui – *Le Monde* du 8 décembre 2000 le soulignait déjà – donnait des inquiétudes pour l'indépendance de notre télévision et de notre cinéma ! Inquiétudes vérifiées quelques jours plus tard avec la déclaration de Jean-Marie Messier, PDG du groupe, qui, partant « à la conquête des téléspectateurs américains », a déclaré caduque « l'exception française » de soutien aux chaînes nationales. Bayard Presse, qui domine le secteur des magazines pour enfants avec *Enfants Magazine* (186 900 exemplaires), *Pomme d'Api* (140 000 exemplaires), *J'aime lire* (210 000 exemplaires), etc., subissant des pertes considérables et décidant de « se recentrer »,

18. *Ibidem*, p. 13.

comme l'annonçait *Le Monde* du 18 octobre 2000, et apportant une part d'indécision dans le rapprochement prévu avec Gallimard. On ne compte plus les turbulences du paysage éditorial, depuis la disparition des éditions communistes Messidor-La Farandole et celle des éditions du Sourire qui mord en 1995.

Certes, le dynamisme de l'édition, comme nous le remarquions déjà dans notre étude « L'édition pour la jeunesse, de l'écrit aux écrans »[19], est toujours le fait de personnalités s'efforçant de s'imposer sur la scène littéraire avec de nouvelles conceptions du livre ou de l'enfance. Les plus influentes de celles-ci, toutefois, sont toujours armées d'une puissante logistique éditoriale nécessitant une certaine stabilité, comme dans le cas de Jean Fabre, fondateur de l'École des loisirs, et de Pierre Marchand, directeur pendant plus de vingt ans de Gallimard Jeunesse et devenu directeur du secteur Jeunesse chez Hachette. Le succès de ce dernier a été d'introduire une illustration de qualité exceptionnelle dans des ouvrages qui entrent néanmoins dans le format de poche : ce fut le cas pour les collections de documentaires ludiques, « Mes premières découvertes », « Les yeux de la Découverte », « Les racines du savoir », ainsi que pour les collections de romans, « Lecture Junior », « Photo-Romans », dont l'esthétique repose sur des rapports sophistiqués du texte et de l'image. La création de la collection « Octavius » en 1998, permettant par une astuce de pliage de passer du format de poche au grand format, est un dernier exemple de cette créativité liée à la démocratisation de la lecture.

Pour Jean Fabre, la fidélité à une édition de haute qualité esthétique dans le registre tant de l'image, avec les collections d'albums allant des tout petits lecteurs aux adolescents (avec Grégoire Solotareff, Michel Gay, Nadja, etc.), que du roman, avec une présentation soignée et sobre, se maintient à travers une production considérable de titres ; elle est obtenue, pour l'image, avec le concours de Marcus Osterwalder et d'Arthur Hubschmid, auteurs de plusieurs dictionnaires sur les illustrateurs, et, pour la fiction, de Geneviève Brisac, directrice des collections de romans, elle-même prix Fémina en 1996 pour *Week-end de*

19. Jean Perrot, « L'édition pour la jeunesse, de l'écrit aux écrans », *in* Pascal Fouché (sous la direction de), *L'Édition française depuis 1945*, *op. cit.*, p. 227-249.

chasse à la mère (éditions de l'Olivier) ; un très beau récit de littérature générale, dans lequel l'imaginaire et la souffrance d'une jeune mère s'étayent de nombreuses références à la culture d'enfance, aux auteurs et à l'écriture s'adressant à la jeunesse.

Alors que les collections de fiction chez Gallimard font naturellement appel aux auteurs de la maison (Pennac, Michel Déon, etc., pour « Folio junior » ou « Lecture Junior »), et profitent des talents d'écrivains comme Azouz Begag ou Jean-Philippe Arrou-Vignod, qui dirige la collection « Page blanche », notamment, en partie relayée par la collection « Frontières » (rapidement mise en sommeil en 2001), L'École des loisirs offre les signatures de Marie Desplechin, Agnès Desarthe, Brigitte Smadja, Gérard Pussey, Boris Moissard, Susie Morgenstern, Christian Lehman, etc., qui ne se limitent pas essentiellement aux récits pour enfants ou adolescents et écrivent aussi pour les adultes. La proximité des thèmes traités dans les deux champs abolit d'ailleurs les différences des deux catégories : ainsi une certaine « avant-garde » aborde le thème de l'homosexualité, comme Chris Donner dans de nombreux livres, ou Brigitte Smadja dans *Adieu Maxime* (L'École des loisirs, 2000), et en littérature générale avec *Le Jaune est sa couleur* (Actes Sud, 1997), ou Marie-Aude Murail dans *Oh Boy !* (L'École des loisirs, 2000). Il est enfin de plus en plus difficile d'assigner un auteur ou un illustrateur à une maison spécifique, tant l'offre s'est diversifiée et des romanciers comme Christian Grenier, et Evelyne Brisou-Pellen se retrouvent en Livre de Poche-Hachette ou chez Nathan, Gallimard, Casterman...

C'est bien la recherche d'un renouvellement incessant qui anime la créativité dans le domaine du livre de jeunesse, avec le danger (le profit ?) d'obéir aveuglément aux modes du moment. Ainsi les éditions Magnard ont-elles resserré leurs collections de fiction autour du policier et du fantastique, sous la direction de Jack Chaboud, rassemblant essentiellement des écrivains français (Jean-Pierre Andrevon, Daniel Meynard, Alain Surget, etc.). Ainsi, dans la réorganisation du groupe Havas-Vivendi, la reprise de Syros a-t-elle entraîné la suppression de plusieurs collections d'albums de cette maison, tandis que, sous la responsabilité de Françoise Mateu, elle-même alors présidente d'IBBY-France, la fiction s'y recentrait autour des collections « porteuses » des « Souris » (Noire, Sentiments, Histoire, Fantastique), autour de la collection « Paroles de conteurs », de la collection « Les uns les autres », créée par Germaine Finifter, dont un titre, en 1999, *La Prisonnière du magicien*, de Michel Girin, a reçu le prix de l'Unicef. En même temps, les orientations définies par la collection « J'accuse ! » (*La Mort au bout du couloir*, de J. Sauvard, 1993) se déployaient en « Cahiers du citoyen » et concernaient tous les volumes (*Oradour la douleur*, de Rolande Causse, illustré par Georges Lemoine, 2001).

Dans le cas de Pocket, plus important avec son format de poche, mais du même groupe, l'éditeur a pu accueillir un certain nombre de titres supprimés dans les collections Nathan, notamment avec l'abandon de la « Bibliothèque internationale ». Mais il a surtout développé les séries centrées sur le paranormal (*Spookville*), les récits de terreur, de science-fiction (*Star-Trek*), le policier et l'adaptation des scénarios de films à succès. Le récent épisode de *Starwars I : La menace fantôme* de George Lucas, adapté et traduit en Pocket Jeunesse, comme *Jurassic Park II*, *Godzilla* ou *Dark Crystal*, répond aux stratégies mondiales de la « novelisation » et de la culture de masse qui assurent des gains substantiels. Il est certain que les éditeurs se disputent ces productions et genres garantissant le succès, comme l'ont fait Gallimard, avec les séries *Animorphs* et Flammarion en 1998, avec la vente de 60 000 exemplaires de l'album tiré du film *Le Prince d'Égypte*, qui atteignait déjà près de huit fois le nombre de ventes attendues d'un tirage moyen.

Autre incidence des transformations en cours, les vagues provoquées par le passage d'un directeur de collection d'une maison à une autre. Ainsi le passage de Rageot dans le groupe Hachette et le rachat de Casterman par Flammarion en 1999 posent-ils le problème des doubles rivaux à l'intérieur d'un même groupe : les collections « Cascade » seront-elles intégrées au Livre de Poche, et le petit éditeur familial créé au lendemain de la guerre conservera-t-il longtemps son autonomie, comme c'est le cas encore aujourd'hui ? De même, les collections de fiction « Dix et plus », « Six et plus », etc., de Casterman seront-elles absorbées par Castor Poche ou bénéficieront-elles de l'apport italien de Rizzoli ? Elles ne sont pas nécessairement conformes aux objectifs définis par le Père Castor pour les collections «Les enfants de la Terre», notamment, et dont l'esprit est maintenu par Hélène Wadovsky dans un ensemble de livres sensibles au réalisme social et aux représentations de l'amitié entre les peuples.

Le rachat de Casterman a conduit Marie Lalhouet, directrice des collections de fiction, à passer chez Hachette Jeunesse, où elle s'inscrit dans la redistribution des postes entraînée par l'arrivée dans la maison de Pierre Marchand. Ces mouvements, que Muriel Tiberghien qualifiait récemment de «jeu de chaises musicales»[20], auront-ils une incidence sur les images de marque – s'il en reste une – de ces maisons? On peut seulement espérer que la sélection des romans retenus ne se fera pas au seul profit des titres à forte vente, même si ceux-ci ne sont pas à dédaigner: les bénéfices acquis d'un côté peuvent relancer des secteurs moins «porteurs». Ainsi les éditions Gautier-Languereau, un temps passées au second plan chez Hachette, se distinguent maintenant par la publication d'albums d'initiation comme *Les Deux Mamans de Petirou,* de Jean-Vital de Monléon et Rebecca Dautremer, ou d'illustrateurs étrangers de grande qualité: *Pas si vite, Songolo* de Niki Dali, *La sagesse de Wombat* de Michael Morpurgo et Christian Birmirgham (2001).

Des politiques originales et des artistes uniques

La stabilité de certaines directions, dans un contexte aussi fluctuant dominé par les trois grands groupes (Vivendi Universal Publishing, Hachette-Livre et Bayard-Gallimard Jeunesse)[21], est d'autant plus exceptionnelle et caractérise les maisons de taille moyenne, comme L'École des loisirs, nous l'avons vu. Dans le cas du Seuil, Jacques Binsztock, qui vient de chez Albin Michel, impose une image avant-gardiste à la maison en faisant appel à des illustrateurs, comme Les Chats pelés, Zad, Sophie Dutertre, etc. La rentrée 2000 a été riche, avec des albums

20. Muriel Tiberghien, «Le jeu des chaises musicales, au péril du livre de jeunesse», *Livres-Jeunes aujourd'hui*, n° 1251, août-septembre 2000.

21. Claude Combet, «Le planisphère de l'édition jeunesse», *Livres Hebdo*, n° 359, novembre 1999, p. 68-72.

chers, mais très originaux graphiquement : citons *Contes du Pacifique* de Henri Gougaud illustré par Laura Rosano (85 francs), qui s'inscrit en contrepoint de la collection de Muriel Bloch « 365 contes », chez Gallimard, *Chaise* de Béatrice Poncelet (98 francs), *Au boulot* des Chats Pelés (139 francs), *Tanbou*, livre un CD de Piotr Barsony et Edmony Frater (149 francs). En 2001, *Clown d'urgence* de Dedieu, la série « Princes et princesses » tirée du dessin animé de Michel Ocelot en papiers découpés, tous les albums d'Élisabeth Brami, *Les Petits Riens Les Petits Délices*, *Moi j'aime, maman déteste*, le remarquable *Rue des deux maisons*, etc., ont retenu les suffrages de la critique.

L'appréciation très positive des bibliothécaires et enseignants à propos de la collection « Fiction Jeunesse » du Seuil n'a pas empêché son arrêt : dirigée jusqu'au printemps 2000 par Claude Gutman, ancien directeur de Page Blanche, de Gallimard, lui-même écrivain dont le roman, *Les Réparations* (1999), est un remarquable récit de vie, en même temps qu'un témoignage sur la société multiculturelle et sur l'enfance battue, cette collection a su s'imposer comme lieu d'engagement humaniste (avec Leïla Sebbar, Jean Coué, Jostein Gaarder, etc.) Elle était peut-être mal définie comme une collection de littérature générale qui, selon la formule de Claude Gutman, pouvait « être lue par des adolescents »... Elle ne répondait sans doute plus aux impératifs de rentabilité, qui, de même, ont amené la suppression de la collection « Le Petit Monde » aux Éditions du Rouergue, ou de « Frontières » chez Gallimard.

Le secteur jeunesse d'Albin Michel, maison qui se veut d'inspiration spiritualiste, a développé, pour sa part, les collections de « Carnets » et « Contes de sagesse » ; elle a soutenu et diffusé les éditions Ipomée, de Nicole Maymat, offrant des livres d'une grande recherche esthétique, et s'oriente aussi vers le policier. La maison a donné une ampleur particulière à la gamme des livres animés (*Vive le pique-nique* de Barbara Nascimbeni, 2001) et des albums (Merlin) que son initiateur Hervé Lauriot-Prévot avait lancée en recourant surtout aux traductions (aujourd'hui encore avec *Le Fabuleux Noël* de Moustache d'Abby Irvine et Gilles Eduar), mais aussi à des d'illustrateurs comme Alex Godard (*Idora*, *Maman Dlo*, etc.), Jean Claverie, Michelle Nikly qui continuent à développer la série inaugurée avec *L'Art du pot* par *L'art de lire* (2001), et Frédéric

Clément, qui reprend et transforme deux très beaux albums anciens sous les titre énigmatiques de *Minium, rêve rare de 1 minute 12* et *Méthylène, rêve rond de 3 minutes 33* et publie aussi *Muséum* (2000) et *Le Galant de Paris* (2001). On remarque aussi le livre-disque *Nick et l'Empereur de Chine* illustré par Michel Boucher, texte et musique de Thérèse Lauriol et Maya Le Roux, dit par Jean Rochefort, et l'inattendu *Petit-frère et petite-sœur* d'Elzbieta (2001), artiste publiée jusqu'ici principalement à L'École des loisirs.

Chaque maison cultive ainsi un domaine particulier en relation avec son histoire et ses objectifs spécifiques mais s'efforce aussi d'étendre ses données : ainsi Grasset, longtemps limité à la publication d'albums remarqués (ceux de Peter Sis, les classiques *Lettres de mon moulin*, *La Mare au diable*, etc., illustrés par Danielle Bour) est passé à la fiction (collection « Lampe de poche ») et même au théâtre, avec les pièces d'Anne Rocard. Le théâtre est d'ailleurs un genre en expansion, comme le conte. Pour ce dernier, aux collections déjà citées s'ajoutent les célèbres « Contes et légendes » rénovés de Nathan et les contes pour tout-petits de la collection « À petits petons », créée en 1998, par Didier Jeunesse. Après un départ mesuré, la collection a littéralement explosé en 2001, se faisant remarquer par la diversité de ses styles : entre autres, pour *Le Petit Cochon têtu* de Jean Louis Le Craver, illustré par Martine Bourre, *Zisso et les ombres perdues* de Benoît Perroud et *À l'ombre de l'olivier*, un livre de comptines arabes et berbères accompagné d'un CD, honoré du prix de l'Assemblée nationale en décembre 2001.

En matière de théâtre, L'École des loisirs possède maintenant une collection de pièces dirigée par Brigitte Smadja et inaugurée par la version théâtrale de son récit *Drôles de zèbres*. On remarque *Les Débutantes* de Christophe Honoré et plusieurs pièces de Catherine Zambon, alors que Dominique Bérody, en liaison avec Heyoka, le Centre dramatique national pour l'enfance de Sartrouville, inaugure une collection chez Actes Sud Jeunesse avec une pièce de Jean-Claude Grumbert et que Gallimard annonce une création similaire. Ainsi se vérifient les démarches d'imitation et de recherche de créneaux porteurs en rapport avec les tendances dominantes des pratiques culturelles contemporaines.

Le phénomène des collections reçoit une autre cohérence à partir de projets, comme celui que Thierry Magnier a défini pour sa collection de romans « Aller simple », à laquelle ont participé Jeanne Benameur, Régine Détambel, etc. : la gageure est de se distinguer par une intrigue fondée sur un voyage sans retour. Défi qui se retrouve dans toute la série, et qui, toujours chez Thierry Magnier, marque les albums « Tête de lard » : il s'agit d'exploiter les « petits riens » de l'enfance dans une perspective parodique, comme dans *C'est la petite bête* (1998) d'Antonin Louchard qui joue sur la déconstruction d'une célèbre formulette. Le développement rapide de la maison correspond aussi aux recherches d'un esthétisme raffiné dans le domaine de l'album avec *Le Monde en vrac. Tout un monde* de Katy Couprie et Antonin Louchard largement primé en 1999 ou encore *Mona la vache* de Claude Bonnin et *Le Petit Être* de Jeanne Benameur et Nathalie Novi, *L'Arche* de Thierry Laval, *Livre de lettres* de Marion Bataille, *Chat* de May Angeli (2001). Des collections de livres-CD (*Pierre et le loup*), ou, plus novateur dans l'édition pour la jeunesse, *Concerto brandebourgeois n° 5* de Jean-Sébastien Bach, et une collection de romans plus engagée, soit esthétiquement, soit culturellement, complètent ce paysage, avec *L'Inde de Naïta* de Patrice Favaro et *La danse interdite* ou *Fugue en mineur* de Rachel Hausfater-Douïeb (2001).

Une esthétique minimaliste est caractéristique aussi des Éditions du Rouergue, qui, en sept ans, ont conquis une célébrité mondiale, avec, au départ, les albums d'Olivier Douzou, de format carré ; en soi un manifeste évoquant la particularité cartographique et l'esprit facétieux d'une province française. La préférence alors est allée aux contes innocents truffés de jeux de mots et d'images naïves comme *Jojo la mache* (1994), au folklore d'enfance. Est apparue une génération de conteurs jouant avec humour sur les rapports du texte et de l'image : Linda Corrazza, José Parrondo, Frédéric Bertrand, François Rey, Zazie Sazonff, Lamia Ziadé, Isabelle Simon, Christin Voltz surtout, dont un dernier album (*Un aigle dans le dos*, 2001) consacre le talent.

En 2000, toute une moisson surprenante, avec *Super H* d'Olivier Douzou et Philippe Hérieu, *Majestic-Ciné* de Sylvie Brossard, *Schproutz* d'Olivier Douzou et Candice Hayat, a multiplié les recherches graphiques et narratives.

Les petits formats carrés de 12 cm de côté exploitent, de même, les registres de l'imaginaire enfantin, comme le très ingénieux *Va-t-en* de Natali Fortier et Olivier Douzou, dont les photographies reposent sur des jeux de pâte à modeler et de dentelles, ou *L'Ogre* (2001), toujours de Douzou, jouant sur le point de vue du narrateur. En revanche la collection « Touzazimute » (*Berlin Jochenplatz* de Jochen Gerner, *Dactylo* de Gian Paolo Pagni, *Traité de mécanique* de Chloé Poizat) explore matériaux, graphismes et techniques de publicité, alors que les « romans pour les grands » (*Cité Nique le ciel* de Guillaume Guéraud) répondent à des coups de cœur d'Olivier Douzou, mais s'avèrent nettement plus engagés. Qu'adviendra-t-il de cette créativité, après la cession de 25 % du capital des éditions du Rouergue aux éditions Actes Sud en janvier 2001 et le départ d'Olivier Douzou au moi de juin suivant ? Ce renforcement mutuel de deux petites maisons « cherchant des réponses non financières aux concertations », comme le déclarait Danièle Dastugue, PDG du Rouergue, à Florence Noiville, modifiera-t-il leur image ?[22] Verra-t-on au même catalogue *Le Petit Mari* de Jo Hoestlandt illustré par Claude Lapointe (Actes Sud, 1998) et *Souliax* de Douzou et Lamia Ziadé ?

Les éditions Rue du Monde, pour leur part, se sont portées à la défense des droits du citoyen, avec *Le Grand Livre du jeune citoyen* de Bernard Épin illustré par Serge Bloch (1998) et *Le Grand Livre des droits de l'enfant* d'Alain Serres(1997), le fondateur de la maison, qui s'appuie sur la participation d'écrivains et illustrateurs engagés, comme Andrée Chédid, Bernard Clavel, Pef. En 2000, le livre de Bernard Épin, *Citoyen du monde* et *Le Grand Livre des filles et des garçons*, avec la participation de Lucie Aubrac, Gisèle Halimi, enfin en 2001 *Midi pile, Algérie* de Jean-Pierre Vittori et Jacques Fernandez accentuent le ton de l'engagement politique. Une ouverture plus esthétisante s'annonce avec la remarquable collection « Petits géants », albums rassemblant des écrivains reconnus et des illustrateurs de talents, *Un poisson d'avril* de Boris Vian illustré par Lionel Le Néouanic ou *L'Oiseau bleu* de Blaise Cendrars illustré par Nathalie Novi (2001), etc.

22. Florence Noiville, « Mariage dans le Midi », *Le Monde des livres*, 17 janvier 2001, p. X.

Le poudroiement éditorial et la recherche

On n'insistera jamais assez sur la multiplicité et la créativité des petits éditeurs, qui sont des lieux de recherche et permettent de découvrir les jeunes artistes. Ainsi Éric Battut, avec *Le Plus Grand des rois* et *Ronds de nuit* (2001), donne-t-il un nouveau souffle aux jeunes éditions Lo Païs d'enfance, qui publient en 2001 *Le Peintre des dunes* d'Éphémère et une illustratrice travaillant jusqu'ici surtout pour Albin Michel Jeunesse : Anne Buguet, illustrant *Les Noces du soleil* de Michel Piquemal. L'invention s'exerce aussi dans le domaine important, pour notre société muséographique, des collections concernant l'art, comme dans le cas des éditions Scala ou de « L'art en jeu » créé au centre Pompidou, en 1985, par Sophie Curtil, ou des collections du musée d'Arras, ou encore des collections « Kitadi » ou le « Musée apprivoisé ». Dans ce créneau, les éditions Mango, d'une autre envergure, éditent la revue *Dada*, qui souhaite mettre les grandes questions d'esthétique à la portée des enfants, tandis que l'association Les Trois Ourses publie les œuvres de Milos Cvach, Luigi Veronesi et Katsumi Komagata, primé à Bologne en 2000.

Mentionnons aussi la recherche originale de *Frisettes en fêtes* de Bell Hooks et Chris Raschka (2001) traduit par l'éditeur Points de suspension, qui publie encore *Comme un papillon* de Letizia Galli (2000). L'esthétique est enfin au service des idées dans *Les Enfants de la lune et du soleil* de François David illustré par Henri Galeron chez Motus (2001) ou, moins engagée mais tout aussi efficace, dans *Après Noël* de Béatrice Allemagna, aux éditions Autrement (qui se lancent dans la publication d'albums). Elle est au service de la pédagogie chez Callicéphale, petit éditeur de Strasbourg distribué par Le Seuil (*Le Bois des fables* de Florence Jenner et Magali Siffert, 2001). Autre maison provinciale, Le Patio édite de beaux albums sur les artistes et auteurs du patrimoine (*Le Bel Été de Gustave Caillebotte*, 1998).

La stratégie de conquête du marché repose pour ces petites maisons sur le recours à un illustrateur, connu ou non, qui permet une ouverture sur l'image (ainsi Michèle Daufresne pour Bilboquet, Anne-Laure Witschger pour les éditions Frimousse). Les éditions Circonflexe ont publié avec succès des albums de Bruno Heitz et les Shadocks de

Jacques Rouxel; elles ont choisi aussi, avec le concours de La Joie par les livres, de rééditer des albums anciens de niveau international (*Jour de neige* de John E. Keats, *La Femme oiseau* de S. Akaba) dans la collection «Aux couleurs du temps», avec le propos de conserver au patrimoine des œuvres jalons (André Hellé, etc.) dont le système de la mode pourrait entraîner la perte. Une entreprise aujourd'hui en difficulté.

Par sa finesse, l'intervention du petit éditeur s'apparente souvent au travail poétique, ce qui lui vaut des reconnaissances indiscutées: *Les Petits Bonheurs du pré* de Pascal Estellon, Marianne Maury et Anne Weiss (Mila éditions, seul Français à obtenir en 2001 le prix de la Foire du livre de Bologne pour la «non-fiction de 0 à 5 ans») et les poèmes de Jean-Paul Siméon, *Sans frontières fixes* (Cheyne, Poèmes pour grandir, 2001), s'inscrivant dans la lignée de vers récompensés par le prix Apollinaire.

La poésie relancée par petites touches chez Gallimard dans la collection «Enfance en poésie», avec *Menu, menu* de Jacques Roubaud, *Au hasard des oiseaux* de Jacques Prévert, s'épanouit avec *Mille ans de poésie*, une volumineuse anthologie de Hugues Malineau illustrée par Isabelle Chatellard pour les éditions Milan en 1999, tandis que les petits éditeurs additionnent les recueils élégants: *Le Soleil oiseleur* de Michel Monnereau, *En herbe* de Serge Martin pour le Dé bleu, *Petits Poèmes d'amour* de François David ou *Petites Émotions* de Michelle Daufresne pour Lo Païs d'enfance et *Le port des poèmes* de Rolande Causse pour Actes Sud junior (2001)

Enfin, *last, but not least*, Christian Bruel, irréductible militant de l'album pour la jeunesse, après l'arrêt du Sourire qui mord, ressuscite en 1997 cette mémorable maison sous le sigle des éditions Être. Il republie là ses anciens titres et continue à mener un combat acharné contre la menace d'uniformisation qui guette la production contemporaine des livres, et donc, par incidence, celle des lecteurs: ainsi *La Bourse ou la vie* dans la collection «Vis-à-vis» met face à face, de manière aléatoire, des images et des textes insolites, alors que *Précautions d'usage* (1998), de Charles Brutini et Philippe Weisbecker, dénonce les formes d'oppression idéologique: «Le printemps n'autorise aucun relâchement dans la surveillance des jeunes...»

Christian Bruel a publié encore avec Nicole Claveloux *Alboum*, montrant un jeu de construction inédit, et *L'Heure des parents* (1999), illustrant les modèles familiaux mis en cause dans les débats sur le PACS et réprouvés par certains. Ne retenir que des critères idéologiques pour le situer dans le champ de l'édition pour la jeunesse serait réducteur, car l'éditeur associe à cet engagement une réflexion très originale sur la création graphique, comme en témoigne sa dernière étude de l'illustrateur anglais Antony Browne, qu'il publie, en 2000, dans sa collection « Boîtazoutils » inaugurée avec la belle étude de Sophie van den Linden, *Claude Ponti*. Il conclut aussi brillamment 2001 avec la publication de l'album *La Belle et la Bête* illustré par Nicole Claveloux et *Vrrr...*, un album pour tout-petits, dans lequel un pingouin relié à sa mère par un cordon s'adonne à des ébats qui suggèrent un jeu avec les difficultés de la séparation. Ainsi recherche théorique et recherche sur le terrain même de la production se complètent-elles dans un projet éditorial exceptionnel.

Pour une légitimation critique

Entre les dernières stratégies éditoriales que nous venons d'évoquer, et qui reposent sur des perspectives d'innovation esthétique, et les pratiques d'éditeurs importants, comme les éditions Bayard, par exemple, existe une opposition radicale. Dans le second cas, la quête des lecteurs se fonde avant tout sur les possibilités d'identification des enfants aux héros des livres. D'où l'accent mis sur les personnages, depuis le Yok-Yok d'Étienne Delessert, le Petit Ours brun de Danielle Bour, jusqu'à Tom-Tom et Nana déjà cités, Marion Duval, Angelot du Lac d'Yvan Pommaux, Inspecteur Bayard et les adolescentes de la collection « Mondes imaginaires » : « Les enfants sont nos héros », conclut le catalogue de la maison en 2001. On n'imagine pas de héros massivement populaires issus des univers sophistiqués plus tournés vers l'expression personnelle.

Le goût des jeunes lecteurs et les critères implicites qui régissent la littérature générale se croisent donc pour de subtils compromis, tant en ce qui concerne la publication des œuvres que leur réception par la critique intronisée : l'œuvre réussie joue sur les deux tableaux, sans qu'il soit possible de prévoir son succès. C'est dans l'après-coup et les aléas de la lecture dans un «horizon d'attente» toujours mouvant que se tisse la trame, ô combien imprévue, des livres qui deviendront des classiques. L'union du texte et de l'image a donné essor à de nouvelles formes de fiction, dont les plus beaux fleurons, *Little Lou* de Jean Claverie (Gallimard Jeunesse, 1998), *L'Atlas des géographes d'Orbae*, en trois volumes, de François Place (Casterman, Gallimard 1996-2000), *Muséum* de Frédéric Clément (Albin Michel Jeunesse, 1999), les albums d'Elzbieta, d'Olivier Douzou, etc., constituent à eux seuls de saisissantes cosmogonies et appellent une évaluation approfondie, seule capable de légitimer les œuvres et de les arracher à l'éphémère des lectures enfantines. Dans un récent bilan[23], il nous semblait pourtant que c'est plus aux œuvres du passé que s'intéressaient les chercheurs jusqu'ici: les dernières soutenances de thèses montrent pourtant que cette situation est en train de changer, et l'on ne peut que s'en réjouir.

23. Jean Perrot, «Recherche et littérature de jeunesse en France: recherche pure ou appliquée», *Bulletin des bibliothèques de France*, n° 3, 1999, p. 13-24.

CHAPITRE VI

Actes Sud et la revanche des régions

À regarder de près l'évolution de la géographie de l'édition en France et au Royaume-Uni, on a l'impression que les deux pays ont connu une histoire identique. Londres était en effet devenue, à la fin du XVIIIe siècle, la capitale de l'imprimé en langue anglaise ainsi que le principal centre mondial de production de livres.[1] Paris rattrapa son retard sur les multiples lieux de diffusion de la Réforme à partir du règne de Louis XIV et, dès les années 1750-1760, la ville la plus peuplée du royaume avait condamné les régions à un déclin plus ou moins accéléré.[2] Alors qu'au XVIe siècle on recensait au moins deux cents cités impliquées dans le commerce du livre et des foyers très actifs, autour de Rouen, Caen, Rennes, Orléans, Tours, Poitiers, La Rochelle, Bordeaux, Toulouse, Avignon, Lyon, Troyes,

1. James Raven, «Le commerce de librairie en gros à Londres au XVIIIe siècle», *in* Frédéric Barbier, Sabine Juratic et Dominique Varry (sous la direction de), *L'Europe et le livre*, Klincksieck, Paris, 1996, p. 157-172.

2. Roger Chartier et Henri-Jean Martin (sous la direction de), *Histoire de l'édition française*, *op. cit.*, tomes I et II.

Strasbourg ou Lille[3], on ne comptait plus guère, aux environs de 1860, que les familles Lefort à Lille, Mégard à Rouen, Ardant et Barbou à Limoges, Mame à Tours, Périsse à Lyon et Berger-Levrault à Strasbourg au titre des gloires de l'imprimé français non parisiennes. Encore convient-il d'ajouter que, contraintes par la puissance de l'édition dans la capitale à jouer les seconds rôles ou à disparaître, ces éditeurs, souvent demeurés imprimeurs contrairement à leurs rivaux du quartier Latin, s'étaient spécialisés dans le livre religieux ou le livre destiné à la jeunesse.

Tandis qu'outre-Manche l'édition écossaise était empreinte de dynamisme et venait disputer à sa consœur londonienne des parts de marché importantes – la firme Nelson d'Édimbourg dominait le secteur du manuel scolaire – son équivalent français semblait atone et appelé à une mort plus ou moins rapide. De ce point de vue, le jacobinisme ou, plus exactement, le caractère centralisateur de l'État français observé dès le règne de Louis XI et sous la monarchie absolue, pour ne rien dire de Bonaparte, apparaissait comme un phénomène étrange en Europe. L'Allemagne, dans ses frontières de 1871, et l'Italie, dans celles de l'année précédente, présentaient au contraire la marque des jeunes nations en voie d'unification, c'est-à-dire l'exubérance des provinces. Au-delà des Alpes, Turin, Milan, Florence, Venise, Rome, Naples étaient des capitales régionales du livre de même que Leipzig, Francfort, Munich, Nuremberg ou Berlin interdisaient, outre-Rhin, tout risque de monopole au profit du siège de la Cour ou du Parlement. Incontestablement, l'Europe semblait se conformer au modèle suisse, où la diversité des cantons et la pluralité des langues freinaient les tendances centripètes de la librairie romande[4], puisque, même au Royaume-Uni, la vitalité de Glasgow, d'Édimbourg, de Liverpool ou de Manchester diminuaient la part de Londres dans l'économie du livre. Seule la France, avec un régime de surveillance qui avantageait singulièrement Paris, était en mesure d'imposer au pays la domination sans partage de la Ville-Lumière.

3. *Ibidem*, tome I, carte de la page 437.

4. Alain Clavien et François Vallotton (sous la direction de), *Figures du livre et de l'édition en Suisse romande (1750-1950)*, Mémoire éditoriale, Lausanne, 1998.

La naissance du régionalisme, après 1885[5], aurait pu sonner l'heure de la revanche parce que de multiples revues, installées à Lille, Toulouse ou La Rochelle et imprimées localement, réclamaient un rééquilibrage du pays. *L'Effort*, *Le Beffroi* et leurs émules firent la preuve des qualités de la province pour revitaliser les régions, mais le système éditorial français demeura parisien et tout aussi centralisé qu'auparavant. À peine repérés dans leur milieu d'éclosion, les Jean-Richard Bloch, Louis Pergaud, Francis Jammes et autres étaient aspirés par le centre et venaient renforcer les collections de littérature régionaliste des grands éditeurs parisiens, Gallimard, Grasset, Calmann-Lévy ou Plon. Même le repli du gouvernement à Vichy, de 1940 à 1944, ou l'installation de la Résistance à Lyon, dans la même période, ne parvinrent pas à ébranler le pouvoir des éditeurs accrochés aux rives de la Seine. Robert Laffont, qui avait débuté à Marseille en 1942, s'installa à Paris en 1945, comme Max-Pol Fouchet, Pierre Seghers ou Edmond Charlot, partis de Villeneuve-lès-Avignon ou d'Alger. Quels que soient l'intensité ou le caprice des événements qui se déroulaient en France, Paris demeurait la capitale éditoriale du pays et même celle de bien d'autres nations. De 1945 à 1958, rien ne changea et les auteurs nés dans les limites de l'ancien empire colonial durent encore transiter par Saint-Germain-des-Prés pour se faire reconnaître dans leur pays d'origine, qu'ils se nomment Kateb Yacine, Mohammed Dib, Albert Memmi ou Sembène Ousmane.[6] L'implantation de foyers d'imprimerie en Afrique noire après 1960 se révéla incapable de modifier cette situation et, si l'on en croit Pascale Casanova, le tropisme littéraire de Paris n'a rien perdu de son magnétisme à la fin du XXe siècle.[7]

L'arrivée d'Actes Sud à Arles en 1978 et sa réussite exemplaire – l'entreprise, vingt ans plus tard, pèse plus lourd que Grasset – constituent de ce fait une véritable

5. Anne-Marie Thiesse, *Écrire la France. Le mouvement littéraire régionaliste de langue française entre la Belle Époque et la Libération*, PUF, Paris, 1991.

6. Jean-Yves Mollier, «Paris capitale éditoriale des mondes étrangers», *in* Antoine Marès et Pierre Milza (sous la direction de), *Le Paris des étrangers depuis 1945*, Publications de la Sorbonne, Paris, 1994, p. 373-394.

7. Pascale Casanova, *La République mondiale des lettres*, Le Seuil, Paris, 1998.

rupture avec la tendance triséculaire observée précédemment. Devant ce démenti formel infligé à tous ceux qui avaient décrété l'impossibilité de travailler en province, les explications les plus fantaisistes ou les moins amènes ont été proposées. Pour beaucoup de critiques, Hubert Nyssen aurait usé de ses liens privilégiés avec François Mitterrand pour obtenir des subventions permanentes à ses publications de la part de la Direction du livre et de la lecture au ministère de la Culture. Le miracle arlésien serait donc une nouvelle démonstration de la nocivité du clientélisme politique et la preuve irréfutable de la toute-puissance des bureaux parisiens malgré le vote de la loi Defferre sur la décentralisation en 1982. Volontairement partisane et tendancieuse, voire offensante, cette thèse, qui a le don d'irriter le fondateur d'Actes Sud[8], ne résiste pas à l'examen des volumes de cette maison d'édition. L'aide du CNL n'y est pas plus fréquente qu'aux PUF, chez Gallimard ou L'Harmattan et ne saurait, à elle seule, rendre compte de l'extraordinaire succès de ces volumes dont le format, les couvertures et le papier jonquille ont conquis tant d'amateurs. Comme l'édition provinciale, dans l'ouest du pays, le Sud, l'Est et d'autres régions, se porte de mieux en mieux, bénéficiant d'un regain d'intérêt pour la vie locale, il convient d'observer de près ces phénomènes si l'on veut éviter les pièges du schématisme ou les mirages simplificateurs de la théorie du complot.

UN BELGE ENTREPRENANT AUX ORIGINES D'ACTES SUD

Si Hubert Nyssen demeure relativement discret sur son itinéraire et préfère parler de son amour de la littérature plutôt que de son entreprise, on connaît aujourd'hui assez bien son parcours. Formé après 1945 à l'Université libre de Bruxelles où il exprima son goût pour le théâtre et la création artistique avant de gagner les États-Unis, où il choisit New York et la plus grosse agence de publicité locale pour acquérir les bases du marketing le plus sophistiqué, le patron d'Actes Sud débuta en Provence en 1968. L'Atelier de cartographie thématique et statistique (ACTES) démarra au Paradou, à Saint-Martin-de-

8. Hubert Nyssen, *L'Éditeur et son double. Carnets*, Actes Sud, Arles, 1988-1997, 3 volumes.

Castillon, cette année-là en publiant un atlas régional. Toutefois, ce n'est qu'en 1977 que furent jetées les bases de la maison Actes Sud qui, lancée l'année suivante avec la publication de *La Campagne inventée* puis de *L'Espace et le Temps en Camargue*, devait très vite ajouter à son catalogue *Le Voyage au pays de l'utopie rustique* d'un des maîtres de la sociologie rurale, Henri Mendras[9]. Auteur d'un livre remarqué sur l'Algérie, publié chez Arthaud, et de nombreux romans ainsi que de mémoires, Hubert Nyssen, ami des célébrités de ce monde, de Jackie Kennedy à François Mitterrand, est donc, au moment où commence son aventure, un personnage aux expériences protéiformes et un excellent connaisseur de la littérature étrangère. C'est d'ailleurs en misant sur la popularité des littératures du monde et sur leur accueil en France par le biais de la traduction qu'il imposera sa maison comme le lieu par excellence de la médiation entre les cultures.

Publicitaire averti, l'homme a su également prêter une grande attention à l'aspect extérieur de ses volumes, s'inspirer de la créativité des graphistes et maquettistes italiens pour choisir la dimension et le coloris de ses livres. Avec sa femme, Christine Le Bœuf, excellente illustratrice et non moins bonne traductrice, sa fille Françoise, formée aux techniques de la gestion moderne, son gendre Jean-Paul Capitani, le commercial et le financier de l'entreprise, ainsi qu'avec Bertrand Py, un universitaire recruté comme chef de fabrication puis directeur de collection[10], l'équipe des débuts allait parvenir à franchir le cap difficile des cinq premières années d'existence.[11] Sur 230 nouvelles maisons d'édition recensées en 1978, il n'en restait plus que 67 à l'arrivée de la gauche au pouvoir en 1981[12], ce qui donne une idée des risques encourus par tout créateur dans ce secteur soumis à de multiples aléas. SARL en octobre 1978, société coopérative ouvrière de production

9. Anne-Sophie Hoareau et Sébastien Raimondi, *Logique d'un rêve. Les éditions Actes Sud de 1978 à 1996*, mémoire de maîtrise d'histoire, sous la direction de Jean-Yves Mollier et Denis Woronoff, université de Paris I, 1997.

10. *Ibidem.*

11. Jean-Marie Bouvaist, *Du printemps des éditeurs à l'âge de raison. Les nouveaux éditeurs en France (1974-1988)*, La Documentation française, Paris, 1989.

12. Anne-Sophie Hoareau et Sébastien Raimondi, *Logique d'un rêve, op. cit.*, chapitre I.

(SCOP) en 1982, grâce à l'aide financière des auteurs et des traducteurs, ce qui permit de porter le capital initial – 20 000 F – à 188 500 F, Actes Sud enregistrait son cinq centième volume inscrit au catalogue en 1987.[13] Le chiffre d'affaires de 2001 – 121 millions de francs – dépassait celui de Grasset, mais, pour atteindre ce résultat, l'entreprise avait été transformée en SA en 1987 avec un capital social de 250 000 F. Celui-ci a été porté à 14,5 millions en 1992-1993 et à 22 millions en 1995, lorsque Patrick Zelnik, président de Virgin France, acheta 8 % des actions, autant que la Société marseillaise de crédit et la société Sud-Capital, toutes deux associées à la croissance de cette nouvelle PME de l'édition depuis quelques années. Avec l'entrée de Flammarion et de J'ai lu à hauteur de 28 % dans la holding financière qui détient 60 % du capital[14], celui-ci a encore été augmenté pour atteindre 40 millions de francs au cours de l'année 2000.[15]

En 1997, soixante-dix salariés participaient à l'activité d'Actes Sud, qui compte désormais un bureau à Paris, huit représentants attitrés depuis la rupture des accords de distribution qui l'unissaient aux PUF, et qui s'est alliée avec Labor de Bruxelles et Léméac au Québec pour créer sa propre collection de livres de poche, Babel, laquelle s'est rapidement affirmée dans le paysage éditorial français. Ayant choisi, comme les firmes les plus entreprenantes, le modèle de la croissance externe en reprenant les éditions Papiers en 1987 – matrice de la collection Actes Sud Papiers –, les éditions Sorlin en 1989, puis Sindbad en 1995, la maison a multiplié le champ de ses curiosités, du théâtre aux livres pour la jeunesse en passant par les Belles Infidèles, Polar Sud, Terre d'aventures, le cinéma et le judaïsme – la collection Hebraïca.[16] En 2000, pour prolonger son action dans le secteur jeunesse, où Actes Sud est présent depuis sept ans, l'entreprise a acquis 25 % du capital des Éditions du Rouergue, créées en 1986, et une part importante des éditions Errance, spécialisées dans le même secteur. Parallèlement à ces acquisitions, elle est entrée à hauteur de 30 % chez Jacqueline Chambon, où elle cohabite désormais avec les Éditions du

13. *Ibidem*, deuxième partie.
14. Christine Ferrand, *Livres Hebdo*, n° 411, 2 février 2001, p. 55.
15. *Ibidem*.
16. *Ibidem*.

Rouergue, qu'elle contrôle partiellement. Ce pari de la diversification du catalogue a permis de dépasser les 2000 titres répertoriés en 1996 et de compter plus de 1 600 auteurs dont 300 ont publié plus de deux œuvres chez Actes Sud.[17] Le million et demi d'exemplaires vendus par Nina Berberova a fait la fortune de cette entreprise originale qui, avec Paul Auster et tant d'écrivains américains de premier plan, dont Don Delilo plus récemment, a conquis ses lettres de noblesse en deux décennies. Le chiffre d'affaires – 92,5 millions de francs en 1997, 110 millions en 2000 – a justifié l'embauche d'employés supplémentaires – ils sont une centaine au total, désormais – capables de faire aussi bien ou mieux que leurs collègues parisiens, ce que confirment les 3000 titres annoncés au catalogue du Salon du livre de mars 2001. Avec une salle de cinéma, une autre réservée aux expositions et la transformation de la ville d'Arles en capitale nationale de la traduction, Actes Sud et Hubert Nyssen ont tenu la gageure du départ : revitaliser la province, démontrer que l'implantation dans la capitale n'est pas une nécessité, du moins lors de la fondation de la société, et qu'il n'existe pas de fatalité qui interdise à un éditeur entreprenant de réussir en région, même si par là même il attise la convoitise des grands. L'avenir dira, de ce point de vue, si l'absorption de Flammarion par Rizzoli-Corriere della sera, a entamé l'indépendance d'Actes Sud ou si les mauvais résultats financiers qui avaient entraîné le rapprochement avec Flammarion ont été passagers et sans incidence profonde sur la conduite de l'entreprise.

LE RENOUVEAU DE LA PROVINCE APRÈS 1970

Comme l'avaient compris et expliqué Jean-Marie Bouvaist et Jean-Guy Boin dans leurs études sur les jeunes éditeurs[18] et leur passage à *l'âge de raison*[19], la décennie post-soixante-huitarde avait été favorable aux expériences de retour à la campagne ou de création d'entreprises culturelles en région. Les éditions d'Utovie (l'utopie pour

17. *Ibidem.*, troisième partie.

18. Jean-Marie Bouvaist et Jean-Guy Boin, *Les Jeunes Éditeurs. Esquisse pour un portrait*, La Documentation française, Paris, 1986.

19. Jean-Marie Bouvaist et Jean-Guy Boin, *Du printemps des éditeurs à l'âge de raison...*, *op. cit.*

la vie), installées à Lys, près de Pau, en sont un peu le symbole, comme, d'ailleurs, et toujours pour les publications destinées à la jeunesse, Le Sourire qui mord et Harlen Quist, dans la capitale. Au modèle d'édition décentralisée se rattache le démarrage de Plein Chant d'Edmond Thomas à Bassac en Charente en 1971, d'Édisud à Aix-en-Provence la même année ou de Verdier à Lagrasse, dans l'Aude, en 1978. En 2001, le premier nommé comptait 250 titres à son catalogue, le second 1 030, ce qui semble confirmer la vitalité de ces expérimentations, d'ailleurs amplifiée par l'exemple de Jeanne Laffitte, Parisienne s'il en fut à ses débuts, revenue à Marseille en 1971, elle aussi, et dont les 430 titres commercialisés en 2001 concrétisaient la validité de sa démarche. Fata Morgana, né en 1966 à Fontfroide-le-Haut, près de Saint-Clément dans l'Hérault, avait précédé ce mouvement, et Bruno Roy pouvait s'enorgueillir en 2000 de comptabiliser 450 titres disponibles dont plusieurs inédits de Henri Michaux, ce qui traduisait son ancrage dans la littérature et les beaux arts.[20] Si Actes Sud fut aidée dans sa phase de décollage par 76 subventions à la traduction octroyées par le CNL[21] et si les éditions Magnard, nées en 1933, partirent pour Chéniers, dans la Creuse, où elles installèrent leur filiale de diffusion, Dilisco, en 1989, avec l'aide du conseil général et du Fonds interministériel d'aménagement du territoire, la plupart des autres essais de revitalisation des régions ne procèdent cependant pas de ce modèle où le centre – Paris – joue un rôle non négligeable.

La décennie 1980-1989 voit en effet apparaître d'intéressantes initiatives qui devaient plus au dynamisme de leurs créateurs, éventuellement encouragés par les DRAC locales et soutenus par les maires ou présidents de conseils généraux et régionaux, qu'à leurs attaches dans la capitale. Champ Vallon, venu à Seyssel, dans l'Ain, en 1980, est la plus connue – 350 titres en 2001 – mais les éditions Milan ont débuté à Toulouse la même année et comptent 1 000 titres vingt ans plus tard, ce qui est remarquable. Les éditions de L'Aube, dirigées par Jean Viard, ont commencé en 1987 au Moulin du Château, dans le Vaucluse, au

20. *Cf.* le *Catalogue du SNE* publié à l'occasion du vingtième Salon du livre de Paris pour les résultats de cette année-là.

21. Jean-Baptiste Hareng, « Dix ans de couvertures », *Libération*, 25 février 1988.

moment où Jacqueline Chambon allait lancer sa maison à Nîmes, saluée depuis comme une des plus belles créations de la province[22] même si, on l'a vu, celle-ci a choisi en 2001 d'abandonner le contrôle de sa maison aux Éditions du Rouergue et à Actes Sud. L'attribution du prix Nobel de littérature à Gao Xingjian en 2000 est venue récompenser l'acharnement de Marion Hennebert et Jean Viard à traduire d'authentiques écrivains et à prendre des risques financiers, ce qui ne peut qu'encourager d'autres débutants à poursuivre dans cette voie de l'aide à la création qui fait la spécificité de l'édition en région. En privilégiant la traduction des littératures étrangères, spécialement sud-américaines et asiatiques, les éditions Milan et les éditions de L'Aube empruntaient l'itinéraire suivi par Actes Sud à Arles ou Anne-Marie Métailié, qui, après avoir travaillé au CNRS, avait fondé à Paris, en 1979, son entreprise, en tous points comparable aux précédentes. Avec Le Temps qu'il fait, installées à Cognac en 1983, Ombres à Toulouse en 1985, Fourbis à Tours en 1988 comme Climats à Castelnau-le-Lez dans l'Hérault, on vit bien apparaître à l'intérieur du champ éditorial des années 1980-1989 des stratégies de reconquête de positions nationales qui entraient dans la grille proposée par Jean-Marie Bouvaist et Jean-Guy Boin à propos des jeunes éditeurs portés par une vague de croissance et d'optimisme en matière de développement culturel.

Plus difficiles, les années 1990-1999 ont cependant enregistré d'autres naissances de ce type. Encrage, à Amiens, a affirmé dès 1990 la volonté des éditions populaires de quitter la zone rouge de l'infra ou de la paralittérature pour pénétrer avec aplomb dans l'espace réservé aux meilleurs écrivains. Babel, née un an plus tard à Mazamet et Al Dante, à Marseille, en 1995, n'ont rien à envier à la génération précédente puisqu'elles appartiennent à cette jeune édition littéraire qui entend réagir devant la morosité du ciel parisien en offrant au public des œuvres dignes de ce nom. En ce sens, ces maisons provinciales ne se distinguent pas de leurs homologues de la capitale surgies après 1970, qu'elles s'appellent Anne-Marie Métailié, P.O.L. (Paul Otchakovsky-Laurens), La Différence ou Rivages, parisiennes celles-là mais tout

22. Pierre Bourdieu, « Une révolution conservatrice dans l'édition », *Actes de la recherche en sciences sociales*, *op. cit.*, p. 3-28.

autant marquées par leur hostilité plus ou moins déclarée à l'*establishment* éditorial. Incontestablement assises à l'intérieur du royaume le plus noble de l'imprimé, celui du livre de littérature générale et du roman ou de l'essai dans la plupart des cas, elles affichent haut et fort leurs conceptions esthétiques et éthiques, tout en dénonçant implicitement le pôle marchand – ou strictement commercial – de l'édition. Par cette posture, elles se situent directement dans la filiation des avant-gardes qui, après 1885, contribuèrent à la naissance des éditions de la *Revue blanche*, du *Mercure de France* et du Comptoir d'éditions de la *NRF* qui devaient renouveler le paysage littéraire de l'après-Première Guerre mondiale.[23]

Plus spécialisées dans le domaine des sciences humaines et sociales, les Presses universitaires de province, très dynamiques dans les années 1970-1980, ont elles aussi suivi la voie d'un grand frère parisien, les PUF. Nées en 1921, fortifiées en 1939 par l'absorption d'Alcan, de Rieder et de Leroux – ce qui explique l'adoption, depuis cette date, du quadrige d'Apollon comme logo –, organisées en coopérative ouvrière jusqu'à la crise de 1999, qui a abouti à un changement radical d'orientation, les Presses universitaires de France ont en effet servi de paradigme à leurs homologues de province après 1945.[24] Celles de Grenoble, les PUG, nées en 1972, de Lyon, les PUL, en 1976, du Septentrion, à Lille, en 1971, de Caen, les PUC, en 1984, de Limoges, les PULIM, en 1990, demeurent actives, ce qui ne doit pas faire oublier la disparition des PUN, à Nancy, en 1994, ou la restructuration de celles de Lyon, ce qui conduit à nuancer le bilan de ces expériences, certes marquées par la réussite de leurs grandes consœurs anglaises et nord-américaines (Cambridge et Oxford[25] d'un côté, Harvard, Columbia, Berkeley, Princeton, Stanford de l'autre), mais également anticipées dès 1920 par l'irruption sur la scène des Presses universitaires de Strasbourg, sur le même schéma de développement

23. Jean-Yves Mollier, *L'Argent et les lettres…*, *op. cit.*, chapitre XV.

24. Voir Valérie Tesnière, *Le Quadrige. Histoire de l'édition universitaire. 1860-1968*, PUF, Paris, 2001.

25. Les Presses universitaires d'Oxford réalisent 450 millions de dollars de chiffre d'affaires, soit autant à elles seules que toutes leurs homologues américaines. *Cf.* André Schiffrin, « Les presses universitaires américaines et la logique de profit », *Actes de la recherche en sciences sociales*, n° 130, *op. cit.*, p. 77-80.

que les PUF. Avec les Presses universitaires de Rennes, de Saint-Étienne et quelques autres, elles continuent d'affirmer la nette ambition de la province d'interdire à la capitale la prétention de se vouloir la seule cité scientifique du pays ou le point nodal du changement et de l'innovation. Volontaristes et soutenues par les pouvoirs publics régionaux dans bien des cas, ces essais de rééquilibrer les rapports entre Paris et les régions, la Sorbonne et les facultés puis universités de province, ont contribué à la publication d'ouvrages scientifiques de haut niveau mais la faiblesse de leur diffusion – 500 à 800 exemplaires, quand ce n'est pas moins – est un obstacle permanent à leur reconnaissance nationale ou internationale, ce qui rend par ailleurs leur gestion financière encore plus aléatoire.

Les richesses de la province

Plus que dans la compétition avec la capitale, c'est dans l'exploitation des ressources régionales que l'édition décentralisée a manifesté l'ampleur de ses potentialités. Reprenant le flambeau des éditions Berger-Levrault, nées à Strasbourg en 1676, Aubanel à Avignon vers 1770, Lavauzelle, dans les Vosges, en 1835, ou Privat, à Toulouse, en 1839, les maisons qui, comme Arthaud à Grenoble, ont choisi délibérément d'exploiter les richesses de leur terroir ont su en général limiter la tentation expansionniste de leurs rivales parisiennes. L'exemple du livre d'alpinisme[26] fournit une bonne illustration de ce phénomène. Sur 5000 notices concernant ce secteur et recensant des publications qui courent du XVIe au XXe siècle, la moitié concerne les années 1970-1999, ce qui prouve l'existence d'un marché du livre de montagne ou d'alpinisme à cette date. Celui-ci s'est d'ailleurs encore élargi après 1980 puisque 58 % des titres mentionnés ont été publiés à partir de cette année[27]. Benjamin Arthaud débuta en 1922 en reprenant le fonds de son beau-père, le libraire Jules Rey, qui avait démarré en 1890, mais son fils dut vendre leur entreprise en 1977 au groupe Flammarion, très offensif sur le

26. Stéphane Brosse, *Entre terre et ciel… Le livre d'alpinisme en France au vingtième siècle (1918-1998)*, mémoire de maîtrise d'histoire, sous la direction de Jean-Yves Mollier et Diana Cooper-Richet, université de Versailles-Saint-Quentin-en-Yvelines, 1999.

27. *Ibidem*.

front des beaux livres et des albums. Avec les éditions Glénat, également nées dans les Alpes en 1969, les éditions Flammarion ont souhaité bénéficier de l'engouement des Français pour les sports d'hiver, de la redécouverte des massifs montagneux après 1950 et de la vogue qui avait permis à Maurice Herzog de vendre plus de trois millions de volumes de son best-seller, *Anapurna. Premier 8000* en 1951. Le roman alpin, mis à l'honneur par Roger Frison-Roche – *Premier de cordée* était paru chez Arthaud à Grenoble en 1941 et monta à 1,5 million d'exemplaires – attirait, après 1950, les regards concupiscents des éditeurs parisiens – Flammarion, Gallimard, Grasset, Hachette mais aussi Denoël et Julliard – et risquait de subir le même sort que la littérature régionale d'avant 1914, phagocytée par les éditeurs de la capitale dans l'entre-deux-guerres[28].

S'il est vrai qu'aujourd'hui Flammarion et Glénat, diffusé par Hachette et installé à Issy-les-Moulineaux, se taillent la part du lion sur ce segment de part de marché, la réussite remarquable du Salon du livre de Passy – dans les Alpes ! –, créé en 1991, montre que la clientèle est d'abord régionale et que des dizaines d'éditeurs locaux ont su s'inscrire dans cet espace.[29] Les innombrables collections de guides de montagne – Vallot, Ollivier, etc. – ou de topo-guides destinés aux montagnards[30] attestent la permanence d'un courant de curiosité qui profite aux spécialistes de terrain, cette poussière de microéditeurs fixés depuis longtemps dans la région alpine. La même constatation pourrait être faite à propos des Pyrénées, très dynamiques elles aussi dans ce secteur, voire du Jura ou des Vosges, et la maison Mollat à Bordeaux, connue pour avoir été la première librairie de France au XXe siècle, est entrée en édition en 1991 pour profiter, elle aussi, de l'attraction pour le beau livre de terroir. Outre la montagne, elle a choisi le vignoble bordelais et l'œnologie pour enrichir ses premiers catalogues, ce qui n'est pas une mauvaise orientation. La Bretagne a privilégié la mer et la marine, à

28. Anne-Marie Thiesse, *Écrire la France...*, *op. cit.*

29. Il faut noter que les éditions Glénat – 120 salariés et 312 millions de francs de chiffre d'affaires en 2000 – s'appuient également sur la BD en suivant de très près l'exemple japonais, où ce secteur constitue le tiers de l'édition nationale.

30. Stéphane Brosse, *Entre terre et ciel...*, *op. cit.*

voile ou à moteur, et les Éditions Ouest-France, apparues en 1975 comme l'émanation du premier groupe de presse national, comptaient 1 700 titres disponibles au catalogue de 2001, ce qui les situe à mi-chemin du résultat obtenu par Actes Sud à la même date. Multipliant les collections qui mettent en valeur le patrimoine, l'histoire régionale[31], les curiosités du terroir ou le tourisme, les Éditions Ouest-France sont le révélateur d'un phénomène plus général, celui qui a insufflé un dynamisme très vigoureux aux jeunes entreprises nées après 1980 à Rennes, Nantes – Ouest éditions notamment – ou Saint-Malo, voire des villes de taille inférieure, telle Saint-Valéry-en-Caux, où les Éditions Bertout, résolument régionalistes, existent depuis 1934.

L'Est de la France a connu depuis vingt ans des entreprises similaires, et la littérature régionale en a largement profité. Les éditions Sésame à Strasbourg, les Éditions du Rhin à Mulhouse, Roser éditeur à Colmar, voire Le Verger à Illkirch-Graffenstaden font preuve d'un réel souci d'offrir à leur clientèle les récits, romans, contes ou descriptions de la région qu'elle semble attendre d'eux. Sans parvenir à la taille critique qui fut celle de Berger-Levrault pendant près de trois siècles ou de la maison Alsatia dans les années trente, ces éditeurs régionaux font la démonstration que tous les besoins de lecture de la population d'un pays ne peuvent être pris en charge par les majors du secteur ou, en France, par les entreprises concentrées dans la capitale. Seules celles d'entre elles qui dominent la diffusion des imprimés sont en mesure de cerner l'exacte dimension de ces lectorats nouveaux, parfois éphémères, et ce n'est pas un hasard si Flammarion et Hachette ont été les premiers à réagir face à la percée d'Arthaud ou de Glénat à Grenoble, puisque le premier demeure propriétaire de plusieurs librairies en province et que le second, par le biais de ses Messageries et de ses relais H, devenus Relay en janvier 2000, possède les moyens de connaître les attentes des lecteurs disséminés sur tout le territoire. Cette veille parisienne ou ce perpétuel combat entre le centre et

31. Avec parfois des risques de dérapage, comme l'atteste la polémique récente soulevée par la publication d'une BD d'histoire de la Bretagne, dirigée par Reynald Sécher, historien du « génocide » vendéen très contesté par les spécialistes de la Révolution française et ceux qu'inquiète l'utilisation abusive de ce terme qui en dénature le sens.

la périphérie aboutit certes à des aspirations fréquentes de l'innovation née loin de la capitale à son profit, mais ils confirment la vitalité d'une édition régionale que l'on avait peut-être enterrée un peu vite sur la base des seules statistiques des grands groupes d'édition.[32]

L'éclatante réussite d'Actes Sud à Arles, la bonne santé des maisons littéraires implantées dans le Sud du pays – des Éditions de L'Aube à Jeanne Laffitte ou Fata Morgana – ont probablement réappris aux amateurs de livres de ces régions les vertus du travail de proximité. Plus à même de suivre au jour le jour les sentiments et les aspirations de leurs lecteurs, elles sont susceptibles de réagir rapidement. Si leur volume d'affaires demeure faible par rapport à Hachette-Livre ou Vivendi Universal Publishing, elles sont bien placées pour profiter, le jour venu, d'un réveil des régionalismes qui, à l'instar de ce qui s'est produit dans le sud-est de l'Europe ou en dans le Nord de l'Italie, voire en Catalogne et au Pays Basque depuis dix ans, les avantagerait alors directement. Leur relative prospérité témoigne enfin du caractère tendanciellement sclérosant des géants du livre, car leur taille leur fait subir des contraintes telles que l'expérimentation et la recherche des jeunes talents, la découverte ou le pressentiment des besoins à venir sont désormais l'apanage des structures plus petites, parisiennes ou décentralisées, ce qui contribue à éveiller la convoitise des Gargantua, condamnés à la croissance externe par la stagnation du secteur et l'arrêt de la croissance interne qui avait caractérisé le XIXe siècle, mais telle est leur fonction : inventer toujours, au risque d'être absorbées un jour ou l'autre par ceux qui ont repéré leur talent. De ce point de vue, l'entrée de Flammarion dans le capital de la holding familiale qui coiffe les éditions Actes Sud est un signe inquiétant. Si elle annonce une prochaine dépossession de l'entreprise arlésienne, elle confirmera la tendance centralisatrice de l'édition française. Si, au contraire, elle vient lui apporter des moyens financiers supplémentaires, elle n'infirmera pas durablement les possibilités, pour les régions, de contrebalancer le poids des majors dans ce secteur.

32. En privilégiant les maisons d'éditions dont le chiffre d'affaires dépasse 1 million de francs, l'enquête du SNE sous-évalue le dynamisme et l'inventivité des micro-structures, indispensables pourtant à la régénération du système.

CHAPITRE VII
Les clubs, une médiation de l'avenir ?

L'année 2001 fut un grand millésime pour les clubs de livres français. Trois dates majeures délimitent désormais les contours de leur jeune histoire : 1946, création du Club français du livre ; 1971, création de France Loisirs par le groupe allemand Bertelsmann en association avec les Presses de la Cité ; 14 mars 2001, Vivendi Universal Publishing revend sa participation dans France Loisirs à Bertelsmann. Il ne demeure en 2002 qu'un seul club de livres à capitaux français : le Grand Livre du mois, dont Albin Michel et le Club français du livre poursuivent, non sans mal, l'exploitation.[1] Ce désengagement du premier groupe d'édition français trahit-il une remise en cause profonde de la formule même des clubs ou n'est-il à interpréter qu'à la mesure des arbitrages stratégiques propres au développement du groupe de communication de Jean-Marie Messier ?

1. Les actionnaires principaux du GLM sont aujourd'hui Sablons participation (64 %), société détenue à part égale entre Albin Michel et le Club français du livre, Albin Michel (22 %), le Club français du livre (8 %).

En introduction au quatrième tome de *L'Histoire de l'édition française*, Roger Chartier estimait que les évolutions des circuits de vente et de diffusion du livre au cours de la première moitié du vingtième siècle manifestaient un mouvement de dépossession des libraires «du type traditionnel du contrôle qu'ils exerçaient sur le marché».[2] L'apparition des clubs de livres en France à la Libération, après qu'ils se furent implantés sous diverses figures en Allemagne, aux États-Unis, en Suisse et en Angleterre, s'inscrivait selon lui dans cette tendance affectant les grands équilibres de la profession depuis le début du siècle. De fait, les débats qui traversent dès l'après-guerre les publications sectorielles et autres comptes rendus de séances syndicales l'attestent; il souffle sur les frêles échoppes des libraires un air avant-courrier de quelque puissante tempête: la méfiance et l'inquiétude gagnent les rangs, des voix s'élèvent pour donner l'alerte: «Mes étalages et mes vitrines [...], je les réserve pour mes amis, les éditeurs, ceux qui me traitent comme un client – avec qui j'ai des rapports cordiaux depuis de longues années –, mes amis les éditeurs qui refusent la vente directe aux particuliers, et qui ne vendent leurs livres qu'aux libraires de métier» écrit nerveusement le président du syndicat des libraires de Normandie, M. Lepouzé, en ouverture d'un *Bulletin des libraires* de 1953.

À l'opposé d'une telle attitude, pour le moins défensive, Paul Angoulvent, dressant l'état du marché éditorial en 1960 dans *L'Édition française au pied du mur* – où il dénonce notamment l'amateurisme et les dysfonctionnements de la commercialisation du livre – ne voit le salut de l'édition que dans la concentration de la diffusion entre les mains de deux ou trois grandes centrales organisées sur le modèle des Messageries Hachette, dans la restructuration de la librairie et, enfin, dans le développement complémentaire de la vente directe.[3] C'est en somme à un double mouvement de modernisation et de diversification des intermédiaires commerciaux que le directeur des Presses universitaires de France appelle.

L'histoire des clubs de livres est en effet celle d'une médiation mise en place dès la fin des années quarante.

2. Roger Chartier et Henri Jean Martin, *Histoire de l'édition française*, tome IV, *op. cit.*

3. Paul Angoulvent, *L'Édition française au pied du mur, op. cit.*

Médiation paradoxale, il est vrai, puisque, ayant fait majoritairement le choix de la vente par correspondance, les clubs doivent une partie de leur rentabilité et de leur popularité à l'effacement des intermédiaires commerciaux que suggère le lien *direct* établi avec un lecteur *adhérent*. Disons qu'il s'agit là d'une médiation d'un nouveau type, simplifiée, recourant à des schémas commerciaux, promotionnels et logistiques renouvelés. Et cela en dépit de la récurrence, justifiée ou non, des thèmes de participation directe et de groupement coopératif des adhérents dans la littérature de liaison des clubs (Club français du livre/ Formes et reflets) et dans la formulation de l'objet social de certains d'entre eux (Guilde du livre ; Rencontre). Car le club, sauf les rares cas, aujourd'hui d'actualité, où il est lui-même éditeur à part entière, est et reste jusqu'à nos jours, au fil de ses divers avatars, un intermédiaire posté entre le lecteur en aval et l'éditeur d'origine en amont. Encore faut-il noter que sa présence n'implique aucunement la disparition du point de vente, nombre de clubs s'étant appuyés sur le réseau en place de librairies de proximité, si ce n'est, comme France Loisirs, sur des relais exclusifs, standardisés et *managés* depuis Paris – que les récentes évolutions du club ne font que confirmer dans leur rôle, après une coûteuse mais nécessaire campagne de modernisation et d'adaptation. La nature de la médiation exercée par les clubs français depuis cinquante ans ne tient donc pas *essentiellement* à la pratique de la vente directe.

Mais alors en quoi consiste-t-elle : quels besoins la justifient et quelles fonctions remplit-elle ? Quels en sont l'actualité et l'avenir ? Il ne s'agit pas ici de se substituer aux stratèges pour tracer les lignes d'évolution de ces firmes, dont le tracé, on le verra, est plus que jamais aux mains des plus grands groupes éditoriaux ; les éléments contemporains d'analyse font défaut, et chez France Loisirs comme au Grand Livre du mois (GLM), même si depuis quelques années des chiffres de vente sont régulièrement communiqués à la presse professionnelle (afin de montrer que les succès des clubs ne sont pas nécessairement ceux rencontrés en librairie – clin d'œil aux instances traditionnelles de prescription !), la discrétion est de mise. Il reste qu'une approche historique du phénomène a sa pertinence ; elle révèle un atout majeur des clubs qui pourrait leur permettre de faire face aux nouvelles menaces et concurrences du marché : leur capacité d'adaptation, leur solidité et la flexibilité de leurs choix commerciaux et éditoriaux.[4]

La première mort des clubs

Le recours à la médiation suit souvent le constat d'une relation défaillante ou conflictuelle entre plusieurs interlocuteurs. Dès lors, deux fonctions de l'interposition sont perceptibles. Une fonction arbitrale d'une part, où l'instance médiatrice, neutre, légitime et compétente, se donne pour objet d'établir un diagnostic de la situation, d'en proposer un règlement et d'en fixer les modalités d'exécution. Si les clubs de livres n'ont pas été en situation de jouer les arbitres de quelque conflit, il demeure que les premiers d'entre eux ont bénéficié d'une forme de neutralité dans le paysage éditorial de l'après-guerre ; le plus important, le Club français du livre, créé dès 1946, est né de l'initiative de deux Allemands, Paul Stein et Stéphane Aubry, totalement inconnus des éditeurs de la place, sans liens privilégiés avec aucun d'entre eux ; de même pour Claude Tchou et son Club du livre du mois lancé en janvier 1950. Ces premières sociétés ont pu profiter de cette forme d'autonomie, même si leurs animateurs, nouveaux venus inexpérimentés, n'avaient guère de légitimité. D'où la méfiance des éditeurs installés, qui ne tardèrent pas à prendre la mesure de ces « aventuriers » et, l'effet de surprise passé, essayèrent de reprendre à leur compte, plus ou moins efficacement, le bénéfice de leur conquête.

Mais l'instance médiatrice peut, d'autre part, remplir une fonction de relais. La complémentarité l'emporte alors, la médiation étant requise en vue d'amplifier l'intensité ou de modifier la nature même de la relation, au moyen d'un dispositif approprié de transformation et de distribution du message d'origine. Le pourvoi en médiation apparaît dès lors comme un contournement nécessaire, sanctionnant tels dysfonctionnements ou défauts structurels, tels conflits occasionnels. C'est ainsi que l'im-

4. Sur l'histoire des clubs de livres, on pourra également consulter : Alban Cerisier, « D'un club à l'autre. Deux générations de clubs de livres en France », *in* Pascal Fouché (sous la direction de), *Entreprises et histoire*, « Édition et grand public », n° 24, 2000, p. 21-42.

plantation des premiers clubs sur le marché est historiquement liée à une crise des *intermédiaires* traditionnels de la filière livre. La première moitié du vingtième siècle avait vu se développer de grandes centrales de distribution, contribuant à rationaliser et unifier les rapports commerciaux entre éditeurs et libraires. La montée en puissance de l'activité livre des Messageries Hachette a permis aux principaux éditeurs de littérature de se décharger de l'organisation matérielle des ventes, les plaçant de fait dans une situation de dépendance objective vis-à-vis d'une maison concurrente. Ce que Maurice Chavardes, journaliste au *Monde*, a très bien compris, qui écrit en décembre 1957: «L'éditeur est un danseur de corde si, par une spécialisation qui joue à la fois sur la qualité et sur la routine, il ne sait créer dans le public des besoins ou des habitudes. Le Club des éditeurs, les Sélections concourent à cette fin. Devant la crainte d'être absorbés à leur tour par un organisme de distribution, les éditeurs cherchent par de tels moyens une garantie.» On pense bien sûr à Grasset, Fayard et Fasquelle rachetées dans les années cinquante par Hachette. En outre, ni les services commerciaux de cette dernière ni la Maison du livre français ne contenteront pleinement les libraires et les éditeurs, qui en contestent périodiquement l'efficacité. Face à ces difficultés, la vente directe (vente par correspondance, courtage à domicile, vente aux collectivités), si tant est qu'elle soit exercée de façon professionnelle, peut représenter pour les éditeurs une voie de reprise en main de leur activité commerciale et pour les lecteurs une garantie d'être servis dans de bonnes conditions.

Les difficultés que connaît la librairie après 1940 renforcent le discrédit des intermédiaires; en 1952, d'après une étude sur *Le Marché français du livre* de l'Institut pour l'étude des marchés en France et à l'étranger, seuls 3 % des lecteurs se disent influencés par un libraire lors de l'achat de leur dernier volume. En regard d'un tel chiffre, aussi incertain soit-il, il convient de relativiser la portée des défenses émues de la mission culturelle du libraire. Le métier souffre d'une certaine déprofessionnalisation de ses membres; rappelant les missions du libraire, Raymond Piquot distingue, dans l'*Almanach des lettres* de 1947, «les librairies véritables, relativement peu nombreuses en France, des dépôts de livres dont le nombre va croissant depuis ces derniers mois, créés qu'ils sont par des commerçants plein d'illusions, mais presque toujours dépourvus de compétence»[5].

Il convient de rappeler enfin que le contexte de surproduction éditoriale de nouveautés des années d'après-guerre, suivant une période de pénurie qui a plus que décimé les fonds de commerce, ne facilite guère le travail des libraires, qui se plaignent de ne pouvoir fournir les grands «classiques» à leur clientèle. Sur ce point encore, les clubs auront un rôle à jouer, dans un triple mouvement de mise à disposition, de prescription et d'assistance. Un tel climat, outre les résistances des éditeurs traditionnels, explique le choix éditorial du premier club et de la plupart de ceux qui le suivront : la publication d'ouvrages du domaine public ou de fonds d'éditeurs, dont les droits sont cédés ponctuellement, à titre non exclusif et pour une seule utilisation, et non principalement des nouveautés, à l'image des modèles américains. Le coup porté sera pourtant violent, et les libraires auront quelque difficulté à se remettre de ce que Jacques Van Moé dénonçait en 1948, «cet envahissement de la librairie par les commerçants non libraires et la vente directe»[6].

Relayant le travail des éditeurs traditionnels pour compenser l'insuffisance de leur offre et de leur distribution, les clubs se sont donc interposés pour imposer de nouvelles formules de vente, de promotion et de fidélisation. À vrai dire, une grande diversité caractérise ce phénomène, plusieurs formules éditoriales et commerciales de clubs ayant coexisté jusqu'au début des années soixante-dix pour laisser place ensuite aux deux sociétés qui dominent le secteur depuis plus de trente ans : France Loisirs (78 % du marché en 1989) et le GLM. Mais le principe est bien de faire valoir autrement le travail des éditeurs voire, dans le cas des premiers clubs, de mettre à profit l'actualité de la «collectivité littéraire» dont ils se veulent partie prenante. Il s'agit autant de donner le sentiment d'*en être* que de créer une atmosphère de convivialité

5. *Cf.* Jean-Yves Mollier (sous la direction de), *Le Commerce de la librairie en France au dix-neuvième siècle*, IMEC-éditions-Éditions de la Maison des sciences de l'homme, Paris, 1997, pour la formation de la profession de libraire, largement mythifiée au XXe siècle.

6. Jacques Van Moé, «La diffusion du livre : l'envahissement de la librairie par les commerçants non libraires et la vente directe», *Le Bulletin des libraires*, n° 645-646, mai-juin 1948, p. 110-124.

garantissant fidélité et attachement.

Mais toute médiation influe sur l'action de ce qu'elle doit compenser ou pallier et de fait entraîne, dans son interposition, l'ensemble des conditions qui l'ont fait naître. Les apports directs et indirects des clubs aux professionnels du livre sont considérables; au point que les années cinquante et soixante voient fleurir les «clubs d'éditeurs» (Club du meilleur livre, commandité par Gallimard et Hachette, Club des éditeurs, réunissant Laffont, Le Seuil, Flammarion, Plon, Julliard, Stock, Albin Michel) et les «clubs de libraires» (Club des libraires de France, Livre-club du libraire) qui, chacun à leur manière, s'essaieront à ce nouveau type d'édition, bredouillant d'abord puis établissant un dialogue sans précédent avec leur clientèle. Les clubs constituent, avec le livre de poche, l'une des grandes modernités professionnelles de cette époque, un enjeu autant qu'une menace réels pour les entreprises[7]; et il n'est pas improbable en effet que la question des clubs incitera les éditeurs soucieux de leur indépendance capitalistique et commerciale à mener une réflexion sur les conditions de distribution de leur production.

Leur réaction s'apparente pourtant à une forme de récupération, voire de dévoiement, de l'expérience singulière du Club français du livre. Trois raisons majeures peuvent expliquer l'inquiétude de la profession face à cette nouvelle médiation: le bon accueil qu'ils reçoivent (300 000 adhérents pour le Club français du livre en mai 1957), leur prétention à être à la fois éditeur et distributeur (les clubs ont axé une partie de leur communication sur la «valeur ajoutée» de leurs éditions: préfaces, illustrations, graphisme...) et, enfin, la similarité probable de leur cible. Sur ce dernier point, on se souvient de ce que Robert Escarpit écrivait en 1972 concernant les structures de la consommation du livre: «On commence à soupçonner qu'en France tout au moins le livre de poche n'a guère ouvert de nouvelles clientèles au livre, mais a simplement mieux desservi des clientèles déjà existantes.»[8]

7. En témoignent notamment les très nombreux dépôts de marques effectués par ces sociétés dans les années cinquante et soixante, époque où cette pratique était encore assez peu commune dans l'édition courante (voir les tables du *Bulletin officiel de la propriété industrielle*).

8. Robert Escarpit, «Les publics du livre», *in* Julien Cain, Robert Escarpit et Henri-Jean Martin (sous la direction de), *Le Livre français*, Imprimerie nationale, Paris, 1972, p. 209.

Si les sources statistiques manquent, la faible part de marché occupée par les clubs dans les années cinquante, leur type de communication (encarts publicitaires dans les magazines d'actualité et dans les suppléments littéraires des quotidiens, quand France Loisirs recrute en quatrième de couverture de *Télé 7 jours*) et leur représentation en librairie donnent à penser qu'ils n'ont jamais cherché à convertir à la lecture que des lecteurs patentés ; leur effet le plus probable est d'augmenter le volume d'achats d'une clientèle « éduquée » moins fortunée que la bourgeoisie traditionnelle... Et en 1952, F. Le Roy, dans *Le Monde des affaires*, rend hommage en ces termes au Club français du livre qui cherche à répondre, « en "homme d'affaires", aux besoins de la clientèle la plus exigeante par ses goûts intellectuels, mais aussi la plus contrainte par la modestie de son budget ». À peine peut-on supposer qu'une clientèle de villes moyennes de province, mal desservie en librairies, ait pu être motivée par la réception de leur bulletin de liaison ; c'est à l'évidence l'explication de l'engouement de la France d'outre-mer et des expatriés pour cette formule de vente.

Il ne convient pas ici d'établir une liste exhaustive des apports des premiers clubs à l'édition courante et à la librairie, de la conception des offres à la fidélisation du lectorat en passant par la présentation graphique de la production. Notons simplement que, contribuant à la modernisation des pratiques professionnelles, les clubs ont manifesté dès la fin des années cinquante les premiers symptômes de leur obsolescence. La clientèle du Club français du livre ne progresserait plus et les petits clubs satellites disparaîtraient peu à peu. Les conditions qui ont favorisé, voire motivé, leur apparition appartiennent au passé ; et comme le remarque très justement Robert Carlier, directeur éditorial du Club français puis gérant du Club du meilleur livre, en avril 1959 dans *Le Bulletin du livre*, les fonds d'éditeur et le domaine public ont été « écrémés » par les clubs, ce qui, dans un contexte d'encombrement du marché, provoque des chevauchements entre les catalogues des concurrents. Deux ans plus tard, en avril 1961, le diagnostic du même *Bulletin du livre* est sans appel ; d'après une enquête statistique menée à sa demande, il y a une nette désaffection du public (11 % des lecteurs, 5,5 % des Français d'après l'étude) pour les clubs de livres: leur fonction prescriptrice est désormais vécue comme une limitation de choix, leur originalité graphique comme un manque de sobriété[9] et les prix qu'ils pratiquent masquent les avantages de l'abonnement.

La première génération de clubs n'aura finalement pas survécu à la réaction des éditeurs et des libraires; c'est la première mort des clubs. Mais le besoin de nouvelles complémentarités commerciales apportera au phénomène le souffle d'une seconde vie. Avec le GLM, France Loisirs et, pendant quelques années, le Club pour vous, l'activité des clubs s'est redéfinie au tournant des années soixante-dix dans le sens d'une exploitation seconde ou parallèle des nouveautés des éditeurs auprès d'une clientèle d'abonnés; à dessein, ils ont adopté de nouveaux dispositifs commerciaux directement inspirés (ou importés) des grands clubs américains et allemands et des techniques de marketing éditorial international. Une nouvelle médiation voit le jour, au prix de lourds investissements, qui parvient à adapter la formule des clubs au commerce de masse: au plus fort de leur succès, les deux principales sociétés françaises ont touché près de six millions de foyers, alors que les premiers clubs, plus nombreux, n'en concernaient, globalement et au plus, que cinq à six cent mille dans les années cinquante.

La deuxième vie des clubs : dispositifs et stratégies

De fait, le retentissement de la vente directe auprès d'un public plus attentif au rapport qualité/prix des biens acquis, les coups de boutoir portés par les sociétés d'édition nationales (Rombaldi, Tallandier, Laffont...) et internationales (Guilde internationale du disque, Sélection du Reader's Digest, Rencontre...) aux frontières traditionnelles de la clientèle du livre, ont mis au jour dans les années soixante de nouvelles cibles négligées par la seule diffusion en librairie. Selon une enquête Sofres de 1989, 25 % des abonnés de France Loisirs sont ouvriers et agri-

9. Sur les aspects graphiques de l'activité des clubs, on pourra se reporter au *Catalogue raisonné de l'œuvre typographique de Massin*, tomes I, II et III, préface d'Alban Cerisier, Ville de Chartres, 1998, 1999 et 2001; ainsi qu'à Alban Cerisier, «Graphisme et littérature: le livre de clubs de 1946 à la fin des années 1960», *Bulletin du bibliophile*, Paris, n° 2, 1998, p. 367-386.

culteurs, 17 % n'ont pas dépassé les études primaires, et 34 % habitent dans des communes rurales de moins de cinq mille habitants. À titre de comparaison, sur les 3 885 adhérents recrutés par la Guilde du livre de Lausanne en 1937, seuls 2,8 % étaient agriculteurs pour 67 % d'instituteurs, de fonctionnaires et d'employés de commerce. Quant au club précédemment établi en Allemagne par le groupe Bertelsmann (Bertelsmann Lesering), il ne recruterait en 1974 que 13 % de ses 2,4 millions d'adhérents parmi les titulaires d'un baccalauréat, 55 % ayant cessé leur scolarité au niveau primaire. En quelque trente ans d'activité, on peut estimer que France Loisirs a touché plus de vingt millions de ménages français. Notons que la cible du GLM est historiquement moins populaire, le club n'étant d'abord qu'une collection de l'ancien Club français du livre co-exploitée avec Robert Laffont ; en 1987, la société prétendait recruter ses 620 000 adhérents majoritairement chez les cadres moyens et supérieurs, âgés de 25 à 45 ans, auprès desquels elle amplifierait des phénomènes également vécus en librairie.

Face à ce pouvoir de pénétration, comment les éditeurs traditionnels ne seraient-ils pas convaincus de la pertinence de l'action des clubs sur le marché ? Leur succès leur a conféré une solide légitimité malgré les mouvements de jalousie qu'il a pu ça et là engendrer. Le soutien de la majorité de la profession est assuré, d'autant que ces clubs sont, en partie, contrôlés pour l'un par le plus grand groupe d'édition français (Havas/Vivendi) – un atout considérable, envié, à en croire les tentatives d'OPA sur les Presses de la Cité en 1984 – et pour l'autre par le plus grand éditeur indépendant, Albin Michel, qui y trouve un excellent débouché pour ses best-sellers. Les récents accords entre ce dernier et Hachette – le second groupe dont toutes les initiatives de ventes en club, notamment avec le Club pour vous, se sont soldées par des échecs – ont été considérés par les observateurs économiques comme une donnée importante pour l'avenir du GLM, même si les rumeurs de rachat ont été rapidement démenties. De fait, l'avenir des clubs, parfaitement intégrés au paysage éditorial français, ne doit être envisagé qu'au travers de celui-ci, des tensions qui l'animent et le restructurent presque quotidiennement. Ainsi Robert Laffont a quitté le capital du GLM en 1991, à la suite de son intégration dans le Groupe de la Cité, alors copropriétaire de France Loisirs, car une situation de monopole était à craindre.

Autre explication du soutien des éditeurs: les revenus secondaires que procurent les cessions de droits. France Loisirs assurerait à lui seul 30 % du chiffre global des cessions, recettes inégalement partagées certes, mais profitables aux professionnels et aux auteurs. Auteurs qui n'ont aucun intérêt réel à voir disparaître les clubs, au succès desquels ils ont largement contribué au début des années cinquante en incitant les éditeurs réticents à leur céder des droits d'édition pour des tirages limités en livre cartonné. Les quelques conflits qui ont opposé éditeurs et clubs ces dernières années, notamment sur les questions des livres-primes (bradés, donc dévalorisés d'après Jérôme Lindon), de la baisse des prix de vente après neuf mois et des clauses contractuelles empêchant ou retardant la parution en poche ou chez d'autres clubs, n'ont jamais vraiment remis en cause leur position. Et la condamnation de France Loisirs à vingt millions de francs d'amende par le conseil de la concurrence en décembre 1989 pour abus de position dominante semble avoir choqué les professionnels, qui disent devoir serrer «les rangs autour du leader de la vente par correspondance, en insistant sur le rôle que celui-ci joue dans l'économie du livre et dans sa diffusion» (*Livres Hebdo*, 8 décembre 1989). La même année, la contribution pécuniaire de France Loisirs à la création et à l'animation de l'Association pour le développement de la librairie de création (ADELC) renforce ce sentiment d'intégration, même si elle demeure un acte de communication d'entreprise.

Choisir, amplifier et transformer: trois fonctions clés reconnues aux clubs créés dans les années soixante-dix, au service d'un même type de médiation. Mais des distinctions entre les schémas et dispositifs commerciaux sont à relever, qui posent différemment la question de l'avenir de chacun d'entre eux et influent sur leurs choix stratégiques.

Les deux clubs diffusent leur catalogue de nouveautés, composé par leur directeur éditorial et leur comité de lecture, sous forme de bulletin périodique (mensuel pour le GLM, trimestriel pour France Loisirs); leur fonction prescriptrice paraît plus que jamais d'actualité, à l'heure où les éditeurs ne cessent d'accroître leur production de titres – au mépris de leur visibilité en magasin – et où la librairie en ligne se distingue par une offre généraliste mais peu fiable, difficilement maîtrisable par un lecteur mal informé. Assistance et préselection sont à l'ordre du jour. Le GLM propose une diffusion simultanée à leur sortie en librairie des titres sélectionnés sur épreuves, qu'il « co-imprime » avec l'éditeur cessionnaire (d'où une prise de risque partagée) et pour lesquels il bénéficie d'un droit de vente limité dans le temps. Le choix de France Loisirs, lui, n'intervient qu'après parution, ce qui permet au club d'optimiser le rapport tirage/vente par des tests préalables. Quand l'un joue la carte de la complémentarité, l'autre assure une seconde vie au livre, la troisième étant traditionnellement assurée par la grande diffusion. Cette organisation manifeste deux positionnements bien distincts ; France Loisirs a toujours joué la carte du *discount*, la publication différée des titres lui permettant de pratiquer des prix de 25 % à 30 % moins élevés qu'en librairie. La loi Lang sur le prix du livre a tenu compte de cette spécificité, en prévoyant un délai de neuf mois pour la parution en club ; législation dont le maintien a été un élément déterminant de la stratégie et de la légitimité de France Loisirs. Or, l'accélération des rythmes éditoriaux précipitant la reprise en poche des titres à succès (lorsqu'il ne s'agit pas de publication directe d'inédits)[10], la baisse des prix de vente éditeurs, l'intégration du *discount* dans leur politique commerciale et le développement des rayons culturels dans la grande distribution nuisent évidemment à l'opportunité de la formule et à la visibilité de son offre : « Il y a eu un changement de la clientèle grand public dans l'approche du livre, qui n'est plus un objet sacré. La grande distribution vend des livres, le prix de vente moyen est en baisse, la durée de vie s'est raccourcie et les livres de poche sont commercialisés plus tôt. »[11] L'avantage prix de France Loisirs, s'il est encore en partie fondé, est difficilement perceptible ; d'où les efforts du club pour abaisser encore ses prix de vente moyens. Le GLM, quant à lui, même s'il communique aujourd'hui sur le thème du

10. France Loisirs a récemment repris en livre cartonné un ouvrage préalablement publié en poche par J'ai lu. Un exemple paradoxal qui confirme le vacillement des modèles économiques des décennies passées.

11. Propos de Marc-Olivier Sommer rapportés par Alain Salles, *Le Monde*, 31 mars 2000.

discount, a choisi dès ses débuts le système du livre-prime, très fréquemment adopté par les anciens clubs mais moins attractif qu'un rabais.[12] Publiant simultanément à la sortie en librairie, il peut être moins directement touché par l'arrivée anticipée du poche ; mais la prime offerte constitue-t-elle un réel facteur de distinction quand il ne se passe pas une semaine en librairie sans qu'un nouveau cadeau ne soit offert aux acheteurs de deux ou trois livres d'une collection ?

De fait, les efforts des grandes chaînes de librairie pour assister le choix de leur clientèle, à coup de labellisation, de création d'événements et de mise en avant promotionnelle, pour en fidéliser les comportements (magazine, carte de fidélité...) et l'associer à la vie culturelle constituent une concurrence directe pour les clubs ; l'activité marketing de la FNAC n'a rien à envier à celle des clubs, assurément. Les mouvements de concentration touchant la librairie confèrent aux nouveaux groupements une position plus favorable vis-à-vis des éditeurs, à l'origine d'opérations promotionnelles plus audacieuses. Quant aux chaînes pratiquant le *discount* du livre, elles contribuent à étendre la gamme des points de vente, au même titre que la grande distribution ou les échoppes et étalages éphémères des marchés ou des stations balnéaires.

Reste la force de frappe commerciale des clubs. Les deux sociétés ont fait le choix de la vente par correspondance, tant pour le recrutement des abonnés que pour leur fidélisation et le traitement de leurs commandes ; les techniques classiques des vépécistes (de VPC : vente par correspondance) sont mises en pratique : *mailing* (60 % des recrutements au GLM en 1995), *couponing*, location d'espace dans les colis de sociétés généralistes (Les Trois Suisses, La Redoute...), parrainage, télémarketing, offres d'appel, cadeaux de bienvenue, concours... Mais ce canal de vente n'est pas exclusif : si l'on compare le chiffre réalisé par les deux clubs sur ce circuit, l'écart n'est pas si grand ; la différence de taille se fait essentiellement sur le

12. Attaqué ces dernières années par le Syndicat des libraires de France sur son système de points cadeaux, le GLM a perdu en appel son procès (décision confirmée par la Cour de cassation) ; les libraires, décidément toujours vigilants sur ces questions de vente directe, estimaient que cette formule contrevenait à la loi Lang en proposant une réduction déguisée. Depuis 2000, le GLM n'offre des livres en prime que datant de plus de neuf mois.

réseau de relais et de librairies concessionnaires tissé par le géant franco-allemand. Plus de 60 % de ses ventes sont réalisées dans ces points de vente conçus et gérés à façon, particulièrement rentables (des taux de retour et de rotation d'exception !), qui constituent un élément clé de sa puissance commerciale, tant pour la valeur des achats que pour le recrutement. Multicanal, le dispositif du club s'appuie également sur des équipes de représentants, regroupées en une société filiale. Plus frontalement fragilisé par les politiques commerciales des éditeurs et par les progrès de la librairie – car plus directement concurrentiel –, France Loisirs bénéficie pourtant d'un sérieux avantage sur son *outsider* : son réseau reste un atout inestimable pour le renouvellement de son fichier et de son offre, et un point d'attache précieux dans le cadre du développement de la librairie électronique. Il pourrait assurer à cette dernière une complémentarité logistique et commerciale idéale, comme le laissait supposer la collaboration engagée entre les sociétés sœurs Bertelsmann On Line (BOL) et France Loisirs, avant que le site libraire n'annonce sa fermeture.

Autre facteur de distinction entre les deux clubs : la formule commerciale qui repose pourtant sur une même obligation d'achat (multiproduits au GLM). France Loisirs envoie automatiquement le livre vedette du trimestre si l'adhérent n'a pas encore passé commande à la date appropriée ; le GLM impose chaque mois à l'adhérent de signifier son refus de recevoir le livre du mois, sans quoi le volume est expédié et facturé. C'est très exactement la formule dite de l'option négative, fréquemment utilisée aux États-Unis. Va-t-on vers un renforcement de ces contraintes à l'achat, garantie de la rentabilité des clubs ? Cela paraît peu probable dans un contexte de simplification et de diversification des modalités d'acquisition des biens, favorable aux formules « à la carte » et aux offres promotionnelles d'un soir. Et l'on ne s'étonnera pas de voir France Loisirs chercher dans un des secteurs de grande croissance de l'économie française, la téléphonie mobile, des modèles d'ajustement et de modernisation de ses propositions commerciales : offres d'appel et promotions plus agressives et flexibilité dans les modes d'abonnement.[13]

13. S'il le souhaite, l'adhérent peut désormais ne plus s'engager à acheter un livre par trimestre, mais huit livres en deux ans.

L'AVENIR DES CLUBS

Depuis le milieu des années quatre-vingt, France Loisirs et le GLM donnent de sérieux signes d'essoufflement, malgré de louables efforts de diversification, d'amplification de leur offre et de fidélisation de leur clientèle. Un seuil de croissance semble être atteint en ces temps de stagnation globale du marché du livre; les clubs ont enregistré une baisse sensible du nombre de leurs adhérents, de leur chiffre d'affaires, de leurs bénéfices et de leurs effectifs, malgré une certaine stabilisation depuis 1999. Si France Loisirs reste en 2000 le troisième «éditeur français» d'après le classement annuel établi par *Livres Hebdo*[14] (le GLM étant dix-septième), la SARL, alors dotée d'un capital de vingt-deux millions de francs détenu à parité par Havas et Bertelsmann[15], déclare un chiffre d'affaires hors taxes de 2,45 milliards de francs en 2000, contre 2,61 en 1999, 2,69 en 1998 et 2,95 cinq ans plus tôt; ses bénéfices ont également diminué, le résultat net passant de 320 à 139 millions de francs entre 1995 et 1999 (données de l'INPI). Quant au fichier du club, il est évalué à l'heure actuelle à 3,7 millions d'adhérents (750 000 pour le GLM, qui enregistre un chiffre d'affaires de 632 millions de francs en 2000, exercice déficitaire), contre 4,3 millions au milieu des années quatre-vingt. Le taux de résiliation des abonnements souligne alors cette érosion en atteignant le niveau record de 22 %. Autre marque de déclin: la baisse des ventes moyennes des ouvrages proposés à la vente par le circuit traditionnel du club. Ainsi, au dernier trimestre 1999, un seul titre du catalogue de France Loisirs dépasse les 100 000 exemplaires; et les vingt meilleures ventes du club s'étalent entre 30 000 et 120 000 volumes par titre. On est loin des succès des livres vedettes des années passées.

Comment les clubs ont-ils réagi en cette conjoncture difficile? S'agissait-il d'une crise structurelle ou des effets d'une conjoncture défavorable? Le redressement du marché du livre durant ces trois dernières années leur a-t-

14. *Livres Hebdo*, n° 399, 12 octobre 2001, p. 80.

15. Bertelsmann est en 2000 le troisième des dix opérateurs principaux de l'édition française, qui concentrent quelque 71,6 % de l'activité du secteur. Il est le premier groupe étranger, possédant, outre les 50 % du club et de la SGED, les Codes Rousseau et Springer France.

il profité au même titre et à égale mesure qu'aux autres acteurs du secteur? Il faut distinguer deux aspects du phénomène: d'une part le constat des exécutifs des clubs et les dispositifs mis en œuvre pour pallier les pertes d'adhérents et remonter le panier moyen d'achats; d'autre part, les choix stratégiques émanant des groupes eux-mêmes.

C'est à la fin des années quatre-vingt-dix que France Loisirs a laissé entrevoir son analyse du phénomène et les différents axes de redressement et de développement que la société entendait explorer. À dire vrai, c'est une profonde mutation qui se préparait, au terme de laquelle la formule du club allait connaître un nouvel avatar. Témoins de la métamorphose, les boutiques-relais offrent aujourd'hui aux adhérents, outre les livres traditionnellement sélectionnés par le club, les derniers succès de librairie (les quatre volumes au format poche de Harry Potter tenaient une place d'honneur dans les vitrines de la fin de l'année 2001), un bon choix de DVD, de CD et de cédérom, des abonnements aux magazines, mais aussi des services et produits de téléphonie mobile et de connexion au web (avec AOL, l'ex-partenaire de Bertelsmann), des crédits à la consommation, des offres de voyages, un service de développement photographique et de réservation de spectacles (partenariat avec Ticketnet)... Que sont devenus les rayonnages de reliures rassurantes? Ils appartiennent désormais au passé, même si le *hard cover* n'est pas encore complètement sacrifié; depuis quelques années, le livre-club – dont on avait cru à la permanence des atours – a laissé place au livre broché «diffusé par le club» – moins coûteux, mais aussi moins reconnaissable. Décidément, les relais du club ont tout d'une petite succursale de la FNAC... jusqu'à la carte d'adhésion!

Quel constat a pu provoquer une aussi radicale orientation stratégique? C'est à Marc-Olivier Sommer, président-directeur général du club depuis le 1er juillet 1998, qu'on en doit la formulation et les mesures commerciales et structurelles (modernisation des relais et des infrastructures fonctionnelles et informatiques) qui s'ensuivirent.[16] De fait, les études avaient rendu leur verdict: en cette fin de siècle, le club souffrait aux yeux de certains segments

16. Marc-Olivier Sommer, né à Hambourg le 20 mai 1962, est le gendre de Mark Woessner, ancien patron de Bertelsmann.

de sa cible d'un déficit manifeste de dynamisme et de modernité et d'un important défaut de compréhension de ses avantages commerciaux – notamment en termes de prix. Un diagnostic sévère mais assumé, qui imposait d'investir d'urgence dans une campagne de publicité et de communication à l'égard des adhérents et des prospects: cinquante millions de francs annoncés pour 2001.[17] Mais, plus profondément, l'essoufflement des dernières années était le signe d'une nouvelle remise en cause de la formule, rendue obsolète par les évolutions du marché du livre et des biens de consommation culturelle et de loisirs et, de fait, moins adaptée aux attentes et aux comportements des acheteurs. «La mission [du club] des années soixante-dix-quatre-vingt, constatait Marc Sommer en juin 1999, était d'apporter le livre dans les foyers où il n'entrait pas. Aujourd'hui, cette mission est caduque puisque le livre est disponible dans le supermarché d'à côté»[18] ; Karsten Dietrich, directeur général du club et témoin privilégié de son évolution historique, lui faisait écho: «Neuf mois plus tard, ça ne suffit plus. Proposer le *Quid* ou le dernier document de Christine Deviers-Joncour après que tout le monde en a parlé est aujourd'hui impensable. Ce serait pousser nos clients à traverser la rue pour se précipiter chez Leclerc.»[19] En d'autres termes, la nature de l'interposition du club entre l'éditeur et l'acquéreur pour la plus large diffusion des nouveautés devait être redéfinie. La cure de jouvence était donc un exercice imposé. Il fallait inventer de nouvelles raisons et surtout de nouvelles *façons* de s'abonner au club et pour cela renouveler une image brouillée, renforcer des services encore insuffisants et proposer une offre tout à la fois plus ample et mieux adaptée.

Un constat analogue avait pu expliquer en partie quelques années plus tôt les investissements des deux clubs dans des réseaux de points de vente traditionnels. Mais sans le succès escompté; ainsi des enseignes «Anecdotes» d'Eurolibrairie SA, détenue par InterForum et le GLM (1988-1991), et «Place du livre», créée en novembre 1996

17. Alain Salles, «France Loisirs cherche à rajeunir», *Le Monde*, 31 mars 2000.

18. «Marc Sommer, nouveau P-DG de France Loisirs», *Livres Hebdo*, n° 341, 11 juin 1999, p. 56-58.

19. Laurence Santantonios, «France Loisirs: succès de l'opération Nicci French», *Livres Hebdo*, n° 389, 7 juillet 2000, p. 37.

par France Loisirs avec un objectif annoncé de cent cinquante points de vente.[20]

La spécialisation n'avait guère été plus favorable, à l'image du Booki Club du GLM, destiné aux enfants et vite abandonné ; c'est néanmoins dans cette direction que semble persister l'équipe dirigeante du club d'Albin Michel, qui réunit au début de l'année 2001 quelque cent mille membres dans deux clubs spécialisés, l'un consacré au développement personnel (Nouvelles Clés), l'autre à l'histoire.[21] Le Club Express est lui-même toujours en activité. Avec plus de moyens et faisant montre d'une conviction certaine, mais non sans circonspection, France Loisirs a choisi en 2001 de persévérer : « Junior Loisirs » a déjà vu le jour et « Cercle polar » (qui compte *surfer* sur l'engouement actuel des lecteurs – plutôt jeunes – pour ce genre) en est à ses balbutiements... L'histoire se répète, fors les moyens mis en œuvre (6 millions de francs pour une phase de test, 20 millions au total sur trois ou quatre ans) ; la spécialisation est en effet l'une des marques de l'histoire des clubs, du Club des jeunes amis du livre au Club du livre religieux, du Cercle des bibliophiles au Cercle du nouveau livre d'histoire, du Club du livre policier au Club du livre d'anticipation... Encore une fois, cette nouvelle approche est légitimée par les évolutions du marché américain des clubs (dont le Club français du livre, dans les années quarante, se voulait le digne héritier, tout comme les clubs plus agressivement vépécistes des années soixante – Guilde internationale du disque et consorts) ; comparaison fructueuse, certes, qu'il faut se garder cependant d'interpréter sans recul étant donné les différences d'échelles et de cultures de consommation en jeu.[22] Face à la menace

20. L'expérience « Place du livre » a pris fin dans le courant de l'année 2000 ; les cinq derniers points de vente portant cette enseigne (à Paris, Colombes, Annemasse, Limoges et Rouen) ont été fermés. « Une fausse bonne idée », déclarait sans regret, au début de l'année, Karsten Diettrich, directeur général de France Loisirs ; car la formule, qui ne s'appuyait pas sur le véritable savoir-faire du club, brouillait la visibilité de son offre et ne pouvait apporter une rentabilité comparable à celle des relais du club. *Cf.* Clarisse Normand, « France Loisirs ferme ses "Places du livre" », *Livres Hebdo*, n° 366, 28 janvier 2000, p. 46.

21. Voir les propos du directeur marketing du GLM, Laurent Sicsic, rapportés par Alain Salles, « Le Grand Livre du mois sur Internet », *Le Monde*, 31 mars 2000.

22. Aux États-Unis, en 2000, le canal des clubs, de la VPC et des foires du livre représente 24 % du marché.

grandissante des librairies en ligne, un mouvement de verticalisation et de fusion des clubs s'y est engagé. Symbole : les deux clubs « historiques » que sont la Literary Guild (du même Bertelsmann) et le Book of the Month Club (AOL-Time Warner) n'en font plus qu'un. Une nouvelle entité regroupe ces clubs, BookSpan, créée en mars 2000 à l'occasion du rapprochement du BOMC et de Doubleday Direct (propriété de Bertelsmann) et dirigée par Markus Wilhelm. Elle peut se vanter aujourd'hui de rassembler dix millions d'adhérents, une quarantaine de clubs spécialisés (avec la volonté d'en doubler le nombre dans les prochaines années, dans tous les domaines et pour toutes les communautés d'intérêts et de goûts : best-sellers, musique, jardinage, cinéma, histoire, équitation, minorité ethnique, érotisme, sports...) Le site Booksonline.com constitue un portail pour l'ensemble de ses clubs (« *Whatever you read, it's on sale here!* »), ensemble impressionnant où chaque entité garde cependant sa spécificité. Préfigure-t-il l'avenir des clubs français, réunis en un seul conglomérat et placés sous la seule tutelle et expertise des Allemands ?

Les enjeux de France Loisirs

Le site internet de France Loisirs référençait en 2001 quelque 1 270 produits, dont 750 livres. La notion de club, on le sait, s'est détachée dès le début des années soixante-dix de la sphère du livre avec le bien nommé France Loisirs. Le système non-livre cher au club franco-allemand a permis d'étendre ses sélections aux autres produits culturels et de loisirs et aux services. Cela reste l'objectif de Marc Sommer : 50 % du chiffre avec le livre en 2005, contre 75 % aujourd'hui.[23] De sorte que le salut du club pourrait résider aussi dans une déspécialisation accrue de son catalogue, s'appuyant cependant sur les richesses « historiques » de l'entreprise : ses fichiers prospects et clients, sa légitimité de prescripteur, son réseau de relais et sa force de vente à domicile, sa notoriété et son

23. Dans un tel contexte, la bataille de parts de marché se fera plus vive avec d'autres grands acteurs du marché du loisir, comme le Club Dial (CD, DVD, cassettes vidéos), par exemple, dont le site web enregistrait en mai 2000 environ 3 % des commandes reçues par le goupe, pour plus de 100 000 visiteurs par mois.

savoir-faire dans le domaine de la vente directe. La vente par correspondance de vin semble également avoir donné de bons résultats au Grand Livre du mois, avec Sélection du sommelier/Club français du vin ; mais le Club vidéo, lui, n'a pas connu une même réussite. Il serait à l'origine des premières pertes enregistrées par le club, dont la destinée, bien incertaine, a été confiée au début de l'année 2001 à Bertrand Favreul, ancien dirigeant de Robert Laffont.

Autre aspect de la restructuration de l'offre engagée par le club franco-allemand : la remise en cause de la seule observance de la règle des neuf mois par la publication de textes inédits d'une part, par la commercialisation de best-sellers potentiels ou avérés dans ses relais d'autre part – en même temps et dans les mêmes conditions qu'en librairie traditionnelle. C'est en Allemagne que Marc Sommer a expérimenté l'édition d'inédits en club, et notamment l'organisation de « coups » bénéficiant de larges budgets publicitaires. Une première tentative a été lancée sur le marché français au début de l'année 2000 avec *Feu de glace* de Nicci French, dont France Loisirs a acquis les droits exclusifs de publication limités dans le temps, avant que Flammarion ne le fasse paraître en librairie en octobre 2000. 300 000 exemplaires vendus ; même résultat avec *Le Lit d'Aliénor* de Mireille Calmel, paru en 2001, racheté à l'éditeur de best-sellers XO. Un succès qui confirme la puissance de frappe du club et conforte Marc-Olivier Sommer dans ses choix : passer outre le cadre temporel de l'offre historique du club et, parallèlement à la baisse de ses prix de vente, compléter l'avantage *discount* du club par une attractivité éditoriale renforcée. Marc Sommer a confié récemment à Karsten Diettrich le soin d'animer les Éditions France Loisirs, pour mener une politique d'achat et de vente (aux autres clubs) de livres en France et à l'étranger. Objectif : proposer vingt à trente titres par an. Notons que la publication d'inédits, en partenariat ou non avec des éditeurs traditionnels, est également une figure obligée de l'histoire des clubs (voir la collection « Événements » du Club français du livre dans les années cinquante, proposant des livres inédits brochés !) ; depuis 1996, France Loisirs a publié plus de soixante titres inédits totalisant quelque cinq millions de volumes vendus. Quant à la mise en place d'une sélection de nouveautés d'éditeurs dans ses relais, dans leur présentation d'origine, elle participe d'un même mouvement de captation du pouvoir d'achat de l'abonné. L'expérience semble concluante. On peut certes y voir un prolongement de celle acquise avec l'enseigne « Place du livre ». Mais pour Karsten Diettrich, « cette ouverture vise avant tout à enrichir le service rendu aux clients du club, en leur permettant de concentrer leurs achats en un même point de vente. » France Loisirs vend aujourd'hui le prix Goncourt en même temps que la FNAC, Leclerc ou le libraire de quartier... La bataille est ouverte, dans un environnement concurrentiel des plus serrés.

Cette orientation est confirmée par le développement de France Loisirs sur l'internet, où sa présence est effective depuis 1998 (adhésion, panier d'achat, transaction, suivi de compte, recherche guidée ou intuitive sur le catalogue, présentation éditoriale des nouveautés...)[24] ; en 2000, quelque cent mille commandes furent enregistrées en ligne pour un chiffre d'affaires de 16 millions de francs (soit presque 10 % du marché de l'édition sur l'internet, mais seulement 1 % des revenus de la société – contre 66 % pour les relais et 33 % pour la vente à distance – et 5 % de la VPC). Le nombre de visiteurs uniques du site s'élèverait aujourd'hui à quelque 25 000 par semaine ; 1,5 % des abonnés du club passerait commande sur l'internet.[25] Ce développement est à replacer dans le cadre de

24. Sur le site de France Loisirs, mis en ligne en mars 1998, on pourra consulter : « Frédéric Jumentier. Directeur multimédia et des systèmes d'informations de France Loisirs. Propos recueillis le 4 septembre 1999 par Philippe Guerrier », *Journal du net* (www.journaldunet.com/it_jumentier.shtlm) ; ainsi que « France Loisirs (www.franceloisirs.com) [marchand test] », *Journal du net* (www.journaldunet.com/wm_test/mtest_franceloisirs.shtlm) et « France Loisirs a recours au mail-marketing pour le lancement d'un livre », 30 août 2001 (www.journaldunet.com/0108/0110830franceloisirs.shmtl). France Loisirs semble avoir eu quelques difficultés à stabiliser sa structure de développement multimédia, après les départs de Frédéric Jumentier (qui fut un temps directeur des activités internet de la branche livres de Bertelsmann Europe, avant de se lancer dans la création de sites communautaires avec Comuneos) et Christophe Léon, remplacé par Michel Koch. Sur le site du Grand Livre du mois, mis en ligne en mars 2000, voir notamment : Alain Salles, « Le Grand Livre du mois... », article cité, et « Le Grand Livre du mois propose la commande en ligne sur son site », *Journal du net* (www.journaldunet.com/0003/ 000328glm. shtml).

25. En décembre 2001, le site du Grand Livre du mois, lui, recense 60 000 visiteurs différents par mois (source Netvalue), 30 000 abonnés et 12 000 destinataires de sa *newsletter*. Le chiffre d'affaires réalisé sur

la politique de recrutement et de diffusion multicanal. L'objectif du site reste donc, comme le déclarait en mars 2001 Michel Koch, directeur internet et multimédia de la société, « de réaliser des ventes additionnelles »[26] et non de cannibaliser les autres circuits.

Point important de ce développement sur le web, la collaboration avec la librairie électronique BOL, fruit d'une *joint-venture* entre Bertelsmann et Havas, est évoquée depuis 1999.[27] Sans tarder, un lien fut proposé dès la page d'accueil du site du club et quelques avantages furent réservés aux adhérents du Club sur le site du libraire (notamment l'exonération de frais de port, dépassé un certain montant de commande). La fonction prescriptrice de ce dernier n'était donc pas contradictoire avec un accès à l'offre la plus large. C'est la logique du portail culturel et de loisirs qui primait alors, portail qui pourrait notamment s'appuyer sur la spécificité de l'offre et la clientèle du club franco-allemand. La création en février 2000 du site, véritable guide littéraire en ligne proposant notamment de multiples liens renseignés sur des sites consacrés à des écrivains[28], et le lancement de la collection de sites d'auteurs[29], tout deux mis en œuvre par

(*Suite de la note 25*) le net s'élève en 2000 à 3,5 millions de francs, l'objectif pour 2001 étant de 7 millions. Sur la nouvelle version du site, la création de deux sites spécifiques pour ses deux clubs thématiques et les partenariats passés avec MusicBox, Divento, Karavel et Bouquet-Nantais pour amplifier son offre, *Cf.* Anne-Laure Béranger, « Le Grand livre du mois fait peau neuve en ligne… », *Le Journal du net*, 18 décembre 2001 (www.journaldunet.com/0112/011218gdlivredumois.shtml).

26. Trentenaire, créateur du site internet de Sony Music France, Michel Koch, titulaire d'un mastère de management de l'édition à l'ESCP, rejoint France Loisirs en 1999. Voir l'entretien accordé au journal du net (www.journaldunet.com/itws/it_koch.sthlm).

27. « On est tout à fait complémentaire. C'est une librairie grand public avec une offre très large et des prix du marché. France Loisirs est un club de livres avec un catalogue de titres sélectionnés mais avec des prix plus attractifs. Les deux marchent la main dans la main. On a déjà des collaborations avec BOL. La librairie est mentionnée sur notre catalogue papier avec des encarts conjoints. » Propos de Frédéric Jumentier rapporté dans *Journal du net*, *art. cit.*

28. Un accord avec *Lire* permet également de retrouver en ligne des articles du plus populaire magazine littéraire français.

29. En ligne en décembre 2000, les sites de Régine Desforges, Boris Vian, Irène Frain, Laurent Botti, Françoise Bourdin, M.J. Rose, Nicci French (pseudonyme de Nicci Gerrard et Sean French), Jean Orizet, Christian Signol.

France Loisirs, semblaient également conforter ce positionnement, de qualité. Cette stratégie était confirmée au plus haut niveau; ainsi, en juillet 2000, l'actionnaire allemand de France Loisirs regroupa ses activités internet et clubs (28 millions de membres annoncés) dans une société intégrée, troisième pilier du groupe après les contenus et les services. Avec «Directgroup» (aujourd'hui dirigé par Klaus Eierhoff, membre du directoire du groupe), présent dans vingt-deux pays, Bertelsmann annonçait 23,5 milliards de francs de chiffre d'affaires, 15 000 employés[30] et 55 millions de clients. Alors qu'en 1999, des déclarations pessimistes de Thomas Middelhoff, président de Bertelsmann, avaient jeté le doute sur le soutien des actionnaires allemands à leur filiale française, il semblait alors que le club, sans pour autant améliorer ses performances, eût été investi d'un nouveau rôle dans l'édification d'une offre culturelle adaptée au web. Et ce qui fait sens outre-Rhin ne devait pas en être dépourvu pour le très international Vivendi-Universal-Seagram, également confronté à la concurrence d'un autre géant de la communication, AOL-Time Warner. Quel que fût l'avenir de la marque France Loisirs sur le net, qu'elle s'abolisse dans la confusion d'une offre généraliste ou qu'elle bénéficie au contraire d'un regain d'intérêt comme point d'entrée réservé à cette dernière, il semblait alors qu'une nouvelle métamorphose des clubs et de leur médiation était en jeu dans la mise en place du commerce numérique. France Loisirs était en position de valoriser son expérience et ses acquis de vépéciste sur le net.

C'était cependant sans compter sur le faible et très lent développement du e-commerce en Europe. Fin novembre 2001, Bertelsmann mettait au grand jour le bilan négatif de ses investissements web (2,2 milliards d'euros depuis 1994; 888 millions d'euros de pertes sur le seul exercice 2000-2001!), annonçant par la même occasion le départ d'Andreas Schmidt, ancien membre du directoire d'AOL et grand artisan du rachat de Napster par le groupe de Gütersloh, de la tête des activités e-commerce du groupe allemand.[31] De fait, la fermeture de plusieurs sites européens de Bertelsmann on line, notamment en

30. *Cf. Les Échos*, n° 1128, 28 novembre 2000, p. 22.

31. *Cf.* Philippe Ricard, «Bertelsmann revoit à la baisse ses ambitions sur Internet», *Le Monde*, 30 novembre 2001, p. 23, et, ici, le chapitre II.

France, où la domination d'Amazon et de la FNAC semblait irrépressible malgré d'intéressants accords de distribution et d'édition signés avec d'autres acteurs du Web[32], révélait un manque de perspective du groupe dans ce domaine et le souhait d'y modérer ses actions. Plus marginalement, le site auteurs.net se vit racheté par le groupe L'Express (division presse de VUP !) – déjà très présent dans le web littéraire, avec le site de *Lire* et des Dicos d'or. Des ambitions revisitées à la baisse, donc, dans la perspective d'une prochaine introduction en Bourse souhaitée par le nouvel actionnaire belge du groupe allemand.

Cet abandon d'une filiale commune par le binôme franco-allemand faisait suite au désengagement historique de VUP dans France Loisirs, annoncé à la veille du Salon du livre de Paris, le 14 mars 2001. Thomas Middelhoff quittait alors le conseil d'administration de VUP. France Loisirs repris intégralement par l'Allemand, il ne restait plus qu'à fondre l'activité française de BOL dans celle du club, ce qui fut annoncé le 31 juillet 2001.[33]

Comment interpréter cette décision de VUP ? Est-ce une marque de désaveu à l'égard de la formule des clubs ? Au lendemain de l'annonce de la vente, Agnès Touraine livrait cette interprétation : « Cela n'avait plus grand sens de demeurer un *sleeping partner* » dans un club managé, il est vrai, depuis l'origine par les Allemands (seuls détenteurs d'un réel savoir-faire en la matière) ; et de rappeler que le groupe de Jean-Marie Messier se veut plus éditeur de contenu que diffuseur – et partant, préférait mobiliser ses ressources pour le rachat de sociétés productrices de contenus, d'*educainment* (éducation et loisirs ; ce que d'aucuns nomment la « stratégie paillette » du groupe) dirait-on pour employer le vocabulaire en cours. Ce qui explique que le troisième groupe d'édition mondial (après Pearson et Bertelsmann) ait également vendu en 2001 ses titres d'édition et de presse professionnelles et médicales à des capitaux étrangers, pour acquérir l'éditeur scolaire améri-

32. *Libération*, Newsfam, Canal +, Libertysurf, Lycos Europe…

33. Sur ce rapprochement entre webrairies et clubs, voir : Aurélia Jakmakejian, « Berterlsmann rapatrie ses BOL », dans *Livres Hebdo*, 25 mai 2001, n° 427, p. 58 ; ainsi que Florence Santrot, « BOL ferme ses portes en France », *Journal du net*, 13 juillet 2001 (www.journaldu-net .com/0107/010713bol.shtlm).

cain Houghton Mifflin.[34] Que France Loisirs ne trouve pas sa place dans ce nouveau recentrage des activités du groupe de communication au profit du grand public reste, en dernière analyse, surprenant... et pourrait paraître de mauvaise augure pour l'avenir du club allemand, n'était la puissance – d'efficacité et d'inertie mêlées – du groupe de Reinhard Mohn.

Il reste que Bertelsmann a aujourd'hui repris en main son club français et peut envisager plus directement des synergies et une plus forte intégration de ses plates-formes d'e-commerce et de VPC traditionnelle à l'échelle européenne. Mais cela demeure un vrai défi ; modifiant son offre et ses modalités d'acquisition, France Loisirs s'est exposée à de nouvelles formes de concurrence, non dépourvues de moyens et peut-être plus en phase avec leur temps.

Mais y a-t-il encore un avenir pour les clubs de livres hors de France Loisirs ? La flexibilité de la notion permet encore aujourd'hui de caractériser génériquement des réalités de nature et de taille très différentes. On a vu ces derniers temps se développer de nouvelles formes de cercles ou de sélections, qui marquent un retour à des logiques de développement de « niches ». Ainsi des clubs sans objet commercial, support marketing des éditeurs traditionnels sur des segments restreints de leur cible ou sur une partie de leur catalogue. L'appellation de club est, notons-le, singulièrement en vogue sur le net, qu'elle recouvre des activités commerciales ou de simples communautés d'intérêt, scientifiques, culturelles ou techniques... Les possibilités offertes par les solutions informatiques dites « communautaires » pour le web favorisent largement cette tendance ; des outils très attractifs, qui auraient certainement fait la joie des clubs de livres des années cinquante, coûts mis à part. Les *mailing list*, les *chats*, les *FAQ* et les *forums*, bien connus des internautes, ont ouvert de nouvelles perspectives aux professionnels du marketing, notamment dans le cadre d'extranets B2C.

34. Sur les évolutions récentes de Vivendi, voir : Fabrice Piault, « Vivendi se fait une santé financière sur le dos de son pôle santé », *Livres Hebdo*, 31 août 2001, n° 435, p. 57-58 ; « Agnès Touraine, présidente de VUP » (entretien avec Christine Ferrand), *Livres Hebdo*, 12 octobre 2001, n° 441, p. 51-53, et, ici, le chapitre II.

Le Cercle Gallimard de l'enseignement, destiné aux professeurs de français des collèges et lycées, et le Cercle de La Pléiade ne «vendent» rien, mais constituent d'intéressants outils de communication et de promotion, de connaissance et de fidélisation d'un lectorat, notamment grâce à leur bulletin de liaison respectif… d'une tonalité très proche de ceux des premiers clubs d'éditeurs. Un exemple parmi d'autres, aux mille résonances en ces temps de communautarisme exacerbé.

C'est ainsi que, notion mouvante et réalité protéiforme, le club ne cesse de se redéfinir, au gré des évolutions du marché et des attentes des consommateurs.

Chapitre VIII

Écrire le politique : quelques formes contemporaines du livre politique

Aborder la question du livre politique soulève immédiatement un problème de définition. Qu'est-ce qu'un livre politique ? Dominique Reynié fait justement remarquer que le livre politique souffre d'un régime particulier : « Tout se passe, en effet, comme si la désignation d'un livre politique allait de soi, [...] comme s'il existait une description couramment admise [...] presque toujours en ces domaines, si le bon sens a ses vertus, l'évidence est improbable. » Et de proposer comme définition possible du livre politique, « tout ouvrage intervenant dans le déroulement et l'orientation du débat public »[1]. Cette définition remplit sa fonction dans la mesure où elle est suffisamment souple sans être cependant trop rigide. Souple en ce qu'elle permet de ne pas identifier le livre politique à un genre

1. Dominique Reynié, « La politique à l'ouvrage. Le livre politique en France de 1983 à 1991 », *Cahiers de l'économie du livre*, n° 8, décembre 1992, p. 28-29. Voir également, dans le même numéro des *Cahiers de l'économie du livre*, l'article de Jean-Marie Bouvaist, « Les professionnels du livre face aux marchés des livres politiques », p. 5-27.

littéraire particulier: il est clair, par exemple, que le procès intenté à l'éditeur Jean-Jacques Pauvert pour la publication des œuvres complètes de Sade en 1956 classe le marquis dans la catégorie des auteurs politiques, et non plus seulement dans celle des auteurs licencieux. Mais la définition proposée n'en demeure pas moins insatisfaisante dans la mesure où elle évacue trop rapidement une caractéristique essentielle du livre politique: l'éditeur.

À l'époque contemporaine, le livre politique est d'abord un livre d'éditeur. La radicalisation des positions politiques des éditeurs pendant l'Occupation a imposé, après guerre, sinon un engagement militant à des entrepreneurs d'abord préoccupés d'équilibrer leur bilan, du moins une unification de la tonalité politique de leurs catalogues.[2] On est plutôt à droite (Plon, Perrin, par exemple) ou plutôt à gauche (Le Seuil, Éditions de Minuit), les choix extrêmes demeurant minoritaires si l'on fait abstraction des Éditions sociales, directement liées au Parti communiste français, qui les a reconstituées en 1945. Il serait impossible, aujourd'hui, de se vanter, tel Gallimard dans les années trente, de publier à la fois le leader socialiste Léon Blum et une haute figure de l'Action française, Léon Daudet. Indépendamment de ses tendances, la forme du livre politique n'est pas la même chez tous les éditeurs: un tel privilégiera plutôt le «livre d'analyse», l'autre le «livre d'information», un troisième le brûlot révolutionnaire, et, si aucune de ces catégories n'est à proprement parler exclusive l'une de l'autre, la diversité de l'offre de livre politique ne coexiste pas, ou très rarement, au sein d'un même catalogue. L'éditeur joue donc un rôle essentiel dans la production du «livre politique» d'une époque, en décidant de conférer la dignité de l'objet livre à des thèmes réservés jusque-là à de forts articles de revues – dont le réseau était, dans les années cinquante et soixante, incroyablement dense –; en assumant d'affronter une censure qui dit rarement son nom, soit qu'elle se pare des vertus de la protection de la jeunesse pour réprimer l'outrage aux bonnes mœurs (loi du 16 juillet 1949), soit qu'elle affiche sa volonté d'assurer

2. Pascal Fouché, «L'édition 1914-1992», *in* Jean-François Sirinelli (sous la direction de), *Histoire des droites en France*, tome II, *Cultures*, Gallimard, Paris, 1992, p. 257-292, et Jean-Yves Mollier, «Édition et politique (XIXe-XXe siècles)», *in* Serge Berstein et Pierre Milza (sous la direction de), *Axes et méthodes de l'histoire politique*, PUF, Paris, 1998, p. 433-445.

le « contrôle de la presse et des publications » (loi du 3 avril 1955) pour, en réalité, faire régner une censure militaire en France entre 1955 et 1962, au moment de la guerre d'Algérie[3]. Partant de la définition du livre politique contemporain comme l'exemple même du « livre d'éditeur », on a choisi ici de se placer du point de vue le plus « littéraire » qui soit, l'évolution des formes de l'écriture du politique : dans ce domaine a priori considéré comme le domaine réservé de l'auteur, c'est encore la figure de l'éditeur qui joue un rôle essentiel. Philippe Olivera a résolument privilégié cette approche éditoriale de la production du livre politique, la considérant comme la seule possible afin d'échapper aux catégories figées du « littéraire » et du « politique » habituellement plaquées sur des textes qui, tels les « essais », appartiennent à un domaine tout à la fois « politique et littéraire ». Et si le « livre politique » était un genre typiquement français, indissociable de cette « culture lettrée » qui se constitue au XIXe siècle et qui, aujourd'hui encore, impose ses exigences formelles à l'expression des positions citoyennes ? Il devient ainsi possible de rassembler des textes que l'on n'identifie pas habituellement comme « politiques » et de ne pas se limiter aux livres des très rares éditeurs qui, de par la nature de leur projet éditorial, peuvent être considérés comme exclusivement politiques. Le « livre politique » est un livre que les éditeurs classent parmi les ouvrages de « littérature générale ».[4] À croire qu'ils ne sont pas spontanément si mauvais sociologues. C'est cette dimension littéraire du discours politique qu'on se propose ici d'illustrer.

Le pamphlet, ou la guerre du point de vue des vaincus

Dans *La Parole pamphlétaire. Contribution à une typologie des discours modernes*, Marc Angenot a bien montré que le pamphlet était le genre par excellence de la dénonciation désenchantée.[5] Une voix, celle de l'auteur, s'élève pour

3. Martine Poulain, « La censure », *in* Pascal Fouché (sous la direction de), *L'Édition française depuis 1945*, *op. cit.*, p. 556-594.

4. Philippe Olivera, *La Politique lettrée en France. Les essais politiques (1919-1932)*, thèse de doctorat d'histoire sous la direction de Christophe Charle, université de Paris I, 2001.

5. Marc Angenot, *La Parole pamphlétaire. Contribution à une typologie des discours modernes*, Payot, Paris, 1982.

protester contre un mensonge vécu comme généralisé, proclamer une vérité que les circuits de la bien-pensance s'efforceraient d'étouffer tout en sachant que, pour nécessaire et juste que soit le combat, il n'en est pas moins perdu d'avance. Ce mode de la «protestation éperdue» va être privilégié par une génération d'intellectuels compromis, à des titres divers, par le choix de la collaboration avec l'Allemand entre 1940 et 1944, en France occupée, et en butte à la répression judiciaire et professionnelle de l'épuration (1944-1951). Cette littérature, selon le panorama très complet dressé par le critique et grammairien André Thérive, s'organise autour de quelques grands thèmes : le ressentiment à l'égard de la quatrième République, un régime prétendument démocratique où les communistes règnent en maîtres et où l'hypocrisie généralisée tient lieu de contrat social (Alfred Fabre-Luce, *Au nom des silencieux*, Éditions de Midi, 1945)[6]; le caractère dérisoire de la Résistance et de l'engagement gaulliste (Arouet [pseudonyme du dessinateur d'extrême droite Benjamin Guittoneau], *Voyage en absurdie*, Éditions du soleil, Bruxelles, trois rééditions en 1946) ; enfin, de violentes critiques contre l'épuration, ce processus de vengeance déguisée sous l'apparence de la justice et du droit (Maurice Bardèche [beau-frère de Brasillach], *Lettre à François Mauriac*, La Pensée libre, 1947). Pour se faire une idée des propos subversifs véhiculés par ces livres, avant même de les lire, il suffit de regarder qui les édite : des microstructures, d'une durée de vie éphémère, qui n'ont que peu d'auteurs à leur catalogue (leur directeur, le plus souvent, et quelques proches).[7] Aux côtés des Éditions de Midi, où Fabre-Luce (condamné à dix ans de dégradation nationale) édite exclusivement ses propres textes, à côté des Éditions du Soleil, des Éditions des Gémonies ou des Éditions de la Couronne, il faut mentionner une entreprise dont la notoriété dépassa le cercle restreint des initiés. Auteur d'une *Lettre à François*

6. «La littérature clandestine sous la quatrième République», *Écrits de Paris*, n° 51, janvier 1949, p. 53-69. André Thérive, qui a publié dans les journaux collaborateurs pendant l'Occupation, figure sur les listes noires du Comité national des écrivains (CNE) à la Libération et est interdit d'exercice de sa profession pendant dix-huit mois.

7. Alexandre de Menech, *Histoire de l'édition d'extrême droite en France entre 1944 et 1997*, mémoire de maîtrise d'histoire sous la direction de Jean-Yves Mollier, université de Versailles-Saint-Quentin-en Yvelines, 1999.

Mauriac vendue à 80 000 exemplaires selon lui, Maurice Bardèche doit faire face à la filouterie de son éditeur, parti sans laisser d'adresse. Pour publier son deuxième volume, *Nuremberg ou la terre promise*, qui lui aussi fera scandale – le livre est saisi et vaut un procès à son auteur –, Bardèche se voit donc dans l'obligation de fonder sa propre maison d'édition en 1949, Les Sept Couleurs, « régulièrement inscrite au registre du commerce », précise-t-il. C'est en réalité la première maison d'édition de la droite extrême à abandonner la clandestinité : « Je décidai de l'utiliser pour faire paraître les écrits rédigés en prison par Robert Brasillach, dont quelques-uns commençaient à circuler dans le public. Je commençai par les *Poèmes de Fresnes*, écrits par Robert dans sa prison avant et après son procès. Il y en avait eu entre 1945 et 1948 sept éditions publiées bien entendu sans notre autorisation, et dont la première, incomplète, avait été imprimée le 15 septembre 1945 aux Éditions de Minuit et demi, sous la signature de Robert Chénier et sous le titre de *Barreaux*. »[8] À la Libération, le livre politique crée ses éditeurs. Il émane d'auteurs qui sont soit retirés de la vente à la demande de la censure militaire, soit condamnés par les tribunaux de l'épuration à des interdictions professionnelles, soit frappés d'infamie parce que leur nom figure sur les « listes noires » édictées par le Comité national des écrivains (CNE) : à proprement parler, il n'est nullement interdit de republier, de réimprimer, ces « indésirables » ; reste que la peur du scandale est tout aussi dissuasive et que mieux vaut pour eux participer au lancement de nouvelles maisons, voire se faire éditeur, s'ils souhaitent que leur discours politique ait quelque audience. Le pamphlet est un genre qui s'épuise vite et ce d'autant plus que la conjoncture politique du début des années cinquante se pacifie (vote des lois d'amnistie de 1951 et 1953) et retire à l'exploitation de la droite extrême quelques-uns de ses principaux thèmes, notamment son combat contre l'épuration.

8. Maurice Bardèche, *Souvenirs*, Buchet-Chastel, Paris, 1993, p. 227-228.

ÉCRIRE/DÉCRIRE LE CAMP DE CONCENTRATION

L'autre grande veine de l'écriture du politique au début des années cinquante, pour être absolument décisive dans l'histoire de la modernité littéraire, n'en passe pas moins alors inaperçue. Se dessine ici l'importance en creux de l'éditeur, relais culturel indispensable pour soutenir un livre radical. De *L'Espèce humaine* on ne commencera à parler que dans les années soixante, une fois le livre repris par Gallimard, c'est-à-dire figurant dans un catalogue qui lui confère un statut de « classique ». Aujourd'hui considéré comme un livre matriciel, *L'Espèce humaine* est publié, en 1947, par un micro-éditeur, La Cité universelle. Des critiques perspicaces, au nombre desquels Maurice Blanchot, évaluent l'importance de ce livre isolé au sein d'une littérature de déportés victime d'une « hémorragie d'expression » (Robert Antelme), placée sous le signe de l'urgence à dire l'horreur vécue : trente récits sont achevés avant la fin de l'année 1945. Ils sont tous quasi immédiatement publiés.[9] Dans cette production abondante, quelques titres tranchent par la qualité de leur écriture, *L'Univers concentrationnaire* de David Rousset (Éditions du Pavois, 1946, prix Renaudot) ; *Un camp très ordinaire* de Micheline Maurel (Éditions de Minuit, 1947, prix des Critiques), mais aucun ne parvient à cette « vérité de la littérature » qui distingue le livre d'Antelme aux yeux de l'écrivain Georges Perec. Seul Antelme a entendu, compris et mis en œuvre le message d'un ancien déporté, le poète et éditeur Jean Cayrol, qui, dans ses articles de 1949 d'abord, dans son *Lazare parmi nous* (Le Seuil, 1950) ensuite, imposait à la littérature contemporaine « d'esquisser un romanesque concentrationnaire », de « créer les personnages d'une nouvelle Comédie inhumaine » sous peine de n'être plus à la hauteur de l'histoire. Perec, à propos de la singularité de *L'Espèce humaine*, insiste sur le fait que ce n'est pas à cause de l'originalité de l'expérience vécue que le témoignage d'Antelme supplante tous les autres, mais parce qu'Antelme a inventé une écriture qui porte l'évocation du camp de concentration à un degré d'universalité jamais atteint auparavant. Lui seul est parvenu à nous rendre non seulement « conscients » mais

9. Annette Wieviorka, *Déportation et génocide. Entre la mémoire et l'oubli*, Plon, Paris, 1992, et Le Seuil, « Pluriel », 1995, p. 185.

surtout « sensibles » à l'expérience concentrationnaire : « […] Robert Antelme élabore et transforme, en les intégrant dans un cadre littéraire spécifique, alors que les autres récits concentrationnaires utilisaient des cadres romanesques élémentaires à peine diversifiés, les faits, les thèmes, les conditions de sa déportation. Et d'abord il choisit de refuser tout appel au spectaculaire, d'empêcher toute émotion immédiate, à laquelle il serait trop simple pour le lecteur de s'arrêter. »[10] En réalité, ce qu'Antelme met pour la première fois en œuvre participe de ce que quelques années plus tard, dans un essai célèbre, Barthes appellera « le degré zéro de l'écriture », « ce style de l'absence qui est presque une absence de style », que le Nouveau Roman et la guerre d'Algérie imposeront dans le champ intellectuel français.

La littérature de témoignage

La « littérature de témoignage » ne naît pas avec la guerre d'Algérie : c'est une veine repérable dès les années vingt, qui a ses classiques, tel *Témoins* publié en 1929 par Jean Norton Cru, un livre qui fit grand bruit : « Pour la première fois était appliquée aux écrits de guerre – et seulement à ceux des combattants authentiques – une méthode critique rigoureuse permettant de distinguer les récits et sentiments vrais des légendes et arrangements littéraires. »[11] Mais il n'en reste pas moins qu'au moment de la guerre d'Algérie la forme « littérature de témoignage » est réactivée et acquiert un nouveau poids historique. Cette littérature, qui n'est plus seulement le vecteur d'une dénonciation après coup des horreurs de la guerre mais un facteur de mobilisation contre les événements présents, devient à proprement parler une « littérature d'action », « écho d'une actualité dans laquelle elle est également actrice » (Christian Jouhaud). C'est peut-être à cause de la relation étroite qui, grâce à la stratégie subversive de son éditeur, lie désormais le témoignage publié à l'événement présent que

10. Georges Perec, « Robert Antelme ou la vérité de la littérature », Paris, 1963, *in L.G. Une aventure des années soixante*, Le Seuil, « La librairie du XXe siècle », Paris, 1992, p. 94. Repris *in* Robert Antelme, *Textes inédits sur « L'Espèce humaine ». Essais et témoignages*, Gallimard, Paris, 1996.

11 Jean Norton Cru, « Introduction », *Du Témoignage*, Paris, 1930, réédition : Jean-Jacques Pauvert, « Libertés », Paris, 1966.

La Question de Henri Alleg est devenue le texte-mémoire de la protestation des intellectuels français contre une guerre qui alors n'osait pas dire son nom.

La Question est mise en vente par les Éditions de Minuit le 18 février 1958. Dès le premier abord, celui de la couverture, le titre du livre choisi par l'éditeur ne peut laisser indifférent : la « question », c'est celle subie par Alleg, journaliste communiste, ancien directeur d'*Alger Républicain*, au centre de tortures des parachustistes à El Biar ; la « question », c'est aussi celle posée à l'opinion publique française : est-il légal, est-il légitime que « la patrie des droits de l'homme » pratique, dans une guerre coloniale, la torture à grande échelle ? Trois raisons au moins peuvent expliquer l'événement provoqué par ce livre. L'une est incontestablement liée à son « écriture », et d'abord à un parti pris qui est celui de la non-fiction : il ne s'agit pas de romancer la réalité mais de trouver le moyen de la décrire et d'interrompre sa reproduction. Tout se passe comme si était réimporté dans le domaine littéraire le modèle juridique de la déposition : *La Question*, c'est un style plat, descriptif, qui s'en tient au fait, écarte tout commentaire moralisateur pour enregistrer une terrible inversion historique, celle opérée par des officiers de l'armée française qui se vantent d'être de nouveaux SS. Autre effet important du livre : *La Question* n'est pas un témoignage anonyme comme ceux, par exemple, publiés par Pierre-Henri Simon dans *Contre la torture* (Le Seuil, 1957) ; la victime a un corps, et c'est justement parce que n'importe quel lecteur peut s'identifier à ce corps-là que la torture sort des limbes de la métaphysique pour devenir un problème concret, celui que risquent d'avoir à affronter tous les jeunes Français mobilisés pour partir en Algérie. Enfin, troisième élément du succès immédiat du livre : la stratégie de son éditeur. Cinq semaines après sa parution, 65 000 exemplaires vendus, *La Question* est saisie. Il est probablement peu d'exemples de saisie si ardemment désirée, organisée presque pourrait-on dire par l'éditeur qui, afin d'être certain que l'existence de son livre n'a pas échappé aux pouvoirs publics, a fait placarder vingt grandes affiches noires sur des panneaux publicitaires à Paris. Effet garanti, réaction assurée : saisie du livre, contre laquelle protestent des prix Nobel (Sartre, Martin du Gard, Malraux, Mauriac) dans une « Adresse solennelle au président de la République».[12] Avec *La Question*, et grâce à l'intervention de l'éditeur, on assiste à la construction d'une cause : l'histoire individuelle de Henri Alleg est devenue un cas politique qui divise en profondeur l'opinion publique française.

Inaugurée par les Éditions de Minuit (vingt-trois textes publiés, onze saisies), la lutte contre la guerre d'Algérie et le mensonge d'État va être renforcée en 1959 par l'entrée dans le champ éditorial du libraire François Maspero (dix-neuf titres publiés, treize saisies).[13] En hommage à Péguy et à ses fameux «Cahiers de la Quinzaine», Maspero va lancer ses «Cahiers libres», reprenant l'idée d'une collection dont les parutions régulières sont vendues par abonnement. Cette collection ambitionne de publier des documents d'un type particulier puisqu'ils veulent «faire l'histoire et l'écrire en même temps». L'une des fortes originalités des «Cahiers libres», indépendamment de la cohérence politique des publications très marquées par un tiers-mondisme révolutionnaire, est d'avoir inventé une mise en scène inédite du témoignage. Maspero publiera certes du «témoignage Minuit», si l'on peut dire, par exemple en faisant paraître *Le Refus*, de Maschino (n° 5, 1960), un témoignage sur la désertion. Mais la singularité des «Cahiers libres» est ailleurs. Ce que Maspero veut communiquer au public, c'est autre chose qu'une expérience vécue aussi singulière soit-elle, ce qu'il ambitionne de donner à son lecteur, ce sont des livres conçus sur le modèle du dossier d'instruction, contenant à la fois la déposition de l'inculpé, mais aussi d'autres types de documents : des coupures de presse, des témoignages, des textes officiels etc., autrement dit tous les éléments nécessaires pour se forger une opinion, à cette différence près que, dans le monde de Maspero, ce «dossier d'instruction» n'est pas réservé à un petit nombre d'initiés, mais au contraire à mettre entre toutes les mains. Et ce, qu'il s'agisse du compte rendu intégral du *Procès du réseau*

12. Anne Simonin, «Les Éditions de Minuit et les Éditions du Seuil. Deux stratégies éditoriales face à la guerre d'Algérie», *in* Jean-Pierre Rioux et Jean-François. Sirinelli, *La Guerre d'Algérie et les intellectuels français*, Complexe, Bruxelles, 1991, p. 219-247 ; Alexis Berchadsky, *«La Question» d'Henri Alleg. Un livre événement dans la France en guerre d'Algérie*, Larousse, Paris, 1994.

13. Benjamin Stora, «Une censure de guerre qui ne dit pas son nom : Algérie, années 1960», *Censures*, centre Georges-Pompidou-BPI, Paris, 1987, p. 46-56.

Jeanson présenté par Marcel Péju (n° 17-18, 1961) ; du recueil de témoignages sur les agissements des Harkis, ces Algériens enrôlés dans des services parallèles de la police française (Paulette Péju, *Les Harkis à Paris*, n° 23, 1961), voire de ce fameux « Manifeste des 121 », sur le droit à l'insoumission pendant la guerre d'Algérie, dont tout le monde a entendu parler mais que très peu ont pu lire avant sa réédition par François Maspero, *Le Droit à l'insoumission* (*Le Dossier des « 121 »*, n° 14, 1961) : «Je pensais qu'il fallait donner à lire, donner à voir. Mettre en question. Et que les lecteurs étaient assez grands pour comprendre et choisir. Ma responsabilité personnelle s'exerçait bien sûr dans mon choix d'éditer, et j'en ai toujours répondu. Mais j'avais le respect du lecteur en l'estimant capable de juger sur pièces. Des pièces que, souvent, justement, nul éditeur ne lui donnait. »[14] On voit bien comment un certain type de livre politique a fait l'histoire de la guerre d'Algérie à un moment où l'édition était l'un des grands vecteurs de l'information, assumant grâce à des éditeurs comme Jérôme Lindon ou François Maspero des risques que la presse ne souhaitait pas ou ne pouvait pas prendre.

Concernant la guerre d'Algérie, ce n'est peut-être pas tant la mise en récit que la mise en livre du récit qui fait la profonde novation du discours intellectuel relayé et amplifié par la stratégie éditoriale subversive de deux éditeurs, Jérôme Lindon et François Maspero, héritiers, à des titres divers, d'une culture de la Résistance.[15] En revanche, c'est un homme seul, un «homme en trop», qui fera événement lorsqu'en 1974 il publiera aux Éditions du Seuil, alors qu'il est depuis le début des années soixante l'un des plus célèbres écrivains soviétiques traduit en français, le témoignage majeur sur les camps de concentration en URSS, *L'Archipel du Goulag*. Dans ce livre, Soljenitsyne n'apprend

14. Entretien de François Maspero avec Miguel Benasayag, « Quelqu'un de la famille », *Les Temps modernes*, octobre-décembre 1990. L'essentiel des informations concernant les éditions François Maspero proviennent du mémoire de Julien Hage, *Une aventure éditoriale militante. Les Éditions Maspero 1959-1974*, maîtrise d'histoire de l'université de Versailles-Saint-Quentin-en Yvelines, sous la direction de Jean-Yves Mollier, 1999, p. 97. Voir aussi Pascal Fouché, « François Maspero l'insurgé », *Livres Hebdo*, n° 362, 17 décembre 1999, p. 60-64.

15. Jérôme Lindon, croix de guerre 1939-1945, est un ancien maquisard ; les parents de François Maspero ont été déportés et moururent en camp de concentration ; son frère, résistant, fut tué sur le front d'Alsace.

rien que l'on ne sache depuis la Libération sur la répression à grande échelle qui sévit dans la patrie du communisme. L'aspect novateur de *L'Archipel du Goulag* serait dû à ce que Raymond Aron appelle «l'effet de génie»: lorsque Soljenitsyne rend compte de faits que d'autres ont déjà évoqués, il le fait autrement et mieux. Sa notoriété personnelle, la violence des attaques dont il est l'objet de la part des communistes auraient fait le reste et transformé son récit en best-seller politique.[16] Que ces éléments doivent être pris en compte pour expliquer le succès rencontré, nul n'en disconviendra, mais se limiter à une analyse strictement politico-sociologique de *L'Archipel du Goulag* méconnaît une dimension essentielle de l'œuvre, celle indiquée par son sous-titre: «Essai d'investigation littéraire». Selon Claude Lefort, «*L'Archipel du Goulag* est beaucoup plus qu'un récit sur la vie des détenus dans les prisons et les camps soviétiques et beaucoup plus qu'une histoire du système pénitentiaire depuis les lendemains de la révolution d'Octobre jusqu'en 1953. Cependant, il a la dimension du récit: celui-ci est construit à partir d'une masse de témoignages et de l'expérience propre de l'auteur; et il a la dimension d'une œuvre d'histoire: celle-ci est fondée sur ces témoignages et un nombre considérable de documents officiels, d'ordre législatif, administratif, judiciaire, politique et littéraire. [...] Si le bagnard Soljenitsyne avait été fasciné par l'horreur, il n'aurait pas écrit ce livre-là [...]. Rien de plus digne d'être médité que le statut de ce livre [...] il fait entendre constamment la voix de quelqu'un, une voix absolument singulière [...].»[17] On voit bien qu'il existe une proximité dans le traitement littéraire des camps de concentration nazis par Robert Antelme – auquel Claude Lefort fait d'ailleurs référence – et celui des camps soviétiques par Soljenitsyne, un traitement littéraire qui a une importance autre qu'esthétique dans la mesure où il repousse les frontières de l'indicible pour rendre réelles ces deux expériences-limites dans l'histoire de l'humanité.[18]

16. Laurent Blime, *Histoire politique d'une littérature engagée. La réception de l'œuvre d'Alexandre Soljenitsyne en France (1962-1974)*, Mémoire de DEA d'histoire du XXe siècle sous la direction de Michel Winock, IEP de Paris, 1992.

17. Claude Lefort, *Un homme en trop. Réflexions sur «L'Archipel du Goulag»*, Le Seuil, Paris, 1976, p. 22.

18. Un panorama du livre politique contemporain qui eût choisi une approche plus quantitative n'aurait pas pu ne pas tenir compte de la pro-

Le livre de journaliste

En 1961, Jean Lacouture, alors journaliste au *Monde*, lance aux éditions du Seuil une collection importante dans l'histoire des formes du livre politique, la collection «L'Histoire immédiate». Héritière d'une tradition intellectuelle anticoloniale, exprimée pendant la guerre d'Algérie par la revue *Esprit* et la collection «Frontières ouvertes», «L'Histoire immédiate» va poursuivre le décentrage du monde intellectuel français vers les problèmes du tiers-monde, s'intéressant plus particulièrement aux questions politiques, économiques et culturelles liées au sous-développement et aux soubresauts de la post-décolonisation. L'originalité fondamentale de la collection jusqu'au début des années quatre-vingt repose sur une position éditoriale singulière: «Il existait entre le directeur du *Monde* de l'époque, Hubert Beuve-Méry, des journalistes comme Pierre Viansson-Ponté et l'équipe dirigeante du Seuil, Paul Flamand et Jean Bardet, une parenté idéologique évi-

duction des Éditions sociales (1945-1992), l'une des structures éditoriales du Parti communiste français, une organisation politique qui a toujours accordé au livre une attention sans équivalent. Grâce aux travaux de Marie-Cécile Bouju (*Les Maisons d'édition du PCF. 1920-1950* et *La Production des maisons d'édition du PCF. 1921-1956*, mémoires de DEA d'histoire et de diplôme de conservateur de bibliothèque sous la direction de Jean-Yves Mollier), on connaît mieux le profil du «livre politique» communiste. Fixé dès les années vingt dans le cadre des Éditions sociales internationales, il comprend principalement trois genres: la «littérature directe», celle qui concerne la vie du parti et dont la propagande n'est qu'une branche; la diffusion des classiques de la pensée marxiste-léniniste; et des essais politiques. La principale innovation après 1945 va résider dans la publication par les Éditeurs français réunis, une autre maison du groupe d'édition communiste, de romans français contemporains ou empruntés aux «classiques» de la littérature française, ainsi que d'autres en provenance d'Europe de l'Est – simultanément l'une des grandes collections des Éditions sociales, intitulée les «Classiques du peuple», rassemble, sous le signe de l'humanisme et du progressisme, les écrits littéraires ou philosophiques des siècles passés. D'autre part, «Le livre politique d'aujourd'hui» des Éditions sociales, à mi-chemin entre collection et club d'abonnés, témoigne d'un intérêt constant pour le politique. Certes, les Éditions sociales «publient les auteurs maison en ayant soin de vérifier la conformité des analyses aux positions de la direction» (Rémi Rieffel, *La Tribu des clercs*, Calmann-Lévy, Paris, 1993, p. 285; voir aussi Antoine Spire, «Le parti dirige-t-il ses éditions?», *in Profession militant*, Le Seuil, Paris, 1980, p. 91-106), mais elles lancent également des projets audacieux, tels la coédition avec une chaîne de télévision, Antenne 2, qui diffuse parallèlement des émissions documentaires sur les mêmes thèmes, des livres de Daniel Karlin et Tony Lainé, *La Raison du plus fou* (1977, 100000 exemplaires) ou *La Mal-vie* (1978, 60000 exemplaires). Voir Marc Bauland, «Les Éditions sociales et Messidor», *in L'Édition française depuis 1945, op. cit.*, p. 758-759.

dente» raconte Jean-Claude Guillebaud[19], un «ancien» du *Monde* qui prit la succession de Jean Lacouture à la tête de la collection en 1977. À cette proximité intellectuelle Le Seuil/*Le Monde* s'ajoute une singularité professionnelle : au début des années soixante, les journalistes attachés aux services de politique étrangère restent en poste longtemps. Ils acquièrent une connaissance des pays qui ne trouve pas à s'exprimer dans les pages du journal et que «L'Histoire immédiate» accueille. C'est ainsi que Jean Lacouture inaugure la collection avec *Cinq hommes et la France* (1961) ; que Tibor Mende publie *Des Mandarins à Mao* (1962) ; Marcel Niedergand, *Les 20 Amériques latines* (1969), Robert Solé, spécialiste de l'Italie, *Le Défi terrorriste* (1979), René Dumont, *Le Mal-développement en Amérique latine* (1981), Jean Ziegler, *Retournez les fusils ! Manuel de sociologie d'opposition* (1980), pour ne citer que quelques titres. On a ici des livres qui fournissent une analyse critique du très contemporain et touchent un public de sept à huit mille lecteurs en moyenne. Le changement au début des années quatre-vingt est brutal : sous l'effet de facteurs multiples (la crise économique, le désintérêt pour la politique étrangère qu'accompagne une désillusion militante), le public de ce type d'ouvrage est divisé par deux, déstabilisant l'économie éditoriale de la collection qui enregistre ses premières pertes. Une réorientation se révèle nécessaire. Deux titres sont emblématiques de ce changement : *Le Sanglot de l'homme blanc* de Pascal Bruckner (1983), une vigoureuse critique de l'engagement tiers-mondiste de la génération précédente qui, dans le cadre de «L'Histoire immédiate», fait figure d'autocritique (20 000 exemplaires vendus en 1999), et surtout *Le Pari français* de Michel Albert (1982), une pédagogie de la crise par un ancien haut fonctionnaire du Plan, un livre dont Jean-Claude Guillebaud a l'idée et qu'il «accouche» au magnétophone. L'incroyable succès du *Pari français* (99 951 exemplaires vendus en 1999) révèle un public pour les livres d'économie politique qui n'existait pas auparavant. Face aux enjeux de la mondialisation, à la complexité des questions monétaires, la parole de l'expert conquiert une légitimité qu'elle n'avait pas et garantit, par exemple, le succès de *L'Ambition internationale* de Lionel Stoléru

19. Entretien avec Jean-Claude Guillebaud, le 15 décembre 1999. Tous les chiffres mentionnés sont tirés de cet entretien.

(13 937 exemplaires vendus en 1999). Dans les années quatre-vingt, le livre d'expert supplante le livre de journaliste, sans qu'il s'agisse d'un simple changement d'actualité traitée par les uns et les autres: la France dans le monde c'est désormais une histoire de PNB et de balance des paiements et non plus une interrogation sur les choix fondamentaux de la politique étrangère.

Le retour impromptu du politique

Le reste du monde réduit à une catégorie de la comptabilité nationale, la société française n'en bénéficie pas pour autant d'un traitement privilégié. Comme le fait justement remarquer Jean-Claude Guillebaud, la presse et une partie des intellectuels des années quatre-vingt ont déserté le champ social et ont laissé s'installer des formes d'inégalités qui ne trouvent plus de lieu d'expression. D'où l'importance d'un livre sur les nouvelles formes de souffrance sociale en France, *La Misère du monde* (Seuil, 1993), et plus encore, du point de vue qui nous intéresse ici, la fondation d'une structure éditoriale, les éditions Liber/Raisons d'Agir, par le sociologue, professeur au Collège de France, Pierre Bourdieu, et son équipe. Depuis 1997, ces éditions d'un genre particulier (une association à but non lucratif diffusée par Le Seuil) ont publié douze livres dont certains – Pierre Bourdieu, *Sur la télévision* (1997, 200 000 exemplaires vendus fin 2001) ou Serge Halimi, *Les Nouveaux Chiens de garde* (1997, 200 000 exemplaires à la même date) –, atteignent les plus forts tirages des best-sellers. L'originalité de ces petits livres est double: leur prix, trente francs, défiant toute concurrence dans leur catégorie, celle des essais inédits; mais surtout la cohérence du projet intellectuel qui sous-tend leur parution. «Conçus et réalisés par des chercheurs en sciences sociales, sociologues, historiens, économistes, ces petits ouvrages denses et bien documentés devraient constituer peu à peu une sorte d'encyclopédie populaire internationale», précise le texte d'introduction de la collection. Dans le sillage de Maspero, et de sa «Petite collection» lancée en 1968, il s'agit de lier à nouveau deux mondes, celui de la théorie et celui du politique, afin de répondre aux besoins d'une sociologie donnant à ses lecteurs des clefs de compréhension du monde social. Très attentifs aux problèmes de la société française (la crise de l'université, les mouvements de grève de décembre 1995), les éditions Liber/Raisons d'Agir ont inventé le « livre militant-scientifique », le « livre d'intervention » qui pulvérise la frontière entre le travail scientifique prétendument neutre et le militantisme politique. Liber/Raisons d'Agir a été imitée et a suscité la naissance de la collection d'Attac à 2 euros chez Mille et une nuits. Pierre Bourdieu se plaisait à rappeler que cela n'aurait pas déplu à ces grands ancêtres que sont Émile Durkheim ou Marcel Mauss « pour qui les sociologues devaient constituer un savoir réflexif qui permette à la société d'intervenir sur elle-même »[20].

En 1997, un autre éditeur venu d'horizons moins légitimes, le gauchisme libertaire, tendance « autonomie critique », Michel Sitbon, lançait les éditions de l'Esprit frappeur : « C'est ce qui ne s'est pas produit en France autour du génocide rwandais de 1994 qui est à l'origine de cette maison d'édition. On voit très bien ce qu'aurait pu être le génocide rwandais pour une conscience de gauche : une réactivation de l'anticolonialisme issu de la guerre d'Algérie à laquelle se mêlait tout naturellement le tabou génocidaire hérité de la Seconde Guerre mondiale. Or, ces deux éléments mis ensemble ne fonctionnent pas, ne débouchent pas sur un mouvement d'opinion critique à l'égard de la politique étrangère d'un gouvernement français radicalement compromis dans le troisième génocide du XXe siècle. Pourquoi ? Parce que selon moi, le consensus se produit ailleurs, autour de la défense de la raison d'État, de la protection des intérêts français en Afrique. Tout le reste est secondaire. J'ai donc éprouvé le besoin de publier ce que je ne pouvais pas lire ailleurs, ni dans la presse, ni chez les autres éditeurs. »[21] D'où Mehdi Ba, *Rwanda 1994, un génocide français* ; Michel Sitbon, *Un génocide sur la conscience* ; Jean-Paul Gouteux, *"Le Monde" un contre-pouvoir. Désinformation et manipulation sur le génocide rwandais*. Mais si le Rwanda fut le détonateur de l'entrée en édition, il n'est pas, et de loin, le thème principal des cinquante-deux titres au catalogue de L'Esprit frap-

20. Antoine de Gaudemar, « Les petits pavés de Bourdieu », *Libération*, 16 avril 1998 ; Marion Van Renterghem, « Des livres militants-scientifiques au sommet des ventes », *Le Monde*, 8 mai 1998. Je remercie Rosine Christin, responsable des éditions Raisons d'Agir, et Valérie Janicot de m'avoir fourni toutes les précisions demandées.

21. Entretien avec Michel Sitbon, le 14 décembre 1999.

peur deux ans après sa fondation : les drogues, les sans-papiers, le chômage sont abordés avec la volonté de dire « des choses que personne ne dit », et que, pourtant, un certain public souhaite entendre : chaque titre tiré à 10 000 exemplaires et vendu 10 francs (dans la grande majorité des cas) est plusieurs fois réimprimé. La philosophie éditoriale, on l'aura compris, n'est pas dans le culte du bien écrire mais plutôt du côté des textes-tracts dont le message doit être diffusé auprès du plus grand nombre : « Le livre à 10 francs, c'est évidemment un choix politique, mais ce n'est pas pour autant un raisonnement économique absurde. Le coût d'investissement d'un livre de l'Esprit frappeur est trois fois inférieur à celui d'un "vrai livre", il est, en gros de 50 000 francs. En tant qu'éditeur, comme mon coût d'investissement est faible, je peux facilement éditer ; le client peut facilement acheter et on est ainsi dans un cercle vertueux. Ça, c'est le schéma idéal. En réalité, l'édition politique ne rapporte pas d'argent, elle en fait même perdre pour le moment, et c'est grâce aux revenus dégagés par l'exploitation du Minitel rose que le déficit, qui aujourd'hui se monte à deux millions de francs, est comblé. »

La variété des formes de l'écriture du politique, la vitalité de l'édition politique sur la longue durée démentent cette « fin des idéologies » ressassée à l'envi dans les années quatre-vingt. Les frontières du politique sont mouvantes, impossible de les limiter à un discours particulier, de les identifier à un corpus théorique. Depuis la *fatwa* lancée, en 1989, par l'imam Khomeyni demandant à tous les musulmans du monde « d'exécuter rapidement, où qu'ils se trouvent, Salman Rushdie et ses éditeurs » – trop souvent les éditeurs ne sont pas mentionnés –, le domaine du politique s'est encore élargi : il inclut désormais la fiction elle-même, la *fatwa* contre *Les Versets sataniques* de Salman Rushdie étant d'abord « une fatwa contre la fiction »[22]. Le XXe siècle a traqué les écrits politiques subversifs et les « outrages aux bonnes mœurs », le XXIe siècle instituera-t-il, sous la pression du pouvoir religieux, un nouveau délit, le « délit de littérature » (Christian Salmon), donnant ainsi naissance, à n'en pas douter, à des formes originales d'écritures politiques ?

22. Christian Salmon, *Tombeau de la fiction*, Denoël, Paris, 1999, p. 20.

Chapitre IX
Les tentations de la censure d'hier à aujourd'hui

Si la France n'a pas connu la douloureuse expérience des totalitarismes, du fascisme et des dictatures militaires, hormis la sinistre époque de Vichy, sa réputation de patrie des droits de l'homme et du citoyen ne lui a pourtant pas épargné les ciseaux castrateurs d'Anastasie[1] ni la chape de plomb de la censure césarienne sous le Premier et le Second Empire[2]. L'interdiction de *La Question* d'Henri Alleg en 1958 demeure dans toutes les mémoires, celle de *La Religieuse*, le film de Jacques Rivette, en 1966 également, et l'on n'a peut-être pas oublié qu'en 1987 les attendus du tribunal de Tarbes condamnant *L'Os de Dionysos* de Christian Laborde semblaient tout droit sortis du XVIIIe siècle, ce qui renvoyait à l'hystérie qui, en 1970, avait accompagné la publication *d'Éden, Éden, Éden* de

1. Anastasie, depuis la publication d'un célèbre dessin de Gill la représentant armée de ses ciseaux, est le symbole de la censure.

2. Pour le détail de cette censure policière, *cf.* Jean-Yves Mollier, *Louis Hachette…*, *op. cit.*, 2e partie.

Pierre Guyotat.[3] Tentation permanente pour les régimes autoritaires, mais obligée de se réfugier derrière le paravent des lois, décrets et arrêtés en démocratie puisque la censure a priori, la seule à relever de sa définition stricte aux yeux des juristes[4], en est absente, elle a pris depuis 1789 de multiples visages. On les évoquera ici afin de mieux faire comprendre l'étrange apparition – une divine surprise pour certains sans aucun doute – du groupe Media-Participations dans le ciel français au milieu des années 1980. Emmené au pas de charge par Rémy Montagne, le « tombeur » de Pierre Mendès France en 1958 et l'ancien secrétaire d'État à l'Action sociale de Raymond Barre, ce petit empire éditorial allait s'installer sur le territoire de la bande dessinée et y faire régner une morale rappelant les délices inquisitoriaux de feu l'abbé Bethléem lorsqu'il déchirait les revues et magazines suggestifs dans les kiosques de la capitale des années 1920.[5]

Toutefois, l'histoire proprement nationale de la France, soumise à un régime d'encadrement administratif sévère des professions du livre, du 5 février 1810 au 10 septembre 1870, a joué un rôle important que l'on ne saurait occulter, tant il a habitué les professionnels de ce secteur à prévenir les désirs du pouvoir pour éviter tout risque d'être condamné par les tribunaux. Très différente en cela de l'histoire anglaise, où les victoires précoces de l'*habeas corpus* ont servi de bouclier aux éditeurs locaux, elle ressemble davantage à celle des pays du bassin méditerranéen qui, tous, eurent à souffrir de la tutelle de l'Église catholique romaine et des foudres de son *Index librorum prohibitorum*, dont l'année 1864 fut une sorte d'apogée, consécutif à la publication du *Syllabus* condamnant les erreurs du monde moderne.[6] La Belle Époque ne fut pas

3. Pascal Ory (sous la direction de), *La Censure en France*, Complexe, Bruxelles, 1997, et Martine Poulain, « La censure », *in* Pascal Fouché (sous la direction de), *L'Édition française depuis 1945*, *op. cit.*, p. 555-593.

4. Maxime Dury, *La Censure. La prédication silencieuse*, Publisud, Paris, 1995.

5. Jean-Yves Mollier, « Aux origines de la loi du 16 juillet 1949, la croisade de l'abbé Bethléem contre les illustrés étrangers », *in* Thierry Crépin et Thierry Groensteen (sous la direction de), « *On tue à chaque page !* » *La loi de 1949 sur les publications destinées à la jeunesse*, Éditions du Temps, Paris, 1999, p. 17-33.

6. Claude Savart, *Les Catholiques en France : le témoignage du livre religieux*, Beauchesne, Paris, 1985.

préservée par son anticléricalisme des dangers d'une chasse aux sorcières, l'écrivain Louis Després payant de sa vie son incarcération à Sainte-Pélagie en 1884[7], et l'inculpation de Lucien Descaves, lors de la mise en vente de *Sous-Offs* en 1889, offrant aux intellectuels la première occasion de manifester collectivement leur refus de se soumettre à la raison d'État.[8] La Grande Guerre vit le rétablissement de la censure militaire, comme la suivante, mais l'anticommunisme avait tenté, dans les années 1920, d'aboutir à l'interdiction du quotidien *L'Humanité*. La quatrième et la cinquième République s'acharnèrent contre les militants anticolonialistes et tiers-mondistes avant que, dans les années 1980, la censure ne se fît plus subtile, mais non moins insidieuse, le contrôle des médias et des maisons d'édition jugées sensibles servant alors de relais aux héritiers des inquisiteurs du temps jadis.

Le refus français du marché et de ses règles

La liberté fut introduite de fait dans la législation française par l'irruption de la Révolution, en juillet 1789, et les premières assemblées reconnurent la liberté d'expression et de publication comme un droit fondamental du citoyen. Toutefois, l'entrée en guerre contre l'Europe coalisée, en 1792, et la Terreur, en 1793-1794, limitèrent singulièrement l'exercice de cette faculté nouvelle. Le Directoire fut plus souple, mais le Consulat et surtout l'Empire rétablirent pratiquement l'ancien système de contrôle des écrits. Le décret du 5 février 1810, maintenu pratiquement sans changement jusqu'à son abolition, le 10 septembre 1870, limita le nombre d'imprimeurs et celui des éditeurs et imposa à ces deux professions l'obligation de posséder un brevet délivré par le ministère de l'Intérieur et celle de prêter serment de fidélité et d'obéissance au souverain et à la Constitution, ce qui ne devait pas faciliter l'éclosion de livres subversifs.[9] La censure fut officiellement abolie dans la presse en 1830, mais elle subsista dans le domaine des

7. Jean-Yves Mollier, «La survie de la censure d'État (1881-1949)», *La Censure en France, op. cit.*, p. 77-87.

8. Alain Pagès, *Émile Zola, un intellectuel dans l'affaire Dreyfus*, Librairie Séguier, Paris, 1991.

9. Roger Chartier et Henri-Jean Martin (sous la direction de), *Histoire de l'édition française, op. cit.*, tomes II et III, pour le cadre général.

spectacles jusqu'en 1906[10], et les imprimeurs furent tenus à l'obligation de déclarer préalablement leur intention de mettre un manuscrit en fabrication jusqu'au vote de la grande loi libérale du 29 juillet 1881. Incontestablement, des habitudes furent acquises, pendant cette période, qui aboutirent à réduire le nombre d'éditeurs républicains à quelques unités – les Pagnerre, Hetzel, Larousse, Lachâtre – et celui des professionnels courageux encore plus. Les lois de 1849 et de 1852 sur le colportage visèrent à réprimer la circulation des brochures, des images, gravures, chansons et livres dans les campagnes, et cette législation draconienne s'imposa sur le réseau ferroviaire à partir de 1853.[11]

Sans entrer dans le détail, on rappellera les procès retentissants intentés à Baudelaire et à Flaubert en 1857, la condamnation du premier et les avertissements adressés au second par le procureur Pinard, mais surtout les conditions de publication des récits de la comtesse de Ségur dans la « Bibliothèque rose illustrée ». Dans la mesure où cette série de volumes était destinée au marché des bibliothèques de gare, chaque exemplaire devait être estampillé par la police après que la commission du colportage avait consenti à son exploitation. Comme si cette surveillance tatillonne ne suffisait pas, les propriétaires des compagnies de chemins de fer se réservaient le droit de lire les manuscrits avant d'autoriser Louis Hachette à en garnir les étagères de ses kiosques de gare.[12] Le ton moralisateur des récits de Sophie Rostopchine lui appartient sans doute en propre, mais l'effroyable chape de plomb qui pesait sur les esprits au début du second Empire n'encourageait ni les écrivains ni les éditeurs à pratiquer la licence ou à s'émanciper sur le terrain de la morale et de la politique, l'Église faisant au besoin entendre sa voix pour punir les hétérodoxes. Renan put vendre sa *Vie de Jésus* en librairie en 1863, dans la version chère à 7,50 francs, mais son *Jésus* abrégé à 1,25 franc de 1864 fut interdit de colportage, comme d'ailleurs la *Vie de Jésus illustrée* de 1869.[13] Une

10. Odile Krakovitch, *Hugo censuré : la liberté au théâtre au dix-neuvième siècle*, Calmann-Lévy, Paris, 1985.

11. Jean-Yves Mollier, *Louis Hachette…*, *op. cit.*, 3e partie.

12. *Ibidem.*

13. Jean-Yves Mollier, *Michel et Calmann Lévy ou la naissance de l'édition moderne (1836-1891)*, Calmann-Lévy, Paris, 1984.

hypocrisie sociale à la vie longue se mettait en place, consistant à fermer les yeux sur les lectures hardies du public cultivé, pour tout dire bourgeois, tandis que la répression s'abattait sur le plus grand nombre et ces foules que le siècle craignit au point de les médicaliser sous le regard de Taine et des psychiatres.[14]

Jusque très tard dans la seconde moitié du XXe siècle, les fonctionnaires de la préfecture de police de Paris se montreront peu zélés à l'encontre des libraires d'*erotica* luxueux mais impitoyables envers les *erotic books* commercialisés à bon marché par Maurice Girodias, l'éditeur de Henri Miller.[15] De même, les juges d'instruction et les procureurs chargés de faire appliquer la loi du 16 juillet 1949 sur la protection de la jeunesse admettront volontiers des exceptions pour les grands auteurs libertins, Apollinaire ou Aragon, mais aucune pour le tout-venant des mortels. Étudiant le procès intenté à Boris Vian pour la publication de *J'irai cracher sur vos tombes* en 1950, Martine Poulain cite ces propos révélateurs du substitut en plein prétoire : « Qu'on réédite, je le dis encore au risque de choquer, les œuvres de Gide, sur vélin, avec des estampes gravées sur cuivre [il fait allusion à *Corydon*, le livre où l'écrivain traite de l'homosexualité], ou le *Gamiani* de Musset, sur papier couché à 20 000 francs l'exemplaire, le mal n'est pas grand, il n'est pas profond, l'ouvrage ne risque guère de troubler l'âme de quelques bibliophiles avertis qui achèteront ces ouvrages. Mais le roman noir, mais *J'irai cracher sur vos tombes*, mais *Les Morts ont tous la même peau* tirent à 50 000 exemplaires, ces ouvrages se vendent 165 francs, le prix du paquet de cigarettes américaines, ils s'étalent à toutes les devantures, dans tous les kiosques, jusque dans les campagnes les plus lointaines. »[16] Tout était dit dans ce réquisitoire pétri de bonne conscience naïve : de même que Voltaire pouvait clamer, portes fermées, à ses domestiques son athéisme, ou Napoléon III lire la destinée d'un Jésus dédivinisé, les représentants éduqués des classes aisées de 1950 pourraient conti-

14. Jean-Yves Mollier, « Les foules au XIXe siècle », *Revue d'histoire du dix-neuvième siècle*, n° 17/1998-2, p. 9-14.

15. Maurice Girodias, *Une journée sur la terre* et *Les Jardins d'Éros*, tomes I et II de ses mémoires, La Différence, Paris, 1990.

16. Martine Poulain, « La censure », article cité, p. 563.

nuer à se délecter en feuilletant les pages du *Con d'Irène*, de *Corydon* ou de *Gamiani* magnifiquement illustrés, mais ce privilège ne serait pas étendu aux masses industrieuses des faubourgs.

La troisième République

La chute du second Empire aurait dû coïncider avec une ouverture totale aux règles du marché, ce que la loi du 29 juillet 1881 sous-entendait. Toutefois le nouveau régime se montra très dur envers ses opposants les plus résolus, les anarchistes d'abord, les communistes ensuite, et il usa et abusa des lois réprimant l'outrage aux bonnes mœurs pour intervenir en matière littéraire ou dans le domaine de la caricature. Les lois scélérates votées entre décembre 1893 et juillet 1894 visaient d'abord à réprimer la «propagande par le fait», chère aux compagnons libertaires. Elles obtinrent le résultat escompté en matière criminelle puisque les attentats cessèrent après l'exécution de Caserio, mais elles entraînèrent la suppression ou l'arrêt de la littérature anarchiste, ce qui était moins libéral. *Le Père Peinard* d'Émile Pouget et *La Révolte* de Jean Grave disparurent, et des écrivains tels que Félix Fénéon furent confondus avec des voleurs patentés dans le procès des Trente parce que l'amalgame servait les visées du pouvoir.[17] Laurent Tailhade écopa, lui, de quatre années d'emprisonnement pour avoir salué, fin 1901, la visite de Nicolas II à Paris en ces termes: «Les tueurs de rois ont-ils disparu?», ce qui, en Angleterre, n'eût pas suffi à le faire condamner.[18] Outre les anarchistes, les antimilitaristes et les syndicalistes révolutionnaires eurent souvent à souffrir de cette censure qui n'osait dire son nom et, en 1923-1929, ce furent les communistes de la SFIC qui connurent tribunaux et prisons. Le refus de l'occupation de la Ruhr, puis celui de la guerre du Rif fournirent les premières charrettes. Il est vrai que *L'Avant-Garde* avait ouvert le «concours des gueules de vaches» qui consistait à dénoncer nommément «les brutes galonnées» qui sévissaient dans les casernes en les menaçant des foudres de la justice populaire. Enfin, en 1929, André Tardieu tenta de

17. Jean-Yves Mollier, «La survie de la censure d'État (1881-1949)», article cité, p. 80.

18. *Ibidem*.

faire disparaître *L'Humanité* en s'en prenant à son bailleur de fonds, la Banque ouvrière et paysanne.[19]

Sur le terrain de la morale, les procès contre les écrivains furent plus rares après 1870, mais on enregistra quatorze poursuites entre 1880 et 1910; *Autour d'un clocher. Mœurs rurales*, *Charlot s'amuse*, *Chair molle* et *Sous-Offs* provoquant la colère des magistrats instructeurs. Plus insidieusement d'ailleurs, ils s'en prirent davantage à la presse qu'à la librairie en intentant soixante-quinze procès à des écrivains dans la même période.[20] À la limite, le même livre circulait sans encombres sur le réseau traditionnel mais sa republication dans un périodique entraînait la riposte du parquet[21] qui, une nouvelle fois, refusait au plus grand nombre ce qu'il concédait aux élites lettrées. Après 1919, c'est l'action engagée par l'abbé Bethléem contre les journaux illustrés et les publications pornographiques qui retint l'attention, les surréalistes cherchant à boxer «l'ecclésiastique constipé», comme ils le nommaient[22]. Auteur d'un retentissant *Romans à lire et romans à proscrire* en 1904 – 140000 exemplaires vendus en 1932 –, le prêtre, qui se voulait la conscience de l'Église, rédigeait également un périodique, *Romans-revue*, et celui-ci concernait aussi bien les romans que les pièces de théâtre, les opéras ou les films. Réclamant inlassablement l'application des lois, décrets et arrêtés en matière d'outrage aux bonnes mœurs, il appartint au Cartel d'action morale et se félicita de la publication du décret du 29 juillet 1939 qui annonçait, par bien des côtés, les débats concernant la loi du 16 juillet 1949[23], sorte de revanche posthume de cet infatigable défenseur de la famille, de la race et de la jeunesse. Antisémite, xénophobe mais également anti-allemand par souvenir de la Grande Guerre, il se situait du côté de l'Action française et appréciait Mussolini tout en ne jurant que par le Vatican, qui l'honora publiquement à plusieurs reprises de son soutien.[24]

19. *Ibidem*, p. 81.

20. *Ibidem*, p. 83.

21. Yvan Leclerc, *Crimes écrits. La littérature en procès au dix-neuvième siècle*, Plon, Paris, 1991.

22. Jean-Yves Mollier, «Aux origines de la loi de 1949...», *op. cit.*

23. *Ibidem*.

24. *Ibidem*.

L'APRÈS-GUERRE ET SES FANTASMES

À cette loi de protection de la jeunesse, on peut rattacher toute une série de procès intentés à Boris Vian, Henri Miller, Jean Genet, Pauline Réage-Dominique Aury ou Pierre Guyotat et à leurs éditeurs, les Girodias, Pauvert, Losfeld et Tchou de ces années.[25] Toutefois, c'est dans le domaine de la défense de l'Union française (ou de la Communauté française après 1958) – c'est-à-dire des pièces centrales de l'empire colonial – que la censure se déchaîna. La presse algérienne fut la première visée mais, de 1958 à 1962, *L'Humanité*, *France-Observateur*, *L'Express* et bien d'autres titres furent saisis ou contraints de supprimer les articles jugés litigieux par le pouvoir. « Censure de guerre qui ne dit pas son nom »[26] pour Benjamin Stora, cette forme d'atteinte au droit d'expression des citoyens s'acharne sur les livres-témoignages, de *La Question* d'Henri Alleg publié en 1958 au *Droit à l'insoumission* en 1962. Sur les vingt-cinq livres recensés par Benjamin Stora, quatorze concernent la seule année 1961, celle de la sanglante répression de la manifestation parisienne du 17 octobre. Les Éditions de Minuit et François Maspero sont les premiers visés. *Ratonnades à Paris* de Paulette Péju, *Les Égorgeurs* de Benoist Rey, *L'Engagement* de Maurice Maschino, *La Mort de mes frères* de Zohra Drif, *Nuremberg pour l'Algérie* mais aussi *Les Damnés* de *la terre* de Frantz Fanon ou *La Révolution algérienne par les textes* d'André Mandouze seront frappés d'interdiction et immédiatement saisis. Cela n'empêcha pas la vente de *La Question* à 150 000 exemplaires, sous le manteau, mais cela suffit probablement pour dissuader la plupart des autres éditeurs d'imiter leurs confrères mis en vedette dans ces affaires, et c'est ce que recherchait le gouvernement en évitant d'ailleurs les procès trop retentissants qui se révélaient contre-productifs.[27]

Après 1968, d'autres cas de censure de fait furent établis, Raymond Marcellin, le ministre de l'Intérieur,

25. Pour tous ces exemples, Martine Poulain, « La censure », article cité.

26. Benjamin Stora, « Une censure de guerre qui ne dit pas son nom. Algérie, années 1960 », *in* Martine Poulain et Françoise Serre (sous la direction de), *Censures. De la Bible aux larmes d'Éros*, BPI-Centre Georges-Pompidou, Paris, 1987, p. 46-55.

27. Martine Poulain, « La censure », article cité, p. 569-573.

s'acharnant à voir dans les mouvements de contestation la main de Moscou, de La Havane ou de Pékin. De nouveau, c'est François Maspero qui subit de plein fouet une répression qui frappe la revue *Tricontinental* ou les publications consacrées à la décolonisation en Afrique noire.[28] Si la disparition de sa librairie La Joie de lire résulte d'un ensemble de causes – le vol des livres notamment –, il n'empêche que l'acharnement policier a coûté cher à cet éditeur frappé par dix-sept condamnations et qui dut, en 1975, fermer les portes de la boutique où la génération soixante-huitarde avait appris à lire les révoltes de tous les humiliés de la terre. Héritier des Vercors et Pierre de Lescure par ce trait, François Maspero avait souvent reçu le soutien de sa profession, et l'on se souvient qu'en 1970 vingt-quatre éditeurs décidèrent de publier ensemble *Pour la libération du Brésil* de Carlos Marighela, initialement paru au Seuil mais interdit par le pouvoir. Toutefois, cet appui ne permit pas à La Joie de lire ni aux éditions François Maspero de continuer leur activité. Leur disparition contribua au déclin de l'édition de livres politiques après 1980.[29] Jean-Jacques Pauvert lui-même, qui avait donné de la voix pour soutenir son confrère, tenta de faire évoluer la législation sur le chapitre des mœurs mais la loi de juillet 1949 continua à être appliquée et *Les Larmes d'Éros* de Georges Bataille n'eurent pas plus de chances que *Histoire d'O* en son temps ou que *La Philosophie dans le boudoir* de Sade. Régine Deforges, Éric Losfeld et André Balland avaient été souvent frappés pour le même motif, mais d'autres éditeurs, moins engagés que ceux-ci dans la défense de toutes les libertés, eurent également à pâtir des excès de la police, de Gallimard pour Pierre Guyotat à Christian Bourgois pour Sade en « 10/18 », ou la maison Julliard pour *L'Épi monstre* de Nicolas Genka.[30]

Un nouvel ordre moral ?

On l'a vu, des combats menés par l'abbé Bethléem contre *L'Intrépide* et *L'Épatant* avant 1914 – il détestait les

28. *Ibidem*, p. 575-576.

29. Julien Hage, *Une aventure éditoriale militante. Les éditions Maspero de 1959 à 1974*, *op. cit.*

30. Voir les listes établies par Martine Poulain, « La censure », article cité, p. 586-593.

Pieds Nickelés – puis *Mickey* et *Jumbo* en 1934 – il leur préférait *Cœurs vaillants* et *Tintin* – au vote de la loi du 16 juillet 1949, une constante se dévoile qui pose le problème de la véritable protection de la jeunesse. Le climat de l'après-guerre avait pesé lourd dans l'adoption de cette disposition, car le souvenir des totalitarismes et de leurs organisations juvéniles d'un côté, le contre-exemple du laxisme américain en matière d'éducation et de représentation de la violence de l'autre, avaient fini par unir dans le même rejet le MRP catholique, qui vota la loi, et le PCF qui, finalement, s'abstint tout en ayant mené le combat pour son adoption.[31] Après 1980, dans des formes inhabituelles, on vit apparaître un successeur du fougueux censeur des mœurs en la personne d'un homme politique qui, au lendemain d'une rencontre avec Jean-Paul II, s'était senti investi d'une véritable mission : rétablir l'orthodoxie de la presse catholique française, dangereusement malade selon lui.[32] Sa discussion avec le pape, à Paris, en mai 1980, coïncidait avec la propre volonté du pontife d'accélérer ce que depuis Paul VI l'Église appelait « la seconde évangélisation », c'est-à-dire la tentative de rechristianiser les nouvelles terres de mission de l'Occident chrétien. Alors que l'édition religieuse traversait une crise grave dans les années 1970 et que le concile Vatican II s'était assez peu penché sur le sort de ce média, privilégiant radio et télévision, les responsables du Saint-Siège et les évêques français prenaient conscience, dix ans plus tard, de l'urgence à mettre au point des stratégies appropriées à la baisse d'audience de l'imprimé religieux.[33]

Rémy Montagne fut surnommé « le tombeur de Pierre Mendès France » en 1958, lorsqu'il arracha à ce dernier son siège de député de Louviers. Les mauvaises langues y virent une punition infligée par le lobby du caoutchouc à l'homme qui avait signé les accords de Genève en 1954 et fait passer les plantations d'hévéas du Vietnam sous la coupe des communistes locaux. L'opinion des détracteurs du nouvel élu n'était pas totalement dénuée de fondement

31. Jean-Yves Mollier, « La survie de la censure d'État (1881-1949) », *op. cit.*, et Thierry Crépin et Thierry Groensten (sous la direction de), « On tue à chaque page », *op. cit.*

32. Laurence Ricard, *Évolution de l'édition religieuse depuis Vatican II*, mémoire de maîtrise d'histoire sous la direction de Philippe Levillain, université Paris X-Nanterre, 1989.

33. *Ibidem* pour le contexte de l'édition religieuse française après 1965.

puisque Rémy Montagne, avocat d'affaires, était deux fois le beau-frère de François Michelin, le roi du pneumatique, dont il avait épousé la sœur et à qui il avait donné sa propre sœur pour renforcer leurs liens familiaux.[34] Père de sept enfants, ancien militant de la JEC et de l'ACJF pendant la guerre puis du jeune MRP en 1944, catholique intransigeant sur le chapitre de la foi et de la tradition, ce personnage peu connu du grand public siégea à l'Assemblée au sein de l'UDF dans les années 1970, et Raymond Barre en fit un sous-secrétaire d'État à l'Action sociale dans l'un de ses gouvernements, en 1980. Fermement opposé au vote de la loi Veil sur l'avortement en 1975, l'homme devait décider, après son retrait de la vie politique en 1981, de se lancer à l'assaut de l'édition religieuse. Officiellement fondé en juillet 1985, le groupe Ampère pour l'édition, du nom de la rue où était installée sa boîte postale, était en réalité l'émanation directe d'une holding de droit belge[35] réunissant, sous la houlette de Rémy Montagne et de ses proches, le groupe d'assurances Axa de Claude Bébéar, lui aussi connu pour ses convictions catholiques intransigeantes, la Société générale et des institutions financières lyonnaises.[36] L'édition religieuse française, atone depuis des années, entamait sa cure de jouvence et connaissait les mêmes concentrations que les autres entreprises de livres, Matra Hachette ayant montré l'exemple en 1980. Effectivement, la presse économique devait constater en 1989 que le groupe Ampère pesait déjà plus d'un milliard de francs, avec sa trentaine de sociétés, et qu'il constituait, à côté de Bayard-Presse, l'autre poids lourd de ce secteur en pleine restructuration[37].

En l'espace de quatre ans, les éditions Fleurus, Le Lombard et Dargaud, la fine fleur de la BD franco-belge, étaient passées aux mains de Rémy Montagne, qui avait repris le groupe Mame – lui-même racheté en 1971 par Dolfus-Mieg (DMC) avant d'être fusionné dans Bégédis en 1987 –, Tardy et Droguet-Ardant, c'est-à-dire trois respectables maisons d'édition nées respectivement à

34. François Camé et Sélim Nassib, «Au nom d'Ampère, de la BD et du Saint-Esprit», *Libération*, 26 janvier 1989, p. 19-22.

35. Christophe Labarde, «Le milliard d'Astérix and Co», *Le Figaro*, 23 janvier 1989, p. 11.

36. *Ibidem*.

37. Laurence Ricard, *Évolution de l'édition religieuse...*, *op. cit.*

Tours, Bourges et Limoges, ainsi que Signe de piste, Le Chalet, Gedit, Desclée[38], Le Sarment et quelques autres. Avec *Tintin*, *Pilote* et d'autres titres dans la presse et Bégédis dans la diffusion, le nouveau groupe était en mesure de se développer dans toute la francophonie mais aussi en Amérique et en Allemagne. Toutefois, ce n'est pas cet aspect que la grande presse commenta, mais bien davantage les effets immédiats de ces mouvements sur le contenu des livres et albums destinés à la jeunesse. À la veille de l'ouverture du festival d'Angoulême de 1989, des bruits circulaient, faisant état de la censure exercée à l'encontre des dessinateurs du groupe et reprenant pour partie le dossier monté par les adversaires au sein de l'Église de Rémy Montagne, les catholiques libéraux qui dénonçaient une OPA à visée idéologique plutôt que financière. En novembre 1987, *Témoignage chrétien* avait publié un article intitulé « La toile d'araignée des cathos de droite » avec une caricature représentant un kiosque à journaux dont les titres les plus apparents étaient *Travail*, *Famille*, *Patrie*.[39] Ce pamphlet – sévère, puisque Rémy Montagne a combattu le régime de Vichy et la collaboration – devait amener une riposte rapide de l'intéressé, qui n'avait pas apprécié de voir la conférence épiscopale des évêques français pousser Bayard Presse et *La Vie catholique* à s'opposer aux velléités de son groupe de s'emparer de *Perlin*, *Fripounet* et *Triolo*, trois titres de Fleurus Presse.[40] Dans la lettre qu'il rédigea à l'intention des évêques, le 3 décembre 1987, Rémy Montagne défendait la politique de son groupe, balayait les accusations venues de toutes parts et réaffirmait son engagement chrétien placé sous la direction spirituelle de Jean-Paul II : « Dieu, l'Église, la Famille, les valeurs chrétiennes », telles étaient ses options fondamentales.[41]

38. La société Bégédis – à l'origine les Éditions du Chalet – comprenait Desclée, Bloud et Gay, Gamma, les Éditions universitaires, et était elle-même contrôlée par la holding belge Gedit. *Cf.* Michèle Piquard, *L'Édition pour la jeunesse en France de 1945 à 1980 : stratégies et discours des éditeurs*, thèse de doctorat en sciences de la communication et de l'information de l'université de Paris III, 2000, tome I, p. 168.

39. Marie-Josée Hazard, « Presse : la toile d'araignée des cathos de droite », *Témoignage chrétien*, 23 novembre 1987, et « Les argentiers de Dieu, main basse sur les médias », *Le Rêve de Compostelle vers la restauration d'une Europe chrétienne*, Centurion, Paris, 1989, chapitre 6.

40. François Camé et Sélim Nassib, « Au nom d'Ampère, de la BD et du Saint-Esprit », article cité.

41. *Ibidem.*

Au-delà de ces polémiques, qui sont retombées depuis la mort de l'homme politique, en janvier 1991, le groupe Media-Participations a refait parler de lui au début de l'année 1994 lorsqu'il s'est séparé de la quasi-totalité de l'état-major mis en place au groupe Fleurus-Mame.[42] Celui-ci payait sans doute la coédition avec Plon de l'encyclique papale *Splendeur de la vérité* et du *Catéchisme* de l'Église catholique, et ses mauvais résultats financiers, mais les partants dénoncèrent la volonté *militante*, *ultramontaine*, *croisée* du groupe pour expliquer leur renvoi.[43] Comme preuve, ils citaient l'obligation qui leur avait été signifiée de pilonner un livre publié à l'intention des jeunes, *Le Sida, ça nous regarde*, parce qu'il contenait des conseils pour utiliser les préservatifs[44] ou renvoyaient à la lecture édifiante d'autres revues du groupe. Moins offensif après 1994, mais de retour sur le devant de la scène en 2000[45], Media-Participations est né dans une phase d'offensive guerrière de secteurs politiques qui souhaitaient freiner certaines évolutions, voire s'y opposer. Trop brutale et spectaculaire pour s'imposer rapidement dans un pays où tout ce qui touche à la censure est immédiatement commenté, cette stratégie a eu le mérite, si l'on peut dire, de révéler l'existence d'alliances étroites entre représentants du pouvoir politique, économique et financier prêts à perdre de l'argent – ils l'affirmèrent nettement aux dessinateurs du Lombard[46] – pour faire triompher leurs idéaux ou leurs valeurs. C'était rappeler que, si la finalité économique des médias et du livre demeure une de leurs constantes, elle n'est nullement exclusive de motivations plus complexes. On rejoint ici le constat dressé par André Schiffrin pour les États-Unis : quand Harper Collins décide d'avancer 4,5 millions de dollars à Newt Gingrich,

42. Henri Tincq, « Le groupe Mame se sépare de son état-major », *Le Monde*, 25 janvier 1994.

43. *Ibidem*.

44. *Ibidem*.

45. Les éditions Fleurus-Mame ont en effet convaincu le principal éditeur catholique français, les éditions du Cerf, de s'allier avec elles pour créer la société DLR (Diffusion du livre religieux). L'alliance des dominicains libéraux avec les conservateurs du groupe Ampère, en juin 2000, a surpris les milieux de l'édition et le groupe Bayard Presse, plus proche a priori des idéaux du Cerf.

46. François Camé et Sélim Nassib, « Au nom d'Ampère, de la BD et du Saint-Esprit », article cité.

le *speaker* républicain de la Chambre des représentants à Washington, c'est évidemment pour faire progresser les intérêts de son propriétaire, Rupert Murdoch, en matière de télévision[47], mais il s'agit également de privilégier une idéologie au détriment d'une autre ou un camp politique plutôt que son concurrent[48].

Les soubresauts de la censure

Les motivations de la censure de fait, la plus redoutable de toutes, évoluent donc avec le temps mais les pouvoirs, quels qu'ils soient, maintiennent une vigilance qui limite la liberté d'expression. Parmi les affaires récentes, on évoquera le retrait de la vente de *L'Armée face à la démocratie : l'affaire du lycée militaire d'Aix*, de Rémi Darne, en 1990, parce que ce fait divers mettait en cause deux institutions, l'armée et l'université.[49] La décision des éditions Calmann-Lévy, en août 1998, de renoncer à publier une biographie de François Pinault pose un problème beaucoup plus grave. Comme le révéla le journal *Le Monde*, ce qui se cachait derrière ce repli frileux de la part d'une maison d'édition appartenant au groupe Hachette, c'était le refus d'irriter le propriétaire du *Point* et de la FNAC, l'un des géants de la distribution en France.[50] Quoi qu'en ait dit Olivier Nora, l'abandon d'un projet éditorial aussi sulfureux dépassait de très loin le seul problème des relations d'un auteur avec son médiateur. Pas plus que Marcel Dassault n'avait apprécié d'être biographié par Pierre Assouline en 1983, le patron du groupe Printemps-Redoute ne voulait voir le grand public s'intéresser à la constitution de son empire financier. D'autres affaires ont défrayé la chronique, celle des souvenirs du médecin de François Mitterrand, le docteur Gubler, en 1994, celle d'Alain Delon obtenant, fait rarissime, l'interdiction de rédiger un livre sur la seule base d'un synopsis jugé

47. André Schiffrin, *L'Édition sans éditeurs*, *op. cit.*, p. 76.

48. L'avance n'étant jamais remboursable par l'auteur à son éditeur, Newt Gingrich a fait l'objet, dans ce cas d'espèce, d'un véritable pont d'or : 25 millions de francs, soit 4 millions d'euros !

49. Rémy Darne s'était vu reprocher par son université d'avoir fait publier, à ses frais, son mémoire de DEA avant soutenance. L'argutie juridique était évidente, ce que la presse de mars-avril 1990 commenta largement, du *Monde* à *L'Humanité* en passant par *Libération*.

50. Voir, sur ce point, *Le Monde* des 9-10 août 1998.

infamant ou encore celle du *Journal* de Renaud Camus en 2000.

Dans tous ces cas, ce qui transparaît, c'est la faiblesse de la réaction du système éditorial, apparemment tétanisé par l'importance des risques financiers qu'il encourt. Cela ramène à la période la plus sombre de son histoire, l'Occupation, et à l'acceptation de se soumettre aux exigences des nazis. Pascal Fouché en a dressé la chronique minutieuse[51] : si les listes Bernhard et Otto furent aussi aisément acceptées par les professionnels, si Jacques Schiffrin fut sacrifié par les éditions Gallimard dès août 1940, si Calmann-Lévy, Ferenczi, Gedalge et Nathan furent aryanisés, c'est que l'habitude de se plier, bon gré mal gré, aux exigences des pouvoirs, de tous les pouvoirs, s'était enkystée depuis longtemps dans la corporation.

La légende noire de l'édition ne doit pas cacher sa face dorée et le sursaut unanime de la profession pour faire éditer Salman Rushdie et ses *Versets sataniques* ostracisés par des fondamentalistes haineux, mais les deux faces de la médaille doivent être embrassées dans le même regard si l'on veut éviter tout jugement réducteur. Profession difficile, fragile économiquement, l'édition est soumise en permanence à la surveillance de tous les censeurs. Ceux qui possèdent le pouvoir économique apparaissent clairement aujourd'hui comme les plus redoutables. C'est ce qui avait conduit André Schiffrin à quitter le groupe Pantheon Books. En 2000, c'est ce qui a amené Basilio Baltasar, un des meilleurs professionnels espagnols, à claquer la porte des éditions Seix Barral parce qu'il considère que le groupe Planeta – propriétaire de la maison d'édition qui révéla Mario Vargas Llosa, Carlos Fuentes et tant d'autres écrivains sud-américains – fait courir un risque identique à son entreprise.[52] Qu'ils soient d'essence politique, religieuse, économique, financière ou morale, les censeurs visent tous à réprimer le droit pour chaque citoyen de se former sa propre opinion sur la base d'une information large, diversifiée et même contradictoire. De Hetzel, réfugié en Belgique en 1852, aux Éditions de Minuit de la Résistance, à Jérôme Lindon et François

51. Pascal Fouché, *L'Édition française sous l'Occupation*, Bibliothèque de littérature française contemporaine de l'université Paris VII, 1987, 2 volumes.

52. Voir *L'Humanité* du 11 mai 1999, *Le Monde* du lendemain et *Libération* du surlendemain sur cette affaire.

Maspero pendant la guerre d'Algérie, des hommes et des entreprises ont su défendre ce privilège, mais rien ne dit qu'aux États-Unis[53] comme en Europe il demeurera à l'avenir des contre-pouvoirs aussi résolus à maintenir cette exigence dans un monde où, selon André Schiffrin, les ruses de la raison économique se révèlent soudainement plus redoutables que celles de ses sœurs du passé. Il appartient, en ce domaine comme en bien d'autres, à ceux qui n'acceptent pas de se soumettre, de préparer les moyens de résister à ces diktats. L'internet peut être l'un d'eux, comme un Observatoire international de la censure, le Parlement des écrivains ou tout autre support d'une veille civique, encore plus indispensable aujourd'hui qu'hier.

53. André Schiffrin, *L'Édition sans éditeurs*, *op. cit.*

Troisième partie

Les acteurs du livre

Chapitre X

Du côté des lecteurs et des pratiques de lecture[1]

« Je continue à faire semblant de ne pas être aveugle, je continue à acheter des livres, à en emplir ma maison. »[2] Présence rassurante, nécessité dépourvue de toute utilité pratique, les livres représentent pour Borges les signes constituants d'une existence. Pour les initiés qui se targuent de savoir les décrypter, les livres recèlent les clefs de la sagesse, les trésors des rois, révélés par une lecture érudite qui ne renie certes pas le plaisir, mais associe détente et étude dans un mouvement dialectique : le plaisir de lire devient la voie de la sagesse, et le savoir puisé dans les pages d'un livre, une condition de plaisir de la lecture ; sont ainsi rejointes les définitions classiques de la *skolé* et du *studium*, ces formes grecque et latine du loisir studieux, aux antipodes de la paresse. Or, cette forme de lecture aristocratique, ultime survivance des idéaux humanistes, se heurte aux conséquences de la diffusion de la lecture sur

1. Je remercie vivement Christian Baudelot et Marie Cartier d'avoir lu, discuté et corrigé ce texte.

2. Luis Jorge Borges, « Le livre comme mythe », *Le Débat*, Gallimard, novembre 1982, n° 22, p. 118-126.

les manières de lire et le choix des textes lus. Robert Escarpit[3] distinguait ainsi trois niveaux de diffusion de la culture : la culture cléricale et initiatique, la culture démocratique et élitaire (celle des bourgeois intellectuels et humanistes) et, enfin, la culture laïque et de masse. Mais cette diffusion ne va pas de soi, puisqu'elle brasse à la fois des enjeux culturels, symboliques mais également politiques et économiques.

La diffusion de l'alphabétisation, de l'instruction et de la lecture a ainsi suscité dès le XIXe siècle de virulentes polémiques[4] : fer de lance de la République, la lecture pour tous est cependant perçue comme un danger par ses détracteurs, comme le montrent les représentations défensives et les dénonciations des mauvaises lectures par l'Église, puis par les lettrés, qui réagissent violemment au nom de l'aspect symbolique du livre. La diffusion de l'éducation va en effet mettre le livre et la lecture à la portée de tout un chacun, et la restructuration et la modernisation du secteur de l'édition permettre concrètement de suivre l'évolution de ce nouveau public potentiel riche en promesses. Mais les complaintes quant à la pléthore de livres et de lecteurs ne tardent pas à laisser place aux alarmes, inspirées par l'échec scolaire et la poche irréductible d'illettrisme : si les compétences nécessaires à la lecture, entendue comme capacité de déchiffrage, devraient théoriquement être partagées par tous, la lecture effective est cependant loin d'être une pratique universellement distribuée. Qu'en est-il exactement ?[5]

3. Robert Escarpit, *Le littéraire et le social*, IRTAM, Flammarion, Paris, 1970.

4. Anne-Marie Chartier et Jean Hébrard, *Discours sur la lecture (1880-2000)*, Bibliothèque publique d'information-centre Georges-Pompidou/Fayard, Paris, 2000.

5. Pour un examen exhaustif et précis des diverses enquêtes menées sur la lecture, nous renvoyons à l'ouvrage de Nicole Robine, *Lire des livres en France des années 1930 à 2000*, *op cit.* Elle y propose à la fois un panorama historique de la recherche sur la lecture, distinguant « le temps des précurseurs » (fin du XIXe siècle à 1954), « le temps des luttes sociales et de l'éducation populaire » (1955-1973), « le temps des médias et de la culture pour tous » (1974-1998), et enfin « le temps des médiations et des évolutions » (de 1984 à 2000), mais également des parcours thématiques (évolution de la lecture de livre, évolution des usages et des goûts) et critiques (pointant les conclusions, limites et apports des enquêtes), ainsi qu'une présentation détaillée en annexe de cinquante enquêtes.

LA FRANCE LIT PLUS, LES FRANÇAIS LISENT MOINS

Les résultats de l'enquête de l'INSEE de 1987, ceux des *Pratiques culturelles des Français* en 1989, puis en 1997[6] convergent pour aboutir à ce constat général: les Français sont plus nombreux à lire, mais ils lisent moins. Comme le montrent les données des *Pratiques culturelles 1997*, le livre est désormais présent dans presque tous les foyers français: 63 % des Français ont acheté au moins un livre au cours de l'année, et 9 % des Français ont déclaré ne posséder aucun livre chez eux, contre 13 % en 1989 et 27 % en 1973. La progression des inscriptions en bibliothèque ou médiathèque, qui passent de 17 % des Français en 1989 à 21 % en 1997, est également un signe de cette implantation du livre. La lecture s'est donc bien généralisée, et la démocratisation et l'allongement de la scolarité ont donné accès à la lecture à des catégories entières de la population qui s'en trouvaient exclues.

Mais, paradoxalement, d'autres données concomitantes[7] viennent assombrir ce tableau: un quart des Français (autant qu'en 1989, à peine moins qu'en 1973 où ils étaient 30 %) déclarent ne pas avoir lu de livres au cours de l'année. Par ailleurs, la quantité de livres lus continue à fléchir: toujours selon cette enquête, la quantité moyenne de livres lus au cours des douze derniers mois est en 1997 de 21 par an, contre 23 en 1989. Encore faut-il préciser qu'il s'agit là d'une moyenne calculée sur le nombre de personnes ayant fourni une réponse à la question, chiffre se trouvant par ce biais surévalué, mais gardant son sens dans une perspective comparative entre l'enquête de 1989 et celle de 1997. Le noyau des forts lecteurs de livres ne cesse de s'effriter, tandis que la proportion des faibles lecteurs, elle, augmente: 14 % des Français déclarent en 1997 avoir lu 25 livres et plus au cours de l'année, contre 17 % en 1989 et 22 % en 1973. Inversement, 24 % des Français en 1973, 28 % en 1981, 32 % en 1989 et enfin 35 % en 1997 déclarent avoir lu entre 1 et 9 livres dans l'année: la proportion des non-lecteurs n'ayant pas dimi-

6. Olivier Donnat, *Les Pratiques culturelles des Français. Enquête 1997*, La Documentation française, Paris, 1998.

7. *Ibidem.*

nué, il s'agit bien là d'un transfert des catégories plus lectrices vers des pratiques moins intensives.

Des décrochages s'observent ainsi, même au sein des catégories habituellement réputées comme fortes lectrices : les diplômés, les étudiants et les jeunes, qu'il s'agisse des garçons ou, fait nouveau, des filles. La lecture en général, et celle de fiction en particulier, est cependant plus que jamais un acte bien féminin : les femmes lisent plus que les hommes, et même si la baisse ne les épargne pas, elle est plus sensible chez les hommes, renforçant ainsi la féminisation du lectorat : 30 % des hommes n'ont lu aucun livre au cours de l'année, contre 24 % des femmes.[8]

Les disparités sociales associées à la lecture de livres semblent également se creuser. En effet, l'érosion de la forte lecture de livres touche toutes les catégories, mais elle concerne davantage les milieux d'artisans, de commerçants, de chefs d'entreprise (où la proportion de forts lecteurs de livres passe de 12 % à 6 %), les milieux ouvriers (où elle passe de 13 % à 6 %) que les cadres et professions intellectuelles supérieures (où l'on passe de 32 % à 30 %), les professions intermédiaires (les forts lecteurs étaient 22 % en 1989. Ils sont 19 % en 1997) et les employés (16 % puis 15 %).

La lecture de livres montre donc un fléchissement général, non pas tant qu'une partie des Français aurait cessé de lire des livres, mais parce que le fait d'en lire beaucoup devient de moins en moins fréquent. Par ailleurs, l'usage du livre semble devenir de plus en plus utilitaire : la lecture de fiction recule, alors que celle d'un ouvrage pouvant s'avérer utile professionnellement concernait 20 % des Français en 1989, contre 27 % en 1997.

Plusieurs explications ont été avancées, qui se combinent pour expliquer cette érosion des pratiques en général, et de celles des jeunes en particulier.[9] Le livre souffre auprès des étudiants du « photocopillage » de chapitres ou d'ouvrages entiers (même si lire des photocopies, c'est encore lire...). Par ailleurs, la lecture de livres a sans nul doute perdu de son prestige symbolique, et les gens ne

8. *Ibidem.*

9. Françoise Dumontier, François de Singly, Claude Thélot, « La lecture moins attractive qu'il y a vingt ans », *Économie et statistiques*, n° 233, juin 1990. Gérard Mauger, « La lecture en baisse, quatre hypothèses », *Sociétés contemporaines*, n° 11-12, p. 221-226.

surestiment plus cette pratique comme cela pouvait être le cas auparavant. Elle est concurrencée par les autres loisirs audiovisuels et elle n'aurait plus de place dans la culture juvénile, ni dans notre société soumise à la culture scientifique et technologique, régie par les valeurs de vitesse et de rentabilité. La lecture serait plus que jamais associée à l'univers scolaire, et même là, sa rentabilité serait en péril. Enfin, cette désaffection révélerait l'échec des idéaux de démocratisation du système scolaire et l'inadaptation de ce dernier aux réalités du public qu'il accueille dans les murs de ses établissements. C'est en effet à un véritable effet de génération, et à une mutation profonde du rapport au livre que l'on assiste : selon *Les Pratiques culturelles des Français*, 39 % des jeunes de 15 à 19 ans déclaraient avoir lu 25 livres et plus en 1973. Ils n'étaient plus que 23 % en 1988, et sont 24 % à déclarer avoir lu 20 livres ou plus en 1997.

Les jeunes lisent peu, et de moins en moins

Une enquête longitudinale menée auprès d'une cohorte de 1 200 adolescents durant quatre ans permet de mieux préciser et comprendre cette évolution des pratiques chez les jeunes.[10] La lecture de livres est en effet loin d'occuper la première place dans leurs loisirs, même si elle se maintient, en étant pratiquée par un petit tiers des adolescents pour les livres, et par la moitié en ce qui concerne les magazines. À cet âge, dans l'élaboration de la personnalité, le groupe des pairs et les valeurs de sociabilité l'emportent sur la lecture, mais aussi sur les autres loisirs comme la pratique sportive : 75,4 % la première année, 81,8 % trois ans plus tard déclarent avoir vu des amis durant le week-end. La télévision, omniprésente[11], est cependant jugée par ces adolescents comme une activité passive, un ersatz : si elle est souvent allumée, c'est fréquemment davantage par facilité et oisiveté que par réel choix, au contraire de la musique, qui suscite de véritables passions. L'écrit, et plus particulièrement le livre, souvent synonyme de solitude et d'intimité, sont ainsi soumis à

10. Christian Baudelot, Marie Cartier, Christine Détrez, *Et pourtant ils lisent*, *op. cit.*

11. 75,7 % des adolescents la première année, 79,5 % trois ans plus tard ont regardé la TV durant le week-end.

rude concurrence dans les activités de loisirs des adolescents, tournées davantage vers l'autre et l'extérieur.

L'étude des liens et corrélations entretenus entre la lecture et les autres loisirs permet cependant de mettre fin à certaines idées reçues[12] : les rivaux de la lecture les plus « dangereux » ne sont pas ceux que l'on stigmatise habituellement, et qui font désormais partie de l'environnement culturel quotidien de l'adolescent, comme la télévision, les jeux vidéo ou la lecture de bandes dessinées. Celle-ci, souvent présentée comme une lecture au rabais qui détournerait les enfants des livres, lui est au contraire positivement corrélée : si 30 % des adolescents disent avoir lu un livre durant le week-end, 50 % des adolescents ayant lu une bande dessinée ont également lu un livre, tant la pratique de l'écrit est cumulative, et non exclusive. Ce sont au contraire les activités tournées vers l'extérieur, en prise directe avec la sociabilité, qui s'inscrivent en répulsion de la lecture. Ainsi des soirées dansantes, dont le goût croît avec l'âge. Au contraire, légitimité culturelle oblige, les adolescents fréquentant les musées ou les théâtres sont proportionnellement plus nombreux à déclarer avoir lu que l'ensemble des adolescents.

Les influences des médias audiovisuels, qui fédèrent le quotidien de ces adolescents jusqu'à devenir les pôles privilégiés de conversation et d'échanges amicaux, sont certes indiscutables, mais plus subtiles et plus profondes que le simple choix entre la télécommande du poste, celle de la chaîne et un livre pour occuper une quelconque plage horaire.[13] Les médias audiovisuels, plutôt qu'à une concurrence directe avec la lecture, ont sans doute participé à une refonte de la notion de culture, et à l'évolution du statut symbolique du livre : si la découverte d'un exemplaire de *François le Champi* permettait au narrateur de Proust de retrouver le temps perdu, quelques notes d'un générique ou d'une rengaine ont désormais ce pouvoir évocateur, tant la mémoire collective est maintenant mâtinée certes de quelques livres étudiés par tous sur les

12. Christian Baudelot, Marie Cartier, Christine Détrez, *Et pourtant ils lisent*, *op. cit. Cf.* aussi Christine Chambaz, « Les loisirs des jeunes en dehors du lycée et du collège », *Économie et statistiques*, n° 293, 1996, et Roger Establet, Georges Felouzis, *Livre et télévision : concurrence ou interaction ?*, PUF, Paris, 1992.

13. Olivier Donnat, *Les Français face à la culture, de l'exclusion à l'eclectisme*, La Découverte, Paris, 1994.

bancs de l'école mais aussi de quelques émissions de télévision dont la retransmission suscite des exclamations nostalgiques et de quelques chansons dont les mélodies fleurissent sur toutes les lèvres et dans les compilations. Par ailleurs, les valeurs phares véhiculées par la télévision et les industries de la musique (culte du spectacle, de la jeunesse et de la modernité, rotation rapide et actualité) ne peuvent qu'influencer l'attitude des adolescents vis-à-vis de la lecture : le succès mondial des aventures de Harry Potter, jeune magicien inventé par Joanne K. Rowling et qui, en quatre livres, a été traduit en 40 langues, vendu dans 140 pays à plus de 130 millions d'exemplaires, a collectionné une cinquantaine de prix littéraires, fait la une du *Times* et occupé pendant plus de cent semaines la tête des hits parades, au point que les éditeurs, prenant ombrage de cette concurrence, demandèrent la création d'un palmarès spécial jeunesse, est l'illustration de l'efficacité de la médiatisation : la sortie du quatrième tome des aventures du jeune mage[14], *Harry Potter et la coupe de feu*, le 8 juillet 2000 à 0 heure, a ainsi donné lieu à un lancement fracassant après un long mystère entretenu autour du titre et de l'intrigue. La France n'échappe pas à l'ensorcellement général : sur les dix premières places du palmarès des livres vendus sur le site de la librairie *on line* amazon. fr, du 20 novembre 2000, soit une semaine avant la sortie française du quatrième tome, *Harry Potter* occupe les première, deuxième, quatrième et septième places, avec respectivement les tomes I, IV (par le biais des réservations avant parution...), II et III, la version anglaise du tome I étant placée en dix-neuvième position de ce même palmarès. En 2001, la sortie au cinéma du film adapté du premier tome pulvérise les records d'entrée, et les produits dérivés se multiplient, véritable manne où le miracle devient vite le pur produit du marketing, l'originalité et le paradoxe de ce succès étant qu'il soit né d'un livre.

Si cet exemple montre ainsi que, d'une part, la lecture doit, pour plaire, partager cet esprit de modernité, et que d'autre part, les rapports entre adolescents et lecture ne

14. Joanne K. Rowling posséderait-elle elle-même le don de seconde vue, elle qui, dans le premier tome, *Harry Potter à l'école des sorciers*, fait dire à un de ses personnages, au sujet de Harry : « Il va devenir célèbre – une véritable légende vivante – [...] on écrira des livres sur lui. Tous les enfants de notre monde connaîtront son nom ! »

sont jamais aussi tranchés et simples que l'on voudrait le croire, la lecture souffre cependant de ne dispenser qu'une rentabilité problématique pour la sélection scolaire, puis sur le marché du travail. Les deux facettes de l'homme éclairé tel que le rêvaient les humanistes ont en effet éclaté, et au mythe de la culture lettrée s'est substitué le modèle plus efficace sur le marché du travail des cultures techniques et économiques. Cette évolution de la notion de culture, qui au modèle de la culture légitime superpose ceux de la culture médiaticopublicitaire, pour reprendre l'expression d'Olivier Donnat[15], et de la culture technique et économique est d'ailleurs bien mise en évidence dans l'évolution des diverses recherches sur la lecture[16] : la reconnaissance de la diversité des cultures est manifeste dans le libellé même des questions, par exemple par la prise en compte, pour la lecture, des romans sentimentaux dès 1990 dans *Les Pratiques culturelles*, signe d'une position générale face à la culture, accueillant cette « culture ordinaire » théorisée par Michel de Certeau, au grand dam des tenants absolus de la légitimité culturelle.

Ainsi, les adolescents lisent peu, et surtout ils lisent, en quatre ans, de moins en moins, comme le montrent tous les indicateurs mis en œuvre : la part des non-lecteurs passe de 20 % à 30 % en quatre ans, celle de ceux qui disent avoir lu le week-end précédent de 34 % à 30 %, celle de ceux qui ont lu la veille avant de s'endormir de 51 % à 44 %, celle de ceux qui déclarent avoir acheté des livres depuis la rentrée de 89 % à 40 %, celle de ceux qui déclarent fréquenter une bibliothèque de 35 % à 24 %, etc. Toutes les réponses convergent vers ce même constat.[17]

Par ailleurs, il est classique, en sociologie de la lecture, de distinguer certaines catégories, plus lectrices que d'autres : les filles sont ainsi toujours plus lectrices que les garçons (presque 75 % des filles la première année, contre 40 % des garçons, ont ainsi lu un livre la veille au soir), les enfants d'origine favorisée lisent davantage que ceux issus de milieux socialement plus modestes (la première année d'enquête, 70 % des adolescents issus de milieux

15. Olivier Donnat, *Les Français face à la culture, de l'exclusion à l'éclectisme*, *op. cit.*

16. Nicole Robine, *Lire des livres en France...*, *op. cit.*

17. Christian Baudelot, Marie Cartier, Christine Détrez, *Et pourtant ils lisent*, *op. cit.*

favorisés ont déclaré avoir lu le soir, contre 60 % de ceux provenant de milieux plus moyens, et 50 % de ceux issus de milieux défavorisés), et les bons élèves sont eux aussi traditionnellement plus lecteurs que les autres : la première année, près de 80 % des élèves n'ayant pas redoublé disent avoir lu la veille au soir, contre 60 % des redoublants et 40 % des élèves de filières professionnelles. Or, ces catégories lectrices ne sont pas épargnées et n'échappent pas à la désaffection, perdant en quatre ans, dans les meilleurs des cas, 10 % de leurs adeptes.

Bien plus : une comparaison entre la mesure des pratiques effectives et leur estimation par les adolescents révèle que ceux-ci tendent de moins en moins à vouloir passer pour lecteurs et que le pouvoir symbolique de la lecture va ainsi également en s'amenuisant au fil des ans. La lecture peut participer en effet, au moment de l'adolescence, à la délicate élaboration de l'identité personnelle. Ainsi, aux pratiques réelles se juxtaposent les représentations de soi, qui révèlent la place accordée à la lecture dans l'image que l'adolescent veut présenter aux autres et aussi retrouver en son miroir. Il aurait été plausible de penser qu'à temps égal de lecture les populations fortement lectrices auraient sous-évalué leurs pratiques par rapport à des populations moins lectrices qui auraient quant à elles surestimé leurs pratiques, puisque les référents diffèrent (lire une demi-heure peut sembler énorme pour un faible lecteur, et dérisoire pour un fort lecteur). Il n'en est rien : ce sont au contraire les adolescents les plus lecteurs (les filles, les bons élèves et dans une moindre mesure les adolescents issus de milieux favorisés) qui, toujours plus nombreux que les autres, surestiment leurs pratiques : ils témoignent ainsi d'un fort investissement symbolique dans la lecture. Ce sont les mêmes qui, d'ailleurs, estiment qu'il existe des livres dont la lecture est indispensable. Mais le décalage entre pratiques et estimations va en s'amenuisant, montrant ainsi l'effritement de la place de la lecture dans l'univers symbolique et dans les références des adolescents : même pour les adolescents les plus lecteurs, il est de moins en moins important de paraître lecteur aux yeux d'autrui. Sans doute concurrencée par d'autres modèles d'identification et d'admiration, la lecture se désacralise, se dépare ainsi de son pouvoir symbolique, de son statut d'exception : elle n'est plus une monade isolée dans l'univers des loisirs, mais une activité comme les autres.

DES GOÛTS ET DES COULEURS, OU L'ÉLABORATION DES CHOIX

Le verbe lire, souvent directement associé au livre, n'est pas un verbe intransitif. Ainsi, la lecture de magazines se maintient, la majorité des adolescents déclarant lire de deux à quatre magazines par mois. L'évolution des pratiques de lecture des magazines permet de mieux comprendre celle que subit la lecture de livres. Quel que soit l'âge des adolescents, les intérêts qui président au choix de tel ou tel magazine sont d'abord régis par le fait d'être une fille ou un garçon. Ce clivage n'étonnera personne : les filles déclarent davantage lire des magazines sur la mode et les stars, les garçons sur le sport ou l'auto-moto. Vient ensuite, dans le choix des magazines, l'origine sociale : les garçons issus de milieux favorisés lisent les magazines sur l'équitation, le surf ou le tennis, ou *Sciences et vie*, les filles de même milieu des magazines féminins de mode sur papier glacé ou *Lire*, alors que les garçons de milieux moins favorisés privilégient les magazines traitant du foot et que les filles de même origine sociale lisent plutôt des magazines féminins à visée pratique, où la jeune fille apprend déjà son métier d'épouse et de mère. Les magazines apparaissent ainsi comme une lecture affranchie des contraintes scolaires, le niveau de réussite passant après les deux autres facteurs de détermination des choix.

Il en est tout autrement pour la lecture de livres. Le lien entre lecture et réussite scolaire est certes plus lâche qu'on pourrait le penser : une proportion non négligeable d'élèves, souvent des filles en échec scolaire, déclarent lire beaucoup, alors que de très bons élèves, souvent des garçons en filières scientifiques, ne lisent pas. Cette situation montre bien que la lecture n'est plus une condition *sine qua non* de réussite scolaire, mais la progression dans le cursus scolaire est loin d'être sans influence sur les pratiques de lecture, les titres lus, et le goût de lire. C'est ainsi la situation scolaire qui devient, avec le passage au lycée, le critère le plus déterminant dans les choix de lecture, devançant l'identité sexuée et l'origine sociale. Les adolescents lisent de moins en moins et, certes, les raisons de cette évolution tiennent en partie au fait que la formation de l'identité et de la personnalité passe, à cet âge, par la musique et les groupes de pairs. Mais l'école n'est pas sans responsabilité dans ce déclin, loin s'en faut.

Ainsi, paradoxalement, plus les adolescents progressent dans le cursus scolaire, plus on leur répète qu'il «faut» lire, et moins ils développent le goût de lire. C'est d'ailleurs l'école qui, le plus souvent, est mise en avant par une fraction des adolescents pour expliquer cette désaffection. En effet, les explications apportées par les adolescents à l'évolution de leurs pratiques de lecture montrent le rôle que joue l'école dans la définition bicéphale de la lecture, écartelée entre plaisir et devoir, liberté et contrainte. Les combinaisons sont multiples et ambiguës, et tous n'arrivent pas à en concilier les termes: le verbe lire n'a pas le même sens pour tous. Pour certains, lire, c'est choisir ses lectures, et ces adolescents dissocient alors les lectures choisies spontanément de celles qui sont imposées, considérant ces dernières comme des devoirs, alors que d'autres les associent sans problèmes dans le décompte de leurs lectures. L'examen des titres de livres lus cités par les adolescents est assez éloquent quant au rôle joué par l'école. Le corpus, très riche et varié la première année d'enquête (qui correspond à l'année de troisième pour les élèves à l'heure) se resserre sur le seul genre littéraire dès le passage au lycée: non seulement le nombre de titres cités diminue[18], mais l'éventail des lectures se referme sur le domaine classique, épreuve anticipée du bac de français oblige, pour s'ouvrir légèrement à nouveau ensuite: ainsi, alors que, les années précédentes, environ 51 % des fortes lectrices (définies comme citant plus de sept titres) manifestaient leur curiosité en citant des livres appartenant à plus de cinq genres différents[19], elles ne sont plus, lors de l'année de première, que 23 % à continuer ainsi à varier leurs lectures. En uniformisant et unifiant les lectures autour du corpus classique, l'école distingue alors, en les refoulant, ceux qui ne partagent pas ses lectures et ses compétences.

18. Il passe de 3,3, en moyenne, par adolescent la première année, à 2,5 la dernière année d'enquête.

19. Codés a posteriori d'après l'inventaire des titres obtenus, afin d'éviter l'imposition des normes de classement légitimes.

De la lecture ordinaire et de la lecture savante

L'observation des titres cités par les adolescents, les entretiens, la lecture des manuels et des revues proposées aux enseignants, l'examen des instructions officielles et des programmes convergent tous pour souligner le rôle prépondérant joué, dans l'évolution des pratiques de lecture des jeunes, par les pédagogies appliquées dans l'enseignement du français et les définitions de la lecture qu'elles supposent. Ainsi, les enseignants du collège semblent s'appuyer dans un premier temps sur les principes de la lecture « ordinaire » pour accompagner l'adolescent vers une autre façon de lire. La lecture « ordinaire » se définit par les attentes qui y sont investies, et il est frappant de constater que celles des collégiens sont principalement régies par des principes éthicopratiques : au travers des livres, ils disent rechercher l'identification, du plaisir, de l'émotion, et attendre des enseignements et des leçons applicables dans la vie, comme si la lecture permettait une expérience par procuration. Les critères de lectures légitimes sont, dans cette lecture ordinaire, quasiment absents : le livre est repéré par son thème, son format et le nombre de pages plutôt que par son titre ou son auteur (exception faite pour « les » Agatha Christie et « les » Stephen King, où le nom de l'auteur fonctionne comme un repère comparable aux noms de collections).

Les enseignants de collège choisissent ainsi souvent de s'appuyer sur l'univers culturel des élèves, et d'exploiter le système de références des adolescents, même si l'objectif reste bien de l'enrichir et de le transformer : télévision, cinéma, lecture entretiennent en effet dans l'univers culturel des jeunes des rapports transversaux, qu'ils n'hésitent souvent pas à mettre en œuvre. Le roman policier, le genre fantastique servent souvent d'accroche, et, dans les manuels de français de collège, les références au cinéma et à la télévision abondent afin de créer des moments de connivence, d'instaurer des passerelles entre des univers parfois plus éloignés qu'on ne le croit. Avec le passage au lycée, les adolescents abordent un autre versant de la lecture ; le passage est violent et en surprend plus d'un. D'une part, le corpus évolue : si le collège avait pour vocation d'apprendre à lire, le lycée a celle d'apprendre à lire la littérature. Mais le mode de lecture évolue lui aussi : le texte devient objet en soi, à étudier avec recul, et non plus un instrument, vecteur de plaisir ou d'identification. Cette lecture « lettrée » ou « savante » est un pur produit de l'histoire du système d'enseignement en France et est devenue la norme lycéenne, au cours d'un long processus historique d'élaboration et de définition de l'excellence littéraire[20] : la *skolé* grecque, le *studium* latin, l'influence du christianisme, véritable religion du livre fondée sur l'interprétation des textes sacrés, dans l'enseignement du Moyen Âge, puis l'humanisme, l'enseignement jésuite au XVIe siècle ont imposé jusqu'au début du XXe siècle un enseignement des « Belles Lettres » où se composent deux grands principes : l'admiration et l'imitation. Si le XXe siècle introduit une évidente modernisation, en développant les explications de texte puis les lectures méthodiques, le français comme discipline au lycée, au-delà des réformes, reproduit les principes d'excellence et de croyance hérités de toute cette tradition historique. Cette lecture savante s'organise autour de la recherche du sens du texte, forme moderne de la traduction des humanités gréco-latines : à la lecture méthodique de déceler sens et forme dans la trame, de « mettre en évidence le travail constant et indissociable de la forme et du sens dans le tissu du texte » selon les *Instructions officielles*. La lecture savante apparaît ainsi dans les textes officiels et dans les sujets proposés aux élèves lors du baccalauréat comme un composé hybride de sensibilité et de réflexion critique, l'écrivain, puis l'élève devant se faire l'observateur éloigné, le contempteur désabusé du monde moderne.[21]

Tant dans ses principes que dans ses programmes, l'enseignement du français au lycée rompt ainsi avec les pédagogies développées au collège. La conception de la lecture qui y est prônée comme la seule valable (recherche du sens, recul et interprétation savante) s'inscrit également en porte-à-faux avec la lecture ordinaire, qui était le mode de lecture principal des adolescents. Les enseignants des collèges et les pédagogies mises en œuvre s'appuyaient sur les principes de lecture ordinaire pour les dépasser. Au lycée, cette lecture ordinaire est, le plus souvent, jugée,

20. Louis Pinto, « Épreuves et prouesses de l'esprit littéraire », *Actes de la recherche en sciences sociales*, n° 123, juin 1998, p. 45-65.

21. *Ibidem.*

condamnée et reniée : un des manuels donnés en classe de seconde s'intitule ainsi *Mieux lire*, le sous-entendu « qu'au collège » étant explicité dans la préface.

Si, dans notre échantillon, les entretiens et les réponses aux questionnaires révèlent l'existence d'une minorité d'élèves (environ 10 %) qui adhèrent avec passion et sans aucun problème au régime de lecture savante promu par le lycée, pour l'écrasante majorité, elle est l'objet d'une pratique raisonnée sans croyance, qui prend la forme soit de la bonne volonté scolaire, soit d'un calcul rationnel des gains et profits, soit d'une corvée : 17 % des adolescents interrogés lors de la troisième année d'enquête (soit la classe de première pour les non-redoublants) déclarent considérer la lecture d'un livre pour le cours de français comme un plaisir, 62 % la vivaient avec indifférence, et 21 % l'assimilaient à une corvée. La culture savante n'est alors nullement intégrée dans les catégories de perception et de jugement : elle n'est qu'une technique, un corpus de textes que l'on doit maîtriser au mieux, au même titre que les théorèmes de mathématiques ou que le programme d'histoire-géographie.

Le déclin de la lecture de livres au lycée apparaît ainsi en partie provoqué par le recentrement exclusif de la définition de la lecture sur des valeurs patrimoniales, culturelles et savantes, vécues comme artificielles par la majorité des adolescents, dépourvus soit des ressources symboliques, soit des intérêts qui fondent la croyance littéraire. Une fois le cap du bac de français passé, la plupart des adolescents, quand ils continuent à lire, reviennent à des pratiques de lecture ordinaire, cultivant la recherche d'enseignements éthicopratiques, mais où se réinvestissent les savoirs appris, comme l'intertextualité ou les corpus d'auteurs... Ainsi de cette jeune fille interrogée, grande amatrice de témoignages, qui déclare lire Freud pour y trouver des solutions à ses problèmes...

Cette situation met en lumière l'état de la lecture et de son enseignement dans notre société. Il semble qu'en promouvant les modèles uniques de lecture savante et de croyance littéraire hérités de la tradition humaniste contre les formes universelles d'appropriation des livres, que constitue la lecture ordinaire, le lycée renonce à s'adresser à tous, inculquant à la plupart des élèves une connaissance de grands auteurs dépourvue de la croyance en leur valeur.

La «crise» de la lecture n'affecte pas, en effet, la lecture en général, mais cette forme de lecture savante et lettrée, célébrée depuis l'antiquité, reprise à la Renaissance par Rabelais et Montaigne, et développée ensuite par de nombreux écrivains. Pour ceux-là, la lecture se doit de remplir toutes les fonctions de formation, d'information et d'éducation de l'individu. Le livre est alors l'objet d'un véritable culte, et remplit un rôle existentiel. Or, l'enquête le montre, lire n'est pas un acte vital pour les adolescents : les pratiques baissent. Lire n'est pas un acte de révérence : la plupart reviennent aux formes de lectures ordinaires, et cultivent les auteurs à succès. Lire n'est plus sacré, et paraître lecteur n'est pas essentiel dans la construction de l'identité.

Cette attitude qu'endossent les adolescents devant la lecture, devenue une pratique comme une autre, encadrée par le marché comme la musique et le cinéma, soumise aux intermittences du cœur et aux aléas des biographies, s'inscrit dans le cadre d'une transformation profonde du rapport à la culture ; de même que le latin et le français ne sont plus les matières sur lesquelles s'opère la sélection, de même, le capital culturel ne se base plus uniquement sur les valeurs et références littéraires, artistiques ou philosophiques, mais accueille les savoirs technologiques et scientifiques, représentations d'une société marquée par l'avènement de ces sciences et technologies, la rapidité des informations, la mondialisation des références et le culte de l'efficacité et de la performance. Ce sont là autant de modifications du mode de vie et de pensée qui ne peuvent qu'affecter la structure du capital culturel et le rapport à cette culture. La dernière enquête du ministère de la Culture sur les comportements culturels des Français[22] en montre l'évolution générale, caractérisée par l'explosion et la diversification, l'éclectisme et l'ouverture à des formes «illégitimes» : à côté de l'opéra, les spectacles de rue, à côté du Louvre, le Musée de l'automobile... Les alarmes régulièrement tirées sur la disparition de la culture, de la lecture ne font ainsi qu'ignorer la transformation radicale et fondamentale des valeurs culturelles, inévitable dès que l'on considère la culture comme une entité vivante, au même titre qu'une langue est dite vivante et qu'elle évolue.

22. Olivier Donnat, *Pratiques culturelles des Français 1997*, *op. cit.*

Chapitre XI

Du livre aux bibliothèques : nouveaux espaces, nouvelles normes ?

Les dernières années du XXe siècle ont vu le paysage des bibliothèques évoluer de plus en plus vite, à l'instar du livre : poursuite du développement des bibliothèques municipales, parachèvement du réseau des bibliothèques départementales (ex-centrales) de prêt désormais décentralisées, rénovation des bibliothèques universitaires réorganisées en services communs de la documentation, nouveaux statuts des personnels publics et nouveaux lieux pour leur formation, émergence (puis éclipse ?) du Conseil supérieur des bibliothèques, création de la Bibliothèque nationale de France, enfin renaissance de la Bibliothèque publique d'information à Beaubourg. Ces bouleversements, qui touchent tous les secteurs de l'activité bibliothéconomique, interviennent dans un cadre institutionnel changeant, avec le surgissement de polémiques sur la mission des bibliothèques, tant en matière d'application du droit d'auteur et des droits voisins (droit de prêt, droit de copie) que de respect et de définition du pluralisme dans les collections et dans le fonctionnement des bibliothèques, notamment dans les villes gérées par l'extrême droite.

Les bibliothèques de l'après-2000 ne sont déjà plus tout à fait celles décrites dans *L'Histoire des bibliothèques françaises*[1] : la demande sociale a évolué, et l'information numérique, qu'elle soit en ligne (internet) ou sur supports optiques (cédéroms et DVD) a révolutionné le rapport au livre. Ce dernier a conquis de nouveaux espaces, mais les règles d'accès à l'écrit changent profondément, sans encore vraiment avoir trouvé un point d'équilibre.

Un paysage familier, mais mouvant

Après la forte croissance et le climat d'impulsion politique qui ont marqué les années 1960-1980[2] (930 bibliothèques municipales en 1980 contre 225 en 1950, mais 2 500 en 2001), les BM ont continué leur développement : elles sont de loin les plus fréquentées par les Français, avec 6,6 millions d'inscrits en 1999, soit 18,2 % de la population desservie, chiffre stable sur trois ans.[3] Ces bibliothèques font face à un public hétérogène, où la part des scolaires et des étudiants est centrale, et elles offrent des collections de plus en plus variées : alors même qu'elles valorisent plus que jamais leur patrimoine écrit (160 millions de livres prétés en 2001 contre 8 millions en 1950 et 60 millions en 1980), la part des phonogrammes, vidéogrammes, documents électroniques dans leurs fonds s'accroît spectaculairement. Elles offrent des locaux qui dépassent maintenant 5 m² pour cent habitants desservis, avec plus de quatre places assises pour mille habitants ; la demande de consultation sur place croît avec le développement des services informatisés, en ligne ou hors ligne.

1. Dont le quatrième et remarquable dernier volume est pourtant récent : Martine Poulain (sous la direction de), *Les Bibliothèques au vingtième siècle, 1914-1990*, Promodis-Éditions du Cercle de la librairie, Paris, 1992.

2. Anne-Marie Bertrand, *Les Villes et leurs bibliothèques : légitimer et décider, 1945-1985*, Électre-Éditions du Cerle de la librairie, Paris, 1999.

3. Dernières statistiques publiées : ministère de la Culture et de la Communication, *Bibliothèques municipales, bibliothèques départementales des départements d'outre-mer, bibliothèques départementales de prêt, données 1998*, Direction du livre et de la lecture, Paris, 2000. Pour les chiffres de 1999, voir le site du ministère (www.culture.gouv.fr).

La diversité de taille et d'importance des équipements et des collections a longtemps été sanctionnée par une typologie entre bibliothèques municipales classées, contrôlées ou surveillées : ces trois catégories ont perdu de leur pertinence avec le décret sur le contrôle technique des bibliothèques pris en application des lois de décentralisation en 1988, qui clarifie le rôle respectif des communes, de l'État central (la Direction du livre et de la lecture et l'Inspection générale des bibliothèques) et de l'État déconcentré (le préfet et la direction régionale aux Affaires culturelles). En revanche, et sans en faire une nouvelle catégorie institutionnelle, on a créé un « label » de BM à vocation régionale (BMVR), attribué non seulement sur l'importance des collections mais aussi sur celle du public et sur des critères de participation à des réseaux (prêt entre bibliothèques, catalogues collectifs) ; si le réseau promis reste encore virtuel, le label BMVR aura permis de programmer et de réaliser douze équipements de premier plan[4], et de suggérer que la BM n'est plus seule en sa cité et a vocation à être le maillon d'une trame régionale et nationale.

Une autre trame, à l'échelle départementale, avait d'abord été pensée, après 1945, pour la lecture rurale. Les années quatre-vingt-dix sont le temps, pour les bibliothèques centrales de prêt (BCP), d'un double aboutissement, scellé par leur changement de nom en bibliothèques départementales de prêt (BDP) : l'État parachève à partir de 1981 le réseau mis en place à la Libération et, en même temps, il en confie la charge aux départements : décentralisation des bibliothèques au 1er janvier 1986 et de leurs personnels en 1992-1994. Les plus anciennes des BCP ont alors, en plus de quarante ans, profondément changé dans leur mode d'intervention : le bibliobus, longtemps symbole des « bécépistes », laisse de plus en plus la place au tissage d'un réseau de bibliothèques-relais, qui gomment la césure entre petites bibliothèques municipales dotées de personnel statutaire et bibliothèques informelles fondées sur le volontariat et le bénévolat. À cet égard, les BDP développent une mission de formation et d'animation du réseau professionnel départemental tout à fait essentiel dans le contexte des nouveaux statuts des personnels.

4. Châlons, La Rochelle, Limoges, Montpellier, Orléans, Poitiers déjà ouvertes, Troyes et Nice prévues en 2002, Marseille, Reims, Rennes et Toulouse en voie d'achèvement.

Bibliothèques scolaires et documentation universitaire

Le développement des bibliothèques territoriales a permis progressivement, en creux, de clarifier les rapports entre école et bibliothèques, et de donner aux établissements scolaires l'outil adapté que le XIXe siècle cherchait déjà. La mise en place des BCD (bibliothèques centres documentaires) dans les écoles, expérimentale en 1984, est progressivement généralisée à la faveur de leur insertion dans les projets d'établissements ; mais leur absence de personnel qualifié, en partie compensée avec la création des aides-éducateurs (emplois-jeunes), rend leur devenir précaire à long terme. Il n'en va pas de même dans les CDI (centres de documentation et d'information) des collèges et des lycées, dont l'existence est pérennisée dans les nouvelles constructions d'établissements, et grâce à la création en 1989 d'un CAPES de documentation[5] permettant la structuration de l'identité professionnelle de documentalistes jusque-là sans statut unique.

La crise identitaire des bibliothèques universitaires (BU) est d'une autre nature : institutions aussi anciennes que les vieilles facultés ou, pour les plus récentes, que les campus des années soixante, elles avaient toujours souffert d'un déficit d'appropriation par l'institution universitaire, qui a développé à l'envi des structures parallèles protéiformes, génériquement appelées « bibliothèques d'UFR »[6]. Plus gravement encore, la pénurie budgétaire les a conduites dans les années 1980 au bord du gouffre, jusqu'à ce que le salutaire rapport Miquel, commandé dès juin 1988 par le nouveau ministre Lionel Jospin, ne conduise à une prise de conscience et à une remise à niveau spectaculaire.[7] La contractualisation entre l'État et les universités a permis d'accélérer la création des services communs de la documentation, prévus par la loi Savary de 1984, qui coordonnent autour de la BU l'ensemble des

5. Les épreuves de ce CAPES ont été profondément modifiées en 1999 et 2000 dans le sens de la pluridisciplinarité et de la professionnalisation.

6. Les unités de formation et de recherche qui ont, dans la loi Savary de 1984, remplacé les unités d'enseignement et de recherche de la loi Faure de 1968.

7. André Miquel, *Les Bibliothèques universitaires*, La Documentation française, Paris, 1989.

moyens documentaires de la communauté universitaire. Les moyens alloués par l'État ont été très fortement augmentés, et leurs dépenses totales sont ainsi passées de 183 millions de francs en 1987 à 848 millions en 2000.[8] Simultanément, les services au public se sont considérablement améliorés, avec la généralisation de l'informatisation, notamment des catalogues, aujourd'hui souvent accessibles sur internet. La logique de réseau national a trouvé un aboutissement avec la mise en ligne en 2000 du catalogue collectif du Système universitaire de documentation (SU)[9] par l'Agence bibliographique de l'enseignement supérieur (ABES, créée à Montpellier en 1994)[10]. Enfin, le développement de la population étudiante, correspondant à l'objectif de 80 % d'une classe d'âge au baccalauréat et à l'allongement de la durée des études, a cruellement souligné le manque de locaux dénoncé au premier chef par le rapport Miquel. Le plan de constructions universitaires Universités 2000 (de 1991 à 1995) avait amorcé – trop lentement – une reprise qu'ont confirmée le XIe Plan (jusqu'en 1998) et surtout le plan U3M[11] (en cours) : depuis 1991, ce sont 350 000 m² qui ont été mis en chantier, avec des réalisations telles que Saint-Denis, Montpellier-Droit-Sciences économiques ou Toulouse-Le Mirail[12] ; certaines de ces constructions se sont en outre accompagnées d'intégrations de bibliothèques d'UFR, renforçant ainsi la logique de service commun.

Mutations d'une profession et de ses instances de régulation

Ces évolutions des bibliothèques sont intervenues dans un contexte de changement statutaire des personnels, qui a connu une sorte de paroxysme en 1991-1992, avec la

8. Dernières statistiques publiées : ministère de l'Éducation nationale, *Annuaire des bibliothèques universitaires et des grands établissements 1999,* La Documentation française, Paris, 2001. Pour les chiffres de 2000, voir le site du ministère www.education.gouv.fr

9. www.sudoc.abes.fr

10. www.abes.fr

11. Université du troisième millénaire.

12. Pour ne citer que les constructions les plus importantes (de 10 000 à 15 000 m²). *Cf.* Marie-Françoise Bisbrouck (sous la direction de), *Les Bibliothèques universitaires. Évaluation des nouveaux bâtiments (1992-2000)*, La Documentation française, Paris, 2000

sortie, tout d'abord, de nouveaux statuts pour les personnels territoriaux, exerçant en BM et désormais en BCP, puis BDP : ces personnels sont classés dans la filière culturelle territoriale, avec une grande diversité de cadres d'emplois (au moins deux pour chaque catégorie A, B, C) ; quelques mois plus tard sont sortis, à échelles équivalentes, de nouveaux statuts pour les personnels de l'État, exerçant notamment dans les BU, à la BPI (Bibliothèque publique d'information, Beaubourg) et à la BN. Cette refonte statutaire, contestée pour sa complexité, a permis d'une part de faire reconnaître les conservateurs et conservateurs généraux comme des cadres supérieurs de même rang que les universitaires ou les énarques, et d'autre part d'acter le fait que de nombreux personnels jusque-là classés comme techniques méritaient de par leur fonction un reclassement soit comme techniciens supérieurs, soit comme cadres.[13] Elle a été accompagnée de la mise en place d'un nouveau dispositif de formation tant initiale que continue, appuyé sur l'ENSSIB (École nationale supérieure des sciences de l'information et des bibliothèques, créée à Villeurbanne, en 1992), l'IFB (Institut de formation des bibliothécaires, créé en 1992 et fondu en 1998 dans l'ENSSIB) et les centres régionaux de formation aux carrières des bibliothèques, du livre et de la documentation (douze centres créés en 1987-1988 et recentrés sur la formation continue et la préparation de concours)[14].

Éclatés entre deux, voire trois tutelles (Enseignement supérieur, Culture depuis 1975 et Intérieur depuis la décentralisation), cloisonnés dans des statuts scissipares, les bibliothécaires expriment un besoin d'unité professionnelle qui semble inversement proportionnel à la diversification des services des bibliothèques. C'est pourquoi, à côté de l'Inspection générale des bibliothèques, dont l'effectif a été doublé pour passer à huit membres, et dont la mission de contrôle et d'étude est reconnue de tous, il avait paru opportun de créer un Conseil supérieur des

13. Les soubresauts qui ont accompagné la création en 2001 d'un nouveau corps technique, les assistants de bibliothèque, ont montré que les frustrations nées des statuts de 1991-1992 sont encore parfois très vives.

14. Leur mission première, outre la préparation aux concours techniques, était surtout la préparation au certificat d'aptitude aux fonctions de bibliothécaire (CAFB), rendu caduc par les nouveaux statuts territoriaux et supprimé en 1994.

bibliothèques (CSB) en 1989, composé de personnalités nommées sur proposition des principaux ministères concernés ainsi que d'élus. Sous la présidence d'André Miquel, puis de Michel Melot et enfin de Jean-Claude Groshens, le Conseil avait su se faire entendre comme instance de discussion et de proposition, notamment en adoptant en 1991 une Charte des bibliothèques[15] dont l'autorité morale pallie le caractère non contraignant. Malheureusement, le non-renouvellement des membres du conseil depuis 2000 fait craindre sa mise en sommeil, que la profession espère provisoire.

LA BNF DU MYTHE À LA RÉALITÉ, ET LA BPI DE L'EXCEPTION À LA NORMALITÉ

Parmi les «grands projets» du double septennat mitterrandien, peu auront suscité autant de controverses chez les intellectuels et dans les médias que celui de la nouvelle bibliothèque de Tolbiac, surnommée TGB (très grande bibliothèque) par ses détracteurs, et qui est la clé de voûte de la transformation de l'ancienne Bibliothèque nationale en Bibliothèque nationale de France.

On ne reprendra pas ici tous les épisodes d'une saga bibliothéconomique, architecturale et scientifique de plus de dix ans, mais quelques rappels s'imposent néanmoins.[16] Le projet qui a conduit à construire le site de Tolbiac a une double origine: l'état dramatique de la vieille BN, rue de Richelieu, dénoncé par le rapport Beck de 1986, et la volonté présidentielle exprimée le 14 juillet 1988 de créer une bibliothèque «d'un type entièrement nouveau», en réseau et ouverte au plus grand nombre. L'identification de cette nouvelle bibliothèque, bientôt appelée Bibliothèque de France (BDF), avec le devenir de la Bibliothèque nationale est progressive et polémique: le projet initial de «couper» les collections des imprimés à 1945 (avant à Richelieu, après à Tolbiac) soulève un tollé et est abandonné dès 1989, juste après le concours d'architecture – ce qui obligera à penser une partie des magasins en

15. *Conseil supérieur des bibliothèques: rapport du président pour l'année 1991*, Conseil supérieur des bibliothèques, 1992.

16. Pour une chronologie plus détaillée et une analyse pertinente et engagée, voir Dominique Arot, «Bibliothèque nationale de France: le grand projet», in *Les Bibliothèques en France 1991-1997*, Électre-Éditions du Cercle de la librairie, 1998, p. 17-58.

sous-sol pour pouvoir accueillir tout le fonds des imprimés (y compris les périodiques) de la BN ; les choix architecturaux de Dominique Perrault soulèveront également les passions, en particulier les quatre tours de verre, comparées à des « fours solaires » pour livres.

Les universitaires participent activement à la polémique, révélant un intérêt pour le devenir de la Bibliothèque nationale qu'ils ne montreront jamais autant, dans le même temps, pour les bibliothèques de leurs universités. On peut distinguer un camp critique mais plutôt constructif autour de Pierre Nora et de la revue *Le Débat*, et un camp plus virulent autour de Marc Fumaroli et de Georges Le Rider, lui-même ancien administrateur de la BN. La personnalité du président de l'établissement public constructeur de la Bibliothèque de France, Dominique Jamet, journaliste incisif, n'est évidemment pas de nature à calmer les ardeurs. Une trêve intervient autour du rapport demandé au Conseil supérieur des bibliothèques, alors présidé par André Miquel, et rendu en 1992 : il valide la double orientation du nouveau bâtiment (un niveau pour les chercheurs, un pour les étudiants et le grand public) et appelle à une accélération du rapprochement BN/BDF : le délégué scientifique de la Bibliothèque de France, Jean Gattégno, ancien directeur du livre et de la lecture, est poussé à la démission dès 1992 ; les équipes de la BN prennent une part désormais centrale à la conception et à la mise en œuvre du projet ; la fusion des deux établissements est accélérée : le 3 janvier 1994 naît la Bibliothèque nationale de France, établissement multisites (regroupant Tolbiac et Richelieu, mais aussi les autres sites de l'ancienne BN, comme la bibliothèque de l'Arsenal, et un nouveau centre technique à Marne-la-Vallée).

Le 30 mars 1995, François Mitterrand peut inaugurer un bâtiment vide qui, à la demande de son successeur Jacques Chirac, prendra son nom lors de la deuxième inauguration (décembre 1996), qui est celle des salles « grand public » (le « haut-de-jardin »). Ce n'est qu'en octobre 1998, plus de dix ans après le lancement du projet, que le « rez-de-jardin » est ouvert au public. Entre-temps, l'établissement aura déjà connu deux présidents (Jean Favier puis Jean-Pierre Angremy) et plusieurs réorganisations.[17]

17. Sans en donner les détails, on peut indiquer que l'organigramme initial dosait savamment la proportion respective des responsables issus

L'ouverture du «haut-de-jardin» donne lieu à la prévisible ruée des étudiants: les BU parisiennes restent désespérément sous-dimensionnées (notamment en nombre de places), négligées par le plan Universités 2000; en outre, la «BPI-Brantôme», qui fonctionne alors provisoirement, n'offre qu'un tiers des places du centre Pompidou. Mais, globalement, on peut considérer qu'entre 1996 et 1998 la BNF fonctionne dans une relative sérénité. En revanche, l'ouverture du «rez-de-jardin» aux chercheurs rallume rapidement la polémique. Les très réelles difficultés de fonctionnement liées aux défaillances du système informatique entraînent rapidement une grève; le ministère demande un rapport à Albert Poirot, de l'Inspection générale des bibliothèques, qui accorde un certain crédit aux critiques des personnels tant en matière d'organisation du travail que d'insuffisante préparation du système informatique. La revue *Le Débat,* qui peut se targuer d'avoir suivi dès l'origine les méandres du projet Tolbiac, reprend en mai 1999 le flambeau de la contestation des chercheurs, en des termes combien plus virulents que dix ans auparavant: titrant son article liminaire «Retour sur les lieux du crime», Pierre Nora convie des universitaires de diverses disciplines et divers pays à exposer leurs griefs.[18]

Le dossier du *Débat*, conçu comme un recueil de témoignages, est un catalogue accablant de reproches à la bibliothèque François Mitterrand: il mêle en fait sans toujours les distinguer des critiques sur la nature même du projet (coexistence des deux niveaux de lecteurs, structuration en salles thématiques, gigantisme du bâtiment), et celles portant sur son fonctionnement ordinaire, problématique à certains égards – notamment en ce qui concerne le système informatique – mais non irréversible. On peut donner l'exemple du système de réservation, qui bloque une place pour une journée même si elle n'est réservée que pour la dernière heure d'ouverture, ce qui conduit les chercheurs à trouver difficilement une place «officielle» dans des salles parfois presque vides: ce constat est fait par plusieurs des invités de la revue de Pierre Nora,

de la BN, de ceux issus de l'établissement public de la Bibliothèque de France et des responsables «exogènes»; le poids de ces derniers n'a cessé, logiquement, de se renforcer, tandis que la plupart des responsables BDF ont désormais passé le relais.

18. «Bibliothèque de France: expériences vécues», *Le Débat*, n° 105, 1999, p. 117-175.

mais ce type de système est parfaitement amendable ou remplaçable, et on ne saurait fonder sérieusement sur ses carences une remise en cause de l'institution elle-même : tout juste peut-on y voir une insuffisante écoute, par l'institution, de ses usagers. Car, de fait, ce qui ressort du dossier du *Débat* et des autres manifestations hostiles de chercheurs, c'est avant tout du dépit : dépit de ne pas être le public unique et privilégié d'une bibliothèque qui est aussi une grande bibliothèque publique pour étudiants ; dépit d'avoir laissé un lieu malcommode mais familier pour un monument froid qui ne tient pas toutes les promesses de sa modernité affichée. Les critiques portent d'ailleurs aussi parfois non seulement sur l'inadéquation entre la BNF et ses missions de bibliothèque nationale, mais aussi sur la satisfaction toute relative des attentes liées à la bibliothèque « d'un type entièrement nouveau », comme l'écrit Georges Vigarello : « La pratique très empirique des nouveaux lieux confirme combien le projet initial d'une bibliothèque virtuelle offrant ses collections aux écrans domestiques pour mieux diffuser un "nouvel encyclopédisme" était tout simplement utopique. »[19]

Changement de perspective moins d'un an plus tard : en mars 2000, Gallimard publie un numéro qui se veut « le dernier que *Le Débat* aura eu à consacrer à une bibliothèque désormais sans histoires » et donne une manière de droit de réponse aux responsables de l'établissement.[20] Même les universitaires ayant participé aux deux dossiers tirent un bilan aussi positif en 2000 qu'il était sombre en 1999 – et de fait, les améliorations de l'informatique, en particulier la possibilité de commander des ouvrages le jour même – n'y sont pas étrangères. Tout au plus Georges Vigarello regrette-t-il à nouveau que la numérisation des collections ait en effet pris une dimension très en deçà des ambitions affichées en 1988-1989.[21] Cependant, force est de constater que le nouvel établissement a réussi à se démarquer très positivement de la vieille BN dans le domaine de la coopération entre bibliothèques, en créant un réseau de pôles associés spécialisés, et en lançant le Catalogue collectif de France : gageons que, dans quelques

19. « L'utopie à l'épreuve », *ibid.*, p. 168.

20. « Bibliothèque nationale de France : suite et fin », *Le Débat*, n° 109, 2000, p. 99-131.

21. « Le principe de réalité », *ibidem*, p. 130-131.

années, c'est aussi à cette aune que l'on réévaluera la portée des tours de Dominique Perrault.

On ne peut qu'être frappé, par contraste, par le véritable consensus (quand ce n'est pas le silence) entourant la rénovation de la Bibliothèque publique d'information (BPI, à Beaubourg). Fermée depuis l'automne 1997, remplacée pendant deux ans par une « BPI-Brantôme » provisoire n'offrant qu'un tiers de ses places et moins de 15 % de ses collections, la « nouvelle BPI », qui a rouvert en janvier 2000, a multiplié les places (2000) et limité les collections (350 000 volumes), regroupé ses salles sur deux niveaux, remplacé la salle d'actualité par un point emplois, et troqué son design très « seventies » pour une fonctionnalité un rien plus austère. Gerald Grunberg y prend le relais de Martine Blanc-Montmayeur en janvier 2001 en toute sérénité : la BPI, en ce nouveau siècle, semble ne pas (ne plus ?) faire débat.[22]

La bataille du droit de prêt : du rapport Borzeix au projet Tasca

Mais, entre-temps, les bibliothèques auront eu à résoudre des questions que ni la Charte du CSB, ni les nouveaux statuts des personnels, ni les autres textes actuellement en vigueur ne résolvent dans leur totalité et dans leur complexité. Car il s'agit de questions de droit, de droit d'auteur mais aussi de droit au livre. La question du droit de prêt dans les bibliothèques a engendré en effet pendant trois années un conflit sans précédent entre acteurs du livre, et singulièrement entre éditeurs et bibliothécaires (notamment bibliothécaires de lecture publique). La ministre de la Culture et de la Communication d'alors, Catherine Trautmann, avait confié à Jean-Marie Borzeix un rapport sur la question, rendu en juillet 1998.[23] Le rapport Borzeix a eu le mérite indéniable de dresser, pour la première fois, un état des lieux très complet de la question en France et à l'étranger, tant en Europe qu'hors d'Europe ; il rappelle, en effet, que c'est une directive euro-

22. Laurence Santantonios, « BPI : sa deuxième vie », *Livres Hebdo* n° 404, 1er décembre 2000, p. 52-53.

23. Jean-Marie Borzeix assisté de Jean-Wilfrid Pré, *La Question du droit de prêt dans les bibliothèques. Rapport pour Madame la ministre de la Culture et de la Communication*, 1998.

péenne du 19 novembre 1992 qui a fait obligation aux états membres de la Communauté européenne d'harmoniser leur législation dans ce domaine.

Le droit français n'était pas muet en la matière, puisque pour Jean-Marie Borzeix le droit de prêt découle du droit d'auteur, reconnu en France par la loi de 1957 intégrée depuis dans le Code de la propriété intellectuelle; pour lui, la logique de la directive est la même que celle du Code, et «le problème en suspens n'est pas tant celui des principes que de l'application». Privilégiant le point de vue des auteurs, le rapporteur est conscient que la polémique s'est cristallisée sur l'opposition frontale entre le Syndicat national de l'édition (SNE) et l'Association des bibliothécaires français (ABF), le premier se faisant l'avocat intransigeant du prêt payant dans les bibliothèques, la seconde défendant la gratuité du prêt au nom du service public. Les bibliothèques publiques (BM et BDP) ont eu jusqu'à présent des pratiques, quant à la tarification des services, assez diverses: si la consultation est partout gratuite, il n'en va pas de même du prêt: gratuit à Limoges pour tous supports, à Paris pour le seul livre, souvent forfaitairement payant à travers une inscription annuelle elle-même modulée (selon l'âge, la situation, l'origine géographique): comme le souligne Anne-Marie Bertrand, «la gratuité d'usage, prônée par les bibliothécaires, est bien désormais l'exception et non plus la règle»[24]; en revanche, le paiement à l'acte reste tabou. Dans les bibliothèques universitaires, les étudiants paient lors de leur inscription universitaire des «droits de bibliothèque» d'au moins 130 francs par an[25] – mais précisément le paiement de ces droits dans le cadre de droits d'inscription à l'Université beaucoup plus élevés les rend peu visibles et relativement indolores. Toute la démonstration de Jean-Marie Borzeix part du «droit d'auteur à la française», que la directive de 1992 ne ferait au fond qu'étendre, et qui est fondé par l'article L131-3 du Code de la propriété intellectuelle du 1er juillet 1992, reprenant les termes de la loi du 11 mars 1957: «La transmission des droits de l'auteur est subordonnée à la condition que chacun des droits cédés fasse l'objet d'une

24. Anne-Marie Bertrand, *Les Bibliothèques,* La Découverte, Paris, 1998, p. 115.

25. Somme revalorisée à au moins 146 francs (22,26 euros) par un arrêté du 6 août 2001 (*Journal officiel,* 17 août 2001).

mention distincte dans l'acte de cession et que le domaine d'exploitation des droits cédés soit délimité quant à son étendue et à sa destination, quant au lieu et à la durée»; autrement dit, tout usage d'une œuvre protégée nécessite le consentement de l'auteur; l'éditeur n'est que le cessionnaire du droit exclusif de l'auteur.

La directive du 19 novembre 1992 «relative au droit de location et de prêt et à certains droits voisins du droit d'auteur dans le domaine de la propriété intellectuelle», si elle est axée sur la protection et la rémunération des auteurs, prévoit, dans son désormais fameux article 5 (paragraphe 3), la possibilité pour les États membres d'exempter certaines catégories d'établissements de la rémunération des auteurs au titre du droit de prêt. Le gouvernement français a d'abord considéré que la transposition de la directive en droit interne était inutile, la législation nationale lui étant en quelque sorte conforme par anticipation; en fait, Jean-Marie Borzeix souligne la contradiction entre la justesse juridique de cette interprétation et le problème de son application pratique puisque, directive ou pas, les auteurs ne sont pas plus rémunérés au titre du droit de prêt qui reste virtuel. L'application de la directive a pris des formes diverses selon les pays européens: le Royaume-Uni, l'Allemagne, les Pays-Bas, l'Autriche et le Danemark appliquent un droit de prêt, acquitté aux Pays-Bas par l'usager, tandis que dans les autres pays ce sont les pouvoirs publics qui rémunèrent les auteurs; la Belgique a une loi sur le droit de prêt mais ne l'applique pas; l'Espagne, l'Italie et plus récemment l'Irlande ont fait le choix d'exempter les bibliothèques publiques du droit de prêt payant, au titre de l'article 5 de la directive. Jean-Marie Borzeix note d'ailleurs que le Royaume-Uni exempte ses bibliothèques scolaires, et le Danemark ses bibliothèques de recherche. Les exemples extra-communautaires choisis tendent à montrer que le droit de prêt public n'est pas «une pratique propre à l'Europe occidentale»: ils dessinent une géographie de l'Occident incluant les pays nordiques, le Canada, l'Australie, la Nouvelle-Zélande, Israël, et excluant significativement les États-Unis, qui rejettent la conception dite «continentale» du droit d'auteur.

Si le rapport met constamment en avant la logique du droit d'auteur face à celle de la mission de service public chère aux bibliothécaires, il réfute également l'analyse économique « catastrophiste » défendue par des éditeurs inquiets positionnés sur des secteurs sensibles (sciences humaines, sciences exactes, formation) : pour les ventes de « livres de recherche et de création », les bibliothèques jouent un rôle significatif (10 à 20 % des ventes pour certains titres) ; leur part dans les ventes semble d'ailleurs inversement proportionnelle au succès commercial d'un livre. Le rapport reprend ainsi à son compte les conclusions nuancées de l'Observatoire de l'économie du livre sur la corrélation entre emprunts et achats de livres, en les résumant en ces termes : « Si les emprunts portent préjudice à la vente de certains types d'ouvrages, ils en favorisent d'autres. [...] Si les ventes de livres en librairie baissent, c'est aussi que les habitudes de lecture des Français évoluent, se diversifient, et que diminuent l'appétence des jeunes pour la lecture ainsi que la proportion de gros lecteurs dans l'ensemble de la population. »[26] On l'aura compris, pour le rapport Borzeix le droit de prêt n'a pas pour finalité de « compenser un préjudice économique » subi par les éditeurs, mais avant tout de rémunérer plus justement les auteurs et leurs ayants droit : il se situe ainsi sur un terrain assez différent de celui où l'attendaient les éditeurs et les bibliothécaires. En conclusion, il préconise logiquement le financement par l'usager, mais de manière forfaitaire et pour un montant identifié dans l'inscription annuelle mais modéré (10 ou 20 francs par an), dont ne seraient exemptés que les jeunes jusqu'à 18 ans, ce qui revient de fait à une exemption pour les BCD et CDI. Afin de ne pas favoriser les auteurs à succès, les rémunérations des auteurs seraient calculées sur le nombre d'exemplaires achetés par les bibliothèques et non sur le nombre de prêts. La perception des droits serait assurée par gestion collective. Enfin, la gratuité du droit de consultation en bibliothèque serait vigoureusement (ré)affirmée. Dans ses derniers mots, le rapport espérait « contribuer à résoudre une crise dont pâtit depuis trop longtemps le monde du livre, à rapprocher ses différents acteurs dont

26. Observatoire de l'économie du livre, *Les Bibliothèques, acteurs de l'économie du livre,* 1994. On peut en lire la synthèse *in* Observatoire de l'économie du livre, « Les bibliothèques, acteurs de l'économie du livre : l'articulation achat/emprunt : synthèse », *Bulletin d'informations de l'Association des bibliothécaires français,* n° 166, 1995, p. 5-18.

les intérêts profonds convergent». Si ses conclusions servirent de base aux propositions Tasca de 2000-2001, ce fut pourtant après deux ans et demi d'exacerbation des passions.

En effet, la réunion organisée par le ministère de la Culture, le 22 janvier 1999, réunissant les différents acteurs du livre, aura été le théâtre de discussions particulièrement vives, traduisant les crispations de chacun sur des positions encore très éloignées d'un compromis. La publication une semaine plus tard d'une tribune de Jérôme Lindon particulièrement virulente envers les bibliothèques et les bibliothécaires ne fait que jeter de l'huile sur le feu : le PDG des Éditions de Minuit y reproche, par exemple, aux bibliothèques de ne pas partager les risques que prennent les maisons d'édition, les unes voyant leurs déficits épongés par la collectivité, les autres étant promises au dépôt de bilan. De l'enquête déjà citée de 1994, il retient qu'une fois déduits les étudiants (ce qui n'est peut-être pas neutre) « 45 % des usagers des bibliothèques publiques [disposent] d'un revenu élevé », et n'ont donc pas besoin d'emprunter des livres qu'ils ont les moyens d'acheter ; il reproche paradoxalement aux bibliothèques d'acheter des livres ensuite peu empruntés, et en conclut que « les usagers des bibliothèques [...] sont infiniment moins curieux, infiniment moins audacieux, que les clients payants des librairies », comme s'il ne s'agissait nullement des mêmes, et comme si les bibliothèques ne contribuaient pas à la survie de bien des librairies et de bien des éditeurs (c'est le sens en tout cas de l'analyse critique du rapport Borzeix sur la « logique économique » des éditeurs). Poussant la charge, il se demande *in fine* si les auteurs, pour faire valoir leur droit à rémunération, devront « interdire désormais qu'on emprunte leurs livres en bibliothèque »…![27]

La réponse des bibliothécaires ne se fait pas attendre, et la polémique a fait rage pendant l'année 1999 sur la liste de diffusion biblio-fr[28], tant autour de la fameuse réunion

27. Jérôme Lindon, « Droit de prêt et droit légitime », *Livres Hebdo*, n° 322, 29 janvier 1999, p. 9.

28. Cette liste de diffusion (et de discussion) sur l'internet est sans doute aujourd'hui le premier média francophone d'information de la profession (9 000 abonnés recevant ses messages quotidiens) ; (listes.cru.fr/wws/info/biblio-fr).

du 22 janvier, où la présidente de l'ABF, Claudine Belayche, s'est manifestement sentie agressée, qu'autour de la tribune de Jérôme Lindon. Les termes de « haine » et de « machisme » ont été jetés dans le débat[29], et le modérateur de la liste, Hervé Le Crosnier, n'a pas été le dernier à rappeler la violence des textes des éditeurs du SNE envers « ceux qui osent promulguer la diffusion gratuite du livre »[30]. Très rapidement, l'ABF a d'autre part été amenée, par la voix de son conseil national, à adopter le 21 mars un texte intitulé « Documents techniques remis par la DLL : réactions et propositions de l'ABF »[31], répondant point par point aux hypothèses « techniques » formulées par la Direction du livre et de la lecture après la première table ronde. En fait l'association, dont il faut rappeler qu'elle est très représentative des bibliothèques publiques, refuse la proposition de paiement forfaitaire lors de l'inscription du lecteur, telle que formulée par le rapport, car elle la juge de nature à susciter « hostilité et mécontentement » et à entraîner une perte de lectorat de l'ordre de 30 %. La solution préconisée est celle du financement par l'État (plutôt que par les collectivités territoriales pour ne pas surtaxer les plus engagées dans le développement de la lecture publique) : ce pourrait être un rôle du Centre national du livre (CNL). La polémique a pris ensuite d'autres formes, qu'on peut qualifier de *lobbying,* en l'absence de terme français mieux adapté : distribution au congrès de l'ABF d'une carte postale-pétition en faveur de l'exemption au titre de l'article 5 de la directive, campagne de sensibilisation de l'ABF envers les élus (sur le thème « Ne taxez pas la lecture ») et campagne de sensibilisation des éditeurs envers les auteurs : ainsi une dizaine d'écrivains (Tahar Ben Jelloun, Denis Tillinac, etc.), apparem-

29. Rappelons que la profession de bibliothécaire est particulièrement féminisée, ce qui ne semble pas être le cas de celle d'éditeur, en tout cas dans ses instances représentatives ; *cf.* Bernadette Seibel, *Au nom du livre : analyse sociale d'une profession, les bibliothécaires,* La Documentation française, Paris, 1988.

30. Sur un mode humoristique, l'un des débatteurs suggérait malignement que les bibliothèques prennent Jérôme Lindon au mot et cessent pour un temps d'acheter les livres des Éditions de Minuit, afin de faciliter leur achat par les lecteurs : « À tout lecteur qui s'étonnerait de la disparition de ce formidable fonds de nos bibliothèques, il sera répondu : T'as qu'à te l'acheter, FAUX PAUVRE ! ! » (sic).

31. *Bulletin d'information de l'Association des bibliothécaires français,* n° 183, 1999, p. 105-108.

ment à l'initiative de la Société des gens de lettres[32], cosignaient une tribune dans *Le Monde* du 12 octobre pour demander à leurs lecteurs «de soutenir le principe du droit à la rémunération des auteurs pour l'emprunt de leurs livres»; simultanément, des élus locaux, tels le maire de Taverny, soulignent le rôle irremplaçable des bibliothèques publiques en faveur du livre et de la lecture.[33]

À l'approche du Salon du livre 2000, une nouvelle étape est très médiatiquement franchie par une «Adresse à la ministre de la Culture» signée des présidents de la SGDL, du SNE et de la toute jeune SOFIA[34], créée pour la circonstance, et donnant le nom de 288 auteurs dont chacun «s'est adressé à son éditeur pour lui demander de faire respecter la loi»: cette pétition est en fait présentée pour défendre une nouvelle fois le paiement à l'acte. Parallèlement, Jérôme Lindon livre dans une nouvelle tribune un des non-dits de la polémique, bien étranger au prêt en bibliothèque: «Pendant longtemps, ceux-ci [les éditeurs] ont plaidé leur cause sur un ton modéré et de façon sans doute trop discrète. Devant l'ampleur de la crise qui s'annonce avec l'irruption de l'internet, ils se sont résolus à hausser le ton.»[35] La pétition a un certain impact, même si plusieurs auteurs signataires estimeront a posteriori avoir été piégés. De nombreux écrivains prendront en revanche, au fil des mois, position en faveur de la gratuité dans les bibliothèques dans des tribunes de quotidiens, dans une pétition rivale (325 signatures d'auteurs) et dans un petit livre collectif vif et percutant.[36] Au front des éditeurs, qui mobilise les médias faute de mobiliser les auteurs, répond celui des bibliothécaires, mais avec des nuances fortes: si tous rejettent en bloc le paiement à l'acte, si tous défendent le rôle des bibliothèques dans l'économie du livre et récusent les raccourcis de Jérôme Lindon ou de Serge Eyrolles, le rejet pur et simple du droit de prêt n'est pas

32. «Les auteurs partent en campagne», *Livres Hebdo*, n° 354, 22 octobre 1999, p. 58.

33. Maurice Boscavert, «Cette lecture publique dont le rôle est irremplaçable», *Livres Hebdo*, n° 352, 8 octobre 1999, p. 9.

34. Société française des intérêts des auteurs de l'écrit.

35. Dans *Le jour du livre: le quotidien du Salon du livre*, n° 4, 20 mars 2000, p. 14.

36. Jean-Claude Baptiste-Marey, François Bon, Jean-Marie Laclavetine, Michel Onfray et Daniel Pennac, *Prêter (un livre) n'est pas voler (son auteur)*, Mille et une nuits, Paris, 2000.

unanime : à côté de la position officielle de l'ABF, qui propose le 4 avril aux 288 de retirer leurs livres du prêt, certains vont de plus en plus loin, au point d'attirer le désaveu.[37] Le Conseil supérieur des bibliothèques propose pour sa part le 19 avril d'« intégrer l'autorisation d'usage collectif dans le coût de l'ouvrage acquitté par les bibliothèques... [et d'] autoriser les éditeurs à instituer un prix de vente spécifique aux bibliothèques qui intégrerait ce droit d'usage collectif » : cette proposition originale a le mérite de soutenir le maillon le plus faible de la chaîne du livre, la librairie, et sera reprise en partie par la nouvelle ministre de la Culture.

En effet, s'étant engagée dès son arrivée Rue de Valois au printemps 2000 à trancher la question du droit de prêt avant la fin de l'année, tout en affirmant très tôt défendre la lecture publique et la logique du « prêt payé » contre celle du paiement à l'acte, c'est finalement le 19 décembre que Catherine Tasca présente ses propositions, habile panachage entre les propositions du rapport Borzeix et celles du Conseil supérieur des bibliothèques, respectant les principales « lignes rouges » de l'ABF sans déclarer la guerre au SNE : plafonnement des rabais aux collectivités sur les acquisitions, paiement forfaitaire de 10 francs cofinancé à parité par l'État et les collectivités (libres de ne pas les répercuter sur l'usager).[38] L'originalité du dispositif est que la base de calcul du forfait favorise celles des collectivités qui font un effort pour la lecture publique au-dessus de la moyenne nationale, au lieu de les pénaliser. La modération des réactions tant des éditeurs que des bibliothécaires, et la satisfaction affichée des auteurs et des libraires, permettent à la nouvelle ministre de poursuivre dans la même voie, jusqu'à une communication en conseil

37. Le nouveau président de l'ABF, Gérard Briand, sera ainsi amené le 10 octobre (toujours sur biblio-fr) à désavouer implicitement « un communiqué malencontreux publié sur Biblio-fr, qui pouvait être interprété comme un appel au pilonnage intempestif ou à une mise à l'index », communiqué émanant de la section des bibliothèques publiques, et qui avait suscité l'indignation immédiate de grandes figures de l'association, notamment Dominique Lahary et Françoise Danset, qui écrit quelques jours plus tard : « On en viendrait presque à regretter le temps des messages à cheval : 4 ou 5 jours entre la Lorraine et le 10e arrondissement de Paris, cela laissait le temps de la réflexion. »

38. Allocution devant les élus et les professionnels du livre et de la lecture, consultable sur le site internet du ministère (www.culture.gouv.fr).

des ministres le 10 octobre 2001. Un futur projet de loi doit garantir les auteurs (droit à rémunération), mais aussi les bibliothèques («droit de prêter»), et confirmer le mécanisme du «prêt payé» en amont du lecteur (assumé par les pouvoirs publics) : ce mécanisme combine un prélèvement de 6 % du prix acquitté lors de l'achat d'un livre, et un versement forfaitaire annuel de 1,5 euro par inscrit en bibliothèque (1 euro en bibliothèque universitaire) à la charge de l'État; ce mécanisme sera progressif (mise en place en deux ans). Les rabais des librairies aux collectivités seront plafonnés à 12 puis 9 %; les 22 millions d'euros attendus du dispositif feront l'objet d'une gestion collective répartie entre versement de droits d'auteurs et affectation à un régime de retraite complémentaire pour les auteurs et les traducteurs. On peut enfin parler de sortie de crise, pour autant que le projet de loi aboutisse.

Droit de copie et «photocopillage»

Le droit de prêt n'est pas le seul point d'achoppement entre professions du livre autour de la propriété intellectuelle : le droit de copie, de reprographie, a été l'objet d'âpres discussions et de nouvelles dispositions législatives et réglementaires. Dans le contexte, là encore, d'harmonisation européenne, il n'est pas certain que ce droit soit totalement stabilisé.

Les bibliothèques les plus concernées par le droit de copie sont cette fois les bibliothèques universitaires mais aussi, plus généralement, les établissements relevant de l'Éducation nationale, dans la mesure où les EPLE[39] sont également grands consommateurs de photocopies. Plusieurs enquêtes ont montré l'importance de la photocopie dans les bibliothèques universitaires, tant du fait des étudiants que des enseignants[40], et ont sensibilisé les éditeurs, notamment ceux spécialisés en sciences humaines, secteur particulièrement touché par ce «photocopillage», pour reprendre un néologisme promis à un bel avenir dans la littérature professionnelle. Dès 1989, le

39. EPLE : établissements publics locaux d'enseignements (lycées, collèges)...

40. Emmanuel Aziza, «Les bibliothèques partenaires de la chaîne du livre», *in* Dominique Arot (sous la direction de), *Les Bibliothèques en France 1991-1997*, *op. cit.*, p. 109-125 : en particulier p. 115-116 et notes.

rapport Miquel recommandait que les textes concernant le droit de reproduction soient « révisés pour être rendus applicables ». En 1994, les éditeurs attaquent l'État, qui adopte finalement un projet imposant une gestion collective des droits de reproduction : c'est la loi du 3 janvier 1995 qui, avec le décret du 14 avril 1995, modifie le Code de la propriété intellectuelle. Conséquence directe, le CFC[41] est agréé par arrêté du 23 juillet 1996 comme société de perception et de répartition collective des droits de copie (92 millions de francs 2000).

La situation de quasi-monopole qui en découle[42] et la fixation au 1er janvier 1998 des tarifs applicables entraîne une levée de bouclier de l'ADBS[43], association très active parmi les documentalistes des secteurs public et privé : seules les photocopies à l'usage privé du copiste (par exemple celles d'un étudiant) sont exonérées de droits, il n'en va évidemment pas de même pour celles que réalise un bibliothécaire ou un documentaliste pour ses usagers, ou un enseignant pour ses élèves. L'association réagit en proposant des tribunes sur son site internet, et en publiant un guide d'information et de sensibilisation.[44] On peut noter cependant que globalement, les bibliothécaires sont plus « réceptifs » à la position des éditeurs sur le droit de copie que sur le droit de prêt, ne serait-ce d'ailleurs que parce que le photocopillage représente un danger y compris pour la maintenance et la conservation à moyen terme de leurs collections.

En novembre 1998, les présidents d'université signent un protocole avec le CFC ; le 17 novembre 1999, Claude Allègre, ministre de l'Éducation nationale, de la Recherche et de la Technologie, signe un autre protocole d'accord avec le CFC et la SAEM[45] : ce sont cette fois les établissements scolaires qui sortent de l'illégalité et du règne du

41. CFC : Centre français d'exploitation du droit de copie.

42. La SEAM (Société des éditeurs et auteurs de musique) est également agréée, mais pour les seules partitions musicales.

43. ADBS (Association des professionnels de l'information et de la documentation, précédemment Association des bibliothécaires et documentalistes spécialisés, d'où son sigle).

44. *Le Droit de copie en questions*, Éditions de l'ADBS, 1998.

45. *Bulletin officiel de l'Éducation nationale*, n° 44, 9 décembre 1999, p. 2269-2279 : le protocole d'accord, intégralement reproduit, est précédé d'une circulaire aux recteurs, aux inspecteurs et aux chefs d'établissement.

photocopillage; la redevance est fixée, forfaitairement, à 10 francs par élève et par an. Ce protocole solde en quelque sorte le conflit avec les éditeurs, puisque c'est la non-ratification après 1993 d'un protocole analogue, signé par Jack Lang, ministre de l'Éducation nationale et de la Culture, qui avait entraîné l'action en justice des éditeurs qui devait contraindre l'État à légiférer en 1995.[46]

Il n'est pourtant pas certain que la législation sur le droit de copie soit durablement stabilisée en France: la discussion (1997-2001) d'une nouvelle directive sur «l'harmonisation de certains aspects du droit d'auteur et des droits voisins dans la société de l'information» a conduit en France à deux rapports parlementaires contradictoires[47]: le rapport Myard du 8 octobre 1998 s'opposait à toute exception même facultative au droit de reproduction, ce qui lui a valu la réprobation des associations de bibliothécaires, tandis que le rapport de Christian Paul du 17 février 1999 marquait un attachement à la notion de copie privée qui, on l'a vu, justifie l'exception au paiement de droits. La mobilisation des associations professionnelles en France et en Europe[48] a permis que le texte de la directive soit amendé dans le sens d'une meilleure prise en compte du droit des usagers, en permettant exemptions et limitations des versements pour les bibliothèques et les institutions éducatives: elle a été adoptée comme directive 2001/29/CE du Parlement européen et du Conseil du 22 mai 2001.[49]

En fait, alors que le débat sur le droit de prêt se joue à termes apparemment constants, celui sur le droit de copie s'est avéré indissociable d'un contexte où les mutations technologiques qui transforment le rapport au livre sont centrales et non en arrière-plan: charger sur son écran un «livre numérique», est-ce une copie? L'usage commence-t-il au «télé(dé)chargement» ou à l'impression? Les menaces contre le *fair use* en matière de copie ne viennent-elles

46. Christine Ferrand, «Écoles: photocopiller n'est plus tricher», *Livres Hebdo*, n° 358, 19 novembre 1999, p. 5.

47. Les informations qui suivent proviennent de divers communiqués de Françoise Danset et Claudine Belayche, de l'ABF, sur la liste biblio-fr (1999-2001).

48. À l'instar d'autres professions, les associations de bibliothécaires ont constitué un *lobby* officiel auprès des institutions européennes, sous le nom d'EBLIDA (European Bureau of Library, Information and Documentation associations).

49. *JOCE* du 22 juin 2001.

pas d'abord de la difficulté technique de plus en plus grande à le définir?

PLURALISME ET CENSURE, OU COMMENT LA CULTURE JURIDIQUE VIENT AU BIBLIOTHÉCAIRE

Mais bien loin du double débat sur les droits dérivés du droit d'auteur (droit de prêt et droit de copie), c'est à un enjeu juridique autrement plus grave pour leur identité que les bibliothèques, et en particulier les bibliothèques publiques, ont été confrontées depuis les élections municipales de 1995: celui de la censure, parfois d'ailleurs déguisée en défense d'un pseudo-pluralisme, imposée dans les mairies tombées aux mains de l'extrême droite (Toulon jusqu'en 2001, Orange, Marignane et bientôt Vitrolles) et angle d'attaque de cette même extrême droite là où elle est présente, minoritaire mais active.

Tout a commencé à Orange: le rapport demandé en mars 1996 à Denis Pallier, alors doyen de l'Inspection générale des bibliothèques, a connu un retentissement médiatique à la mesure de la dénaturation du service opérée par la municipalité sur sa bibliothèque municipale. Catherine Canazzi, l'ancienne directrice de la bibliothèque, a retracé les étapes du conflit avec la mairie: contrôle des acquisitions, dons forcés transitant par le cabinet du maire, listes d'acquisitions retournées biffées, refus de signature d'engagements de dépenses, prescription d'achat, etc.: la situation d'Orange est exemplaire, mais celle des autres villes gérées par le FN est analogue dès 1996-1997[50], avec pour les professionnels «pour toute alternative de se soumettre ou de se démettre. Il n'y a aucune marge de manœuvre pour les fonctionnaires territoriaux que nous sommes.»[51]

50. Les divisions du parti d'extrême droite qui ont conduit à son éclatement en 1998-1999 n'ont, bien entendu, eu aucune conséquence sur la politique culturelle des villes conquises en 1995 et conservées en 2001. Marignane et Vitrolles n'ont rien à envier à cet égard à Orange, et même si leurs élus ont fondé un nouveau parti, le Mouvement national républicain (MNR), celui-ci est visiblement en parfaite harmonie avec le Front national «maintenu» en matière de culture – ce qui n'est guère étonnant compte tenu du travail de structuration idéologique et culturelle de l'extrême droite mené par son dirigeant, Bruno Mégret, lorsqu'il était au FN.

51. Catherine Canazzi, «Orange, la bibliothèque pervertie: pluralisme

En effet, la médiatisation du drame culturel d'Orange et bientôt de Marignane, accompagnée d'attaques d'élus d'extrême droite minoritaires dans de nombreuses communes, pour imposer la présence de publications de leur mouvance au nom du pluralisme, entraînent bientôt chez les bibliothécaires une prise de conscience salutaire mais un peu vertigineuse : les statuts actuels des bibliothèques et surtout des bibliothécaires, notamment territoriaux, sont insuffisants non seulement à la reconnaissance de leur compétence exclusive en matière d'acquisitions, mais même à la reconnaissance de leur vocation exclusive à diriger et animer les bibliothèques et médiathèques. Rien n'interdit à une mairie qui n'arrive pas à recruter statutairement de «volontaire» professionnel de confier cette tâche à qui elle l'entend – après les départs de professionnels à Orange et Marignane, c'est ce qui s'est passé en dernier lieu à Vitrolles à partir de 2000. La réélection des trois municipalités en 2001 a évidemment conforté le processus de délégitimation et de déprofessionnalisation.

La riposte des bibliothécaires se fait à plusieurs niveaux : animation de débats au Salon du livre au travers de la Fédération française de coopération des bibliothèques et de l'association Mémoires vives, présidée par Anne-Marie Bertrand[52] ; approfondissement des questions déontologiques et juridiques liées à la censure et au pluralisme[53] et, au-delà, intérêt nouveau de toute la profession pour la formalisation des politiques d'acquisitions[54] ; enfin relance du vieux projet, cher à la profession (en tout cas à ses «territoriaux»), de loi sur les bibliothèques.

Figure imposée des congrès de l'ABF, des salons du livre et des discours des ministres successifs de la Culture, le projet d'une loi sur les bibliothèques, censé résoudre

ou propagande ?», *Bulletin des bibliothèques de France,* tome 42, n° 4, 1997, p. 8-9.

52. Christophe Pavlidès, «Les bibliothèques face aux extrémismes», *Bulletin des bibliothèques de France,* tome 42, n° 3, 1997, p. 115-116 ; *idem*, « Les bibliothèques, l'extrême droite et la violence des mots», *Bulletin des bibliothèques de France,* tome 43, n° 4, 1998, p. 122-123.

53. Jean-Luc Gautier-Gentès, «Lettre ouverte à une jeune bibliothécaire sur le pluralisme des collections», *Esprit,* n° 2, février 1998, p. 21-39. Rappelons que Jean-Luc Gautier-Gentès est le successeur de Denis Pallier comme doyen de l'Inspection générale des bibliothèques.

54. Voir notamment le dossier «Acquisitions et gestion des collections», *Bulletin d'informations de l'Association des bibliothécaires français,* n° 189, 2000, p. 6-128.

aussi bien la question du droit de prêt que celle du pluralisme ou de la responsabilité des bibliothécaires, a pris incontestablement une consistance nouvelle après les inspections d'Orange et de Marignane et l'électrochoc provoqué dans la profession et dans l'opinion. La législation sur les bibliothèques est éclatée en divers textes, le décret sur le contrôle technique des bibliothèques a montré ses limites, l'Inspection générale attend depuis des années un texte rassemblant et organisant ses compétences et prérogatives, le Conseil supérieur des bibliothèques est fragile et n'a qu'un rôle consultatif (même si sa Charte peut servir utilement de socle déontologique pour les bibliothécaires « bousculés » par les élus), enfin la disparité des statuts des personnels ne facilite pas l'expression d'une vocation unique à développer les collections et assurer la gestion des équipements.

Si ce projet a pu longtemps apparaître comme un débat très franco-français, où la forme (« il faudrait une loi ») semblait plus importante que le fond (« pour quoi faire ? »), les débats récents, qu'on a tenté d'esquisser ici, l'auront sorti de l'ornière. Reste que l'ordre du jour parlementaire n'aura pas permis d'aboutir pendant la législature 1997-2002 et que le projet de loi annoncé pour le droit de prêt laisse au contraire penser que l'approche « au coup par coup » reste privilégiée par le législateur. Loi d'ensemble ou articles de lois diverses, il n'est pas mauvais, cependant, qu'un certain temps de maturation ait permis de faire la part entre les questions de fond (contrôle, responsabilité) et les aspects plus symboliques qu'attendent aussi les bibliothécaires.

Quoi qu'il en soit, on peut douter que la norme puisse figer un univers en mouvement où les bibliothèques se font les unes médiathèques, les autres services de documentation voire cyber-espaces, et où les bibliothécaires sont plus que jamais médiateurs de l'écrit et du livre, qu'il soit virtuel ou de papier. Les polémiques et débats actuels, ontologiques autant que déontologiques, dessinent un paysage plus divers et plus complexe que jamais : les anciens modèles coexistent à côté des nouveaux services, et les repères identitaires s'empilent plus qu'ils ne se remplacent. À cet égard, l'évolution des bibliothèques n'est-elle pas symétrique de l'évolution du livre ?

CHAPITRE XII

L'État, acteur ou spectateur ?

Longtemps coupé d'un secteur jaloux de sa double indépendance intellectuelle et commerciale, cantonné dans des politiques traitant de l'encouragement à la lecture comme prolongement des politiques éducatives, l'État s'est progressivement investi, depuis plus de trente ans, dans des politiques d'encadrement et de soutien des activités éditoriales et littéraires.[1] Dans un texte officiel publié en 1992, le ministère de la Culture estimait ainsi qu'il n'est sans doute pas « de pays au monde où une économie de marché de l'édition soit à ce point associée à une action publique qui corrige le déséquilibre entre les ouvrages à succès et les œuvres de recherche ou les textes érudits »[2]. Cette participation accrue de l'État aux dynamiques de production intellectuelle et matérielle des livres est en outre assumée par une grande partie des acteurs du

1. *Cf.* Roger Chartier et Henri-Jean Martin (sous la direction de), *Histoire de l'édition française, op. cit.*, tome IV : *Le livre concurrencé (1900-1950)* ; Pierre Bourdieu, *Les Règles de l'art*, Le Seuil, Paris, 1992 ; Christophe Charle, *Naissance de l'intellectuel*, Éditions de Minuit, Paris, 1990.

2. *Lettres*, édition spéciale, 20 mars 1992, p. 1.

secteur, un éditeur notant par exemple que « le livre fait partie du secteur public. Tous les éditeurs ne sont pas des marchands. Nous avons le sentiment de participer, même modestement, à l'action publique. »[3]

Cette « révolution » de l'appréhension des problèmes du livre par l'État est liée à différents facteurs cumulés, que l'on pourrait synthétiser en estimant que la constitution progressive d'une demande d'intervention par les milieux du livre, et notamment par les éditeurs, a suscité et nourri la formation d'une offre publique d'intervention en constante extension.[4] La formation de cette « demande » d'État fut essentiellement le fait d'éditeurs « littéraires », de petite taille ou faisant partie des « grands moyens »[5], liés aux milieux intellectuels et censés incarner les traditions du secteur. Cette « demande » s'articula en outre rapidement autour de l'idée que le livre n'est pas un produit comme les autres et devait donc pouvoir profiter d'une attention particulière de la part des acteurs politico-administratifs. Impulsant la formation de l'offre publique d'intervention et influençant son contenu comme sa logique de fonctionnement, cette demande a dès lors rompu avec le rapport distancié qui caractérisait encore l'action de l'État dans ce domaine au cours des années 1960, même après la création du ministère de la Culture en 1959 par André Malraux.[6]

Ni totalement spectateur, ni acteur indépendant, l'État semble donc intervenir ici selon des logiques multiples, qui tiennent autant à l'initiative propre des acteurs politico-administratifs qu'aux revendications plus ou moins formalisées des acteurs du livre. Ce caractère hybride du statut de l'État à l'égard du livre se révèle notamment autour de trois thèmes principaux : il détermine tout d'abord la dynamique évolutive de l'appareil politico-administratif compétent ; il justifie par ailleurs l'existence

3. Entretien, 28 octobre 1994.

4. Pour une analyse plus fouillée de ces éléments, *cf. L'Édition française depuis 1945*, sous la direction de Pascal Fouché, *op. cit.*, et Yves Surel, *L'État et le livre*, L'Harmattan, Paris, 1997.

5 Pour une analyse du secteur, *cf.* François Rouet, *Le Livre : mutations d'une industrie culturelle*, *op. cit.*

6. *Cf.* Philippe Urfalino, *L'Invention de la politique culturelle*, La Documentation française, Paris, 1996, et Vincent Dubois, *La Politique culturelle. Genèse d'une catégorie d'intervention publique*, Belin, Paris, 1999.

de politiques du livre contemporaines de plus en plus orientées vers le soutien à l'économie de l'édition ; il opère enfin comme un prisme dans l'émergence d'enjeux nouveaux, qui poussent parfois à des réaménagements substantiels des dispositifs existants.

L'ÉVOLUTION DE L'APPAREIL POLITICO-ADMINISTRATIF COMPÉTENT

Les politiques du livre reposent aujourd'hui pour l'essentiel sur trois catégories d'acteurs : le Centre national du livre, l'institution la plus ancienne, chargé de coordonner les dispositifs de soutien à l'activité éditoriale et littéraire ; la Direction du livre et de la lecture, qui dispose d'un pouvoir de coordination et de mise en œuvre des principaux axes de l'intervention publique ; une pluralité d'acteurs intervenant plus marginalement, comme le ministère des Affaires étrangères ou encore le ministère de la Justice.

La première de ces institutions, le Centre national du livre, est l'héritière de la première structure créée pour alimenter une intervention publique à l'égard du livre, la Caisse des lettres. Instituée formellement par une loi du 11 octobre 1946, après plusieurs tentatives avortées[7], la Caisse nationale des lettres ne devait entrer effectivement en fonction qu'en 1957, après le vote de la loi du 25 février 1956, suivie de plusieurs décrets d'application. Ce retard, essentiellement imputable à des différends budgétaires, ne devait pas empêcher le nouvel organisme de fonctionner selon les cadres fixés dès l'après-guerre, à savoir encourager certains types de productions littéraires jugés nécessaires et dont la publication ne paraissait pas garantie par le libre jeu du marché, financer un régime de protection sociale des écrivains et protéger les adaptations des œuvres littéraires. Le financement de la Caisse des lettres reposait alors pour l'essentiel sur une prolongation de 15 ans des droits d'auteurs décédés au profit de l'organisme public, sur une taxe de 0,2 % sur le chiffre d'affaires des maisons d'édition et sur des subventions directes de l'État.

7. Pascal Ory, « Le rôle de l'État : les politiques du livre », *in* Roger Chartier et Henri-Jean Martin (sous la direction de), *Histoire de l'édition française*,, *op. cit.*, volume IV, *Le livre concurrencé*, Promodis-Fayard, Paris, 1991.

Même si les sommes versées à cette époque étaient dérisoires, elles n'en alimentèrent pas moins une première intervention directe de l'État dans les modes de sélection et de production des livres, qui devait susciter des réactions chez les acteurs concernés. Ainsi, alors que le dispositif était essentiellement conçu à l'origine comme une instance de sauvegarde et de soutien à l'activité littéraire, la pratique de la Caisse des lettres, déterminée par la gestion paritaire État/acteurs du livre, devait progressivement faire dériver le système vers une forme de socialisation du risque de l'édition pour certains types de livre, ce qui profita dès lors avant tout aux éditeurs. Dès ces débuts, la Caisse des lettres opéra donc en pratique comme une forme d'organisme de cautionnement de l'activité éditoriale, soutenant la trésorerie des maisons d'édition par des aides qui s'apparentaient à des avances sur recettes, ce que Pierre-Michel Menger désigne par un « financement de l'offre », qui vise à « socialise[r] ainsi le risque attaché à la production artistique lorsque (et de sorte que) celle-ci se perpétue en marge, en l'absence ou en excès d'un marché constitué »[8]. Cette pente initiale prise par la Caisse des lettres résultait pour l'essentiel des pressions alimentées dès cette époque par les éditeurs, soucieux de voir la taxe sur leur chiffre d'affaires en librairie leur revenir sous forme de subventions et de prêts.

Par la suite, les réformes successives de l'établissement public ne firent qu'entériner et institutionnaliser ce mode de fonctionnement orienté autour du partenariat État/éditeurs. En 1976, la loi de finances institua ainsi une redevance sur la reprographie, qui s'ajouta aux ressources traditionnelles du Centre national des lettres, nouvelle appellation résultant d'un décret de 1973. Puis, en 1993 et 1996, deux décrets rebaptisèrent symboliquement l'établissement public en un Centre national du livre, dont les compétences furent alors recentrées sur l'aide à l'édition d'ouvrages difficiles et les différents dispositifs de soutien à l'économie du livre, tandis que la gestion paritaire de l'organisme était consacrée avec une participation accrue des éditeurs à la prise de décision.

8. Pierre-Michel Menger, « L'État-providence et la culture. Socialisation de la création, prosélytisme et relativisme dans la politique culturelle publique », *in* François Chazel (sous la direction de), *Pratiques culturelles et politiques de la culture*, MSHA, Talence, 1987, p. 36.

Les autres fonctions initiales de l'établissement public furent par là même progressivement transférées, voire supprimées. Il en fut ainsi de l'activité de financement et de gestion d'un régime de Sécurité sociale pour les écrivains, institué dans les années 1950-1960, la Caisse des lettres remplissant alors d'une certaine façon un rôle d'employeur des écrivains[9], qui fut rapidement dénoncé par les éditeurs. La situation devait être clarifiée dès 1975 avec la loi du 31 décembre, qui intégra les auteurs au régime unifié de protection sociale des artistes. Par ailleurs, l'établissement public perdit peu à peu sa fonction originelle de « défense morale des Lettres », par laquelle la Caisse s'était attachée dans les années 1960 à garantir le respect des œuvres littéraires, notamment lorsqu'elles faisaient l'objet de transpositions sur d'autres supports (films, disques...).

Autre structure fondamentale, la Direction du livre et de la lecture fut instituée par un décret du 23 décembre 1975 avec pour mission de « prépare[r] et exécute[r], en liaison avec les ministères intéressés, la politique de la lecture publique et du livre, notamment en ce qui concerne la création littéraire, l'édition, la diffusion du livre et le développement de la lecture »[10]. Rattachée à l'époque de sa création au secrétariat à la Culture, la DLL devint la structure administrative centrale du dispositif, rapprochant la gestion des politiques du livre du modèle traditionnel de gestion et de sectorisation de la politique culturelle.[11] Monopolisant progressivement les différentes fonctions relevant de la lecture, la DLL est également conçue depuis ses débuts comme une structure de soutien et de suivi de l'évolution du secteur, grâce notamment à l'existence d'un département de l'économie du livre, qui comprend un bureau de l'édition et de la librairie, un bureau du livre français à l'étranger et une mission juridique.

9. Analysant de tels processus, Pierre-Michel Menger y voit l'effet des insuffisances des marchés culturels qui rendent nécessaire l'engagement de l'État, « la politique culturelle contemporaine généralis[ant] les fonctions de protection et de mécénat et assign[ant] à l'État le rôle nouveau d'*employeur* », Pierre-Michel Menger, « L'État-providence et la culture », article cité, p. 33, souligné par l'auteur.

10. Article 2 du décret n° 75-1218 du 23 décembre 1975 portant création d'une direction du livre au secrétariat d'État à la Culture, *Journal Officiel*, 26 décembre 1975, p. 13359.

11. *Cf.* Philippe Urfalino, *L'Invention de la politique culturelle*, *op. cit.*

À côté de ces deux institutions, traditionnellement rattachées au ministère de la Culture, d'autres départements ministériels interviennent également à des titres divers dans les politiques du livre. Ainsi le ministère de la Justice est-il toujours compétent pour l'application des dispositions relatives à la loi du 16 juillet 1949 sur les publications destinées à la jeunesse, en assurant la mise en œuvre du dispositif, notamment autour d'une commission spécialisée. À ce vague héritage de la censure s'ajoutent d'autres actions plus spécifiques, menées en particulier par le ministère des Affaires étrangères. Ce dernier, dans le cadre d'une politique plus générale de présence de la culture française à l'étranger, assure en effet le financement de la promotion des livres français à l'étranger. Enfin, les collectivités locales ont eu tendance à s'investir de plus en plus dans ce domaine, même si cette intervention reste contrastée. Dans les années 1980, des centres régionaux des lettres ou du livre ont ainsi vu le jour, ayant plus ou moins pour tâche de reproduire à l'échelle locale les dispositifs de soutien et de communication développés par le CNL. Leurs actions font cependant l'objet d'appréciations contrastées, seuls certains d'entre eux paraissant être réellement parvenus à soutenir des maisons d'édition régionales, ainsi que certains auteurs. Cet investissement ambigu des collectivités locales, qui rejoint d'ailleurs leur engagement inégal en faveur des bibliothèques, atteste cependant une même tendance au niveau local à soutenir de plus en plus nettement les dispositifs alimentant une politique du livre au détriment d'autres types d'action, en particulier en faveur de la lecture[12].

À ces dispositifs institutionnels publics s'ajoutent enfin des structures de partenariat entre l'État et les acteurs concernés dans la conduite de différentes opérations de soutien à la profession. Ainsi, pour ce qui concerne l'exportation, l'action de l'État est complétée et articulée à des dispositifs purement privés. Depuis une réforme de 1991, un organisme associatif réunissant plus de deux cents éditeurs, France édition, a ainsi pour mission de favoriser «le renforcement du poids du livre français dans les pays industrialisés (Europe communautaire, États-Unis, Japon) et l'aide au développement de l'édition française dans les

12. *Cf.* Philippe Poirrier, *L'État et la culture en France au vingtième siècle*, LGF, Paris, 2000.

pays en voie de développement ou en reconstruction»[13], mais dispose pour ce faire de moyens financiers largement fournis par l'État à hauteur de 85 % du budget global.

En définitive, deux aspects sont particulièrement significatifs dans cette structuration progressive d'un appareil politico-administratif compétent pour traiter des problèmes du livre. Tout d'abord, les caractéristiques contemporaines des politiques du livre semblent très largement le fruit d'une sédimentation progressive d'institutions et de compétences plus ou moins isolées les unes des autres, touchant tantôt l'encadrement juridique du secteur (notamment par le biais de certains dispositifs de censure), tantôt le soutien économique à certaines franges de l'édition. Tout au long de ce cheminement quelque peu chaotique, il semble que l'État ait le plus souvent répondu à des sollicitations des acteurs concernés, écrivains et éditeurs en particulier, plutôt qu'il n'ait fait preuve d'un volontarisme effectif.

Cette structuration progressive ne doit pas déboucher toutefois sur une vision négative, qui verrait dans l'action publique une série de réponses plus ou mois coordonnées aux attentes des professionnels. Au-delà de la rationalisation de certains instruments d'action (comme dans le cas de France édition récemment), l'action de l'État suit en effet une pente «naturelle» depuis la création de la Caisse des lettres en 1946 dans le sens d'un interventionnisme accru en faveur de l'économie du livre, et notamment d'une frange de l'activité éditoriale que l'on pourrait qualifier de «littéraire». Les éditeurs les plus mobilisés lors des revendications, et les plus souvent associés à la gestion des principaux dispositifs (essentiellement au CNL), appartiennent, en effet, pour la plupart à cette frange intermédiaire du milieu, attachée au caractère hybride d'une profession dont l'identité s'est construite autour de l'adéquation entre logiques culturelles et logiques économiques, dont certaines figures tutélaires continuent d'incarner l'idéal (essentiellement Bernard Grasset et Gaston Gallimard). Constamment mobilisés pour défendre la permanence d'une certaine perception du milieu, cristallisée par la croyance selon laquelle «le livre n'est pas un produit comme les autres», ces éditeurs sont ainsi tout à la

13. *Lettres*, 20 mars 1992, p. 3.

fois les vecteurs et les garants des fondements actuels de la politique du livre, définis et consacrés pour l'essentiel en 1981 avec l'adoption de la loi Lang sur le prix unique du livre.

L'ALTERNANCE DE 1981 ET LES POLITIQUES DU LIVRE

L'alternance de 1981 peut en effet être vue comme un moment charnière, qui a contribué à cristalliser des éléments divers des politiques du livre, pour leur donner des traits particuliers toujours en vigueur aujourd'hui. En simplifiant, on peut en effet considérer que le vote de la loi Lang, les propositions de la commission Pingaud-Barreau, ainsi que l'accroissement des capacités budgétaires ont dessiné les axes principaux d'une politique qui se voit toujours comme une protection de l'édition contre le libre jeu du marché au motif que «le livre n'est pas un produit comme les autres».

Cette légitimation progressive de la perception idéale que certains éditeurs ont d'eux-mêmes reste très liée aux diverses mobilisations qui ont précédé l'alternance de 1981. Conscients des dangers potentiels de la «marchandisation» progressive du secteur pour leur propre survie comme pour la permanence de la place particulière du livre dans la société française, de nombreux éditeurs se mobilisèrent dès les années 1970 pour défendre l'idée d'une intervention de l'État justifiée par l'idée que «le livre n'est pas un produit comme les autres». Reprenant l'analyse des éditeurs de l'entre-deux-guerres, pour lesquels le maître mot de l'édition devait être «la durée» selon l'expression de Bernard Grasset, Jérôme Lindon, responsable des Éditions de Minuit, justifiait par exemple son engagement constant contre la dérive commerciale du secteur en expliquant que «la carrière d'un livre sur plusieurs semaines ou plusieurs mois [...] implique une toute autre conception de la création, de la diffusion et de la distribution»[14]. Dès lors, la crainte de voir disparaître les relais traditionnels du livre qu'étaient les libraires, et, avec eux, une conception particulière du secteur, constitua le point de départ de la mobilisation de toute une frange du

14. Entretien par téléphone, 14 mars 1995.

secteur éditorial spécialisée dans la littérature et les sciences humaines.

Après avoir essuyé plusieurs refus sous le gouvernement Barre, notamment en février 1979, lorsque les prix du livre furent libérés, la frange du secteur favorable à une plus grande intervention de l'État allait obtenir gain de cause après l'alternance de 1981. Dès le mois d'août 1981 entrait en effet en vigueur ce qui n'était jusque-là que la centième des cent dix propositions du candidat Mitterrand, «la libération des prix du livre sera abrogée»[15]. En présentant et en défendant son projet de loi devant le Parlement, Jack Lang reprit à son compte l'argumentaire développé par la frange «littéraire» du secteur, selon lequel «le livre n'est pas un produit comme les autres: c'est une création de l'esprit qui ne saurait être soumise – sans une protection ou à tout le moins sans une régulation particulière – à la seule loi du marché»[16]. Rappelant les visées de la loi (préservation des librairies, égalité des citoyens devant le livre et soutien de la création littéraire), Jack Lang conclut même alors à la nécessité d'élaborer une véritable politique du livre et de la lecture. Pour donner un contenu à ces orientations, une commission fut confiée au cours de l'été 1981 à Bernard Pingaud et Jean-Claude Barreau. Les conclusions de ses travaux furent publiées dans plusieurs rapports établissant cinquante-cinq propositions pour le livre, qui devaient consacrer certaines évolutions antérieures des politiques du livre et confirmer notamment la volonté de voir l'État garantir le maintien d'une structure d'édition et de distribution qui puisse faciliter la création et l'édition traditionnelles à côté des politiques de la lecture.[17]

Autre phénomène important, l'arrivée de Jack Lang permit alors un accroissement significatif des moyens budgétaires. Ainsi, l'augmentation globale du budget de la Culture en 1981 se traduisit pour les politiques du livre par une augmentation des crédits de 405 millions de

15. Pour plus d'éléments sur l'élaboration comme sur l'évolution du prix unique, *cf.* Yves Surel, «Quand la politique change les politiques. La loi Lang du 10 août 1981 et les politiques du livre», *Revue française de science politique*, volume 47, n° 2, avril 1997, p. 147-172.

16. *Journal Officiel*, Assemblée nationale, 2e séance du 30 juillet 1981, p. 553.

17. Commission Pingaud-Barreau, *Cinquante-cinq Propositions pour le livre*, ministère de la Culture, Paris, octobre 1981.

francs en 1981 à 707 millions de francs en 1982, soit une croissance de près de 60 % en francs constants. En outre, la taxe sur la reprographie (taxe de 3 % sur les ventes de matériel) connut alors une augmentation significative avec l'usage croissant des photocopieurs, ce qui renforça les capacités d'action du CNL.

Cette révision des principes et la croissance des moyens budgétaires expliquent sans doute pourquoi les dispositifs multiples de soutien à la création, à la production comme à la diffusion constituent aujourd'hui l'essentiel des politiques du livre. Le budget d'intervention pour le livre et la lecture dans le budget 2001 s'élevait à 1,13 milliard de francs, dont la moitié environ couvrait les subventions de fonctionnement de la Bibliothèque nationale de France. De manière plus précise, en 1999, les crédits d'intervention de la DLL se montaient à 136 millions de francs, dont 65 millions relevaient des crédits déconcentrés au profit des directions régionales de l'action culturelle (DRAC).

L'essentiel de ces fonds est traditionnellement consacré à différents mécanismes de soutien structurel, ce que François Rouet et Xavier Dupin désignent comme des « contributions exceptionnelles pour des opérations de restructuration ou de développement sous la forme de subventions ou de mise à disposition d'outils d'analyse économique et de prévision »[18]. Cette aide structurelle ponctuelle s'exerce d'abord en faveur de maisons d'édition petites et moyennes, dont « la faiblesse des fonds propres [...] rend difficile l'investissement dans un catalogue de qualité dont la rentabilité à court terme est réduite »[19], maisons qui correspondent toujours par ailleurs à la perception idéale autour de laquelle s'est forgée l'identité du secteur. Certaines librairies sont également parfois visées, notamment dans le cadre de subventions qui doivent faciliter une création, un développement ou une restructuration. Souvent dépendantes des éditeurs par le biais de l'office, les librairies sont en effet parfois considérées comme « le maillon faible de la chaîne du livre »[20].

18. Xavier Dupin, François Rouet, *Le Soutien public aux industries culturelles*, La Documentation française, Paris, 1991, p. 81.

19. François Rouet, *Le Livre*, La Documentation française, Paris, 1992, p. 242.

20. Patrice Cahart, *Le Livre français a-t-il un avenir ?*, *op. cit.*, p. 71-94.

Le soutien de l'État à l'économie du livre paraissant insuffisant à de nombreux professionnels, certains éditeurs se sont mobilisés pour créer de nouvelles formes d'intervention plus ou moins associées aux dispositifs publics. La plus importante d'entre elles a été instituée en 1989 à l'initiative des éditeurs les plus directement touchés par la disparition possible des librairies traditionnelles. Les éditeurs « littéraires » déjà mobilisés en faveur du prix unique, comme La Découverte, Gallimard, Minuit ou encore les éditions du Seuil, créèrent ainsi une Association pour le développement de la librairie de création (ADELC), dont l'objectif principal est de soutenir financièrement les librairies qui se rapprochent le plus du modèle du petit libraire traditionnel, et de faciliter leur modernisation. Financée par une subvention forfaitaire des éditeurs, qui représente 1,5 % de leur chiffre d'affaires, l'ADELC profite également d'une subvention de la Direction du livre et de la lecture. Déclinant le discours qui avait déjà légitimé l'instauration du prix unique, un éditeur justifie cette opération au motif qu'il ne peut y avoir selon lui « d'édition sans librairie. Je veux dire par là, nos maisons, celle de Lindon et des autres grands éditeurs. La disparition de la petite librairie, c'est la fin du type d'édition que l'on fait chez nous. »[21]

Au-delà de la Direction du livre et de la lecture, les dispositifs de soutien relèvent cependant toujours pour l'essentiel du Centre national du livre. Les dépenses de l'établissement public ont représenté 146 millions de francs en 1998. Le principal poste de dépenses couvrait alors les crédits d'achats alloués aux bibliothèques, soit près de 34,5 millions de francs à destination de 718 bibliothèques. Par ailleurs, le CNL joue également un rôle de soutien financier important dans l'organisation de grandes manifestations qui sont censées assurer la promotion du livre. Ainsi, en 1998 toujours, le CNL a participé au financement de différentes opérations organisées dans le cadre de l'opération « Lire en fête » pour près de 2 millions de francs, 189 manifestations diverses faisant l'objet de subventions à hauteur de 9,5 millions de francs environ. L'essentiel de l'activité du CNL reste cependant orienté vers l'allocation de subventions destinées à favoriser la création pour des écrivains, des chercheurs ou encore des

21. Entretien, 4 avril 1995.

traducteurs, ainsi que vers des aides de soutien à l'édition d'ouvrages considérés comme difficiles et/ou particulièrement nécessaires. Dans ce cadre, 237 bourses de création furent allouées en 1998 pour une somme globale de près de 14 millions de francs, tandis que l'aide à l'édition s'élevait à plus de 30 millions de francs, auxquels s'ajoutèrent 8,5 millions de francs à destination des revues. D'une certaine manière, les modalités d'attribution des aides s'apparentent ainsi à une « délégation du jugement esthétique »[22], dans la mesure où la décision est transférée aux deux cents professionnels (écrivains, journalistes, éditeurs, conservateurs...) réunis dans des commissions spécialisées nommées par le directeur du livre. Elles sont aujourd'hui au nombre de treize, recouvrant la plupart des secteurs éditoriaux, notamment les littératures étrangères, le théâtre, la poésie ou encore la bande dessinée. Conformément aux principes établis dès les débuts du CNL, l'affectation des crédits profite essentiellement au processus de production, par le biais de prêts sans intérêt avancés aux éditeurs (voire parfois des subventions), qui peuvent atteindre jusqu'à 50 % du coût établi par un devis, et dont les remboursements s'effectuent selon des modalités qui varient avec l'importance des prêts.

Les bénéficiaires des aides se situent pour la plupart dans une frange bien spécifique du secteur éditorial, où l'on retrouve les éditeurs « littéraires » déjà cités. De la même façon que la loi Lang visait plus ou moins explicitement à sauvegarder une « certaine économie du livre », considérée comme menacée par les évolutions économiques du secteur depuis les années 1970, l'action du CNL s'oriente en effet également vers la préservation de cette figure idéale de l'éditeur. Nombre d'éditeurs reconnaissent d'ailleurs cette inflexion des politiques du livre, déterminée par la constitution progressive d'une clientèle spécifique, l'un d'entre eux justifiant le rôle de l'État par « la défense du petit [...]. Ce que l'on veut protéger, c'est un symbole derrière le livre, et c'est pourquoi on favorise une rupture avec le marché et la protection des petits éditeurs à dominante culturelle. »[23] Ceux-ci se montrent

22. *Cf.* l'analyse de ce mécanisme appliqué à l'art contemporain par Philippe Urfalino et Catherine Vilkas : *Les Fonds régionaux d'art contemporain*, L'Harmattan, Paris, 1995.

23. Entretien, 21 juillet 1993.

dès lors le plus souvent très satisfaits de l'établissement public, qualifiant sa mission d'« assistance bien comprise, qui joue un rôle tout à fait essentiel dans l'édition française »[24], un éditeur notant par ailleurs que l'action du CNL peut relever parfois d'un « vrai travail d'édition »[25], toute décision, positive ou négative, amenant parfois les éditeurs à s'interroger sur leurs propres choix[26].

De ce fait, l'aide à la création, qui constituait pourtant le cœur de l'action publique du CNL « première manière », est aujourd'hui relativement dévalorisée, ce qui alimente un mécontentement continu chez certains auteurs. Ainsi, pour ce membre de la Société des gens de lettres, « les grands groupes ont su convaincre le politique de la validité de leurs arguments. C'est fascinant de voir l'évolution du ministère Lang. Il est d'abord favorable à la création en 1981, puis, dès 1985, il donne l'avantage à la production, notamment lors du vote de la nouvelle loi sur les droits d'auteur [...]. Et pour ce qui est du CNL, on est passé clairement des prêts aux subventions »[27]. Une telle appréciation est caractéristique d'une perception d'une évolution du rapport de forces au sein des politiques du livre marqué par le poids et la participation accrue des éditeurs.

Le problème est différent dans d'autres cadres de l'action publique, qui ne reposent pas sur l'allocation de ressources financières, et qui ne génèrent donc pas une concurrence entre les acteurs du livre sur la gestion comme sur la destination des fonds. Il en est ainsi notamment pour certains problèmes qui relèvent de la définition des cadres juridiques de l'activité de création et de production, où les intérêts non contradictoires des différents acteurs permettent un aménagement continu des dispositifs. L'une des évolutions les plus importantes s'est par exemple produite récemment pour la définition juridique de l'auteur, dont les principaux cadres avaient été fixés en 1957. Tenant compte des évolutions majeures du

24. Entretien, 28 octobre 1994.

25. Entretien, 28 octobre 1994.

26. Un éditeur de philosophie, dont l'une des demandes avait été refusée par le CNL, reconnaissait avoir « repris sans la modifier une traduction qui datait de 1900. Je n'avais pas fait mon travail d'éditeur à part entière. J'ai compris le refus du CNL a posteriori ». Entretien, 24 septembre 1993.

27. Entretien, 29 mai 1985.

secteur et du statut social de l'écrivain, la loi de 1985, modifiant la loi de 1957 sur les droits d'auteur, a consacré une conception renouvelée du statut des auteurs et de leurs rapports avec les producteurs matériels et les diffuseurs de leurs œuvres, notamment pour ce qui concerne la reconnaissance au profit des écrivains de droits dérivés sur les différentes formes d'exploitation de leurs œuvres, ainsi que pour la définition d'un droit de suite étendu. De la même manière, une loi du 20 juin 1992 a modifié le système de dépôt légal pour tenir compte des nouvelles techniques de diffusion de l'écrit.

Autre axe important de l'action publique, de nombreux dispositifs de soutien à la diffusion des ouvrages et/ou des auteurs français à l'étranger sont conduits par une pluralité d'acteurs politico-administratifs. Dans une étude effectuée en 1993 par un groupe de travail présidé par le directeur du livre, Jean-Sébastien Dupuit, les opérations menées par les acteurs publics (aides diverses, subventions à l'organisation de manifestations...) avaient été évaluées à 200 millions de francs pour un chiffre d'affaires de l'édition à l'exportation de 1,3 milliard de francs pour la même année, soit un pourcentage de 15,4 %.[28] Trois grands ensembles de dispositifs se dégagent, qui consistent tour à tour à soutenir la promotion du livre français à l'étranger, à financer une partie du coût de transport et des autres charges liées à l'exportation, ou encore à faciliter la commercialisation des livres français.

On soulignera enfin que les politiques du livre reposent également sur des manifestations d'encouragement à la lecture ou de promotion du livre, comme le Salon du livre de Paris.[29] Parallèlement, le rôle des acteurs publics s'exerce par d'autres opérations de promotion, en particulier des campagnes d'affichage, parfois relayées par des spots publicitaires.[30] Ces opérations de communication ou de promotion restent cependant diversement appréciées

28. *Présence du livre français dans le monde*, mars 1994.

29. Pour une vision plus exhaustive des politiques du livre, *cf.* Yves Surel, *L'État et le livre*, *op. cit.*, et, pour les politiques de la lecture, *cf.* Marine de Lassalle, *L'Impuissance publique. La politique de la lecture publique en France (1945-1993)*, thèse pour le doctorat de science politique sous la direction de Daniel Gaxie, Paris I, 1996.

30. *Cf.* les campagnes «Les livres, beaucoup, passionnément» et «Êtes-vous livre ce soir?»

par les acteurs, qui y voient parfois l'effet d'un activisme purement politique des acteurs politico-administratifs, bien éloigné des préoccupations concrètes et des enjeux valorisés par les acteurs du livre. Un éditeur considérait par exemple à propos de la Fureur de Lire, l'une des premières appellations des manifestations de ce type, que le caractère «festif» de la manifestation ne correspond pas aux spécificités du livre comme objet culturel, la jugeant au contraire comme «une opération démago».[31]

De nouveaux enjeux

Ces caractéristiques des politiques du livre, et le contenu même des dispositifs en place semblent cependant à nouveau menacés depuis quelques années par les bouleversements que les nouvelles technologies ont suscité au sein du secteur.[32] La «révolution» du multimédia est souvent ressentie en effet par les acteurs du livre comme un vecteur de transformation des modes de fabrication, de diffusion, voire de la place même du livre dans les sociétés contemporaines. De manière plus précise, les nouveaux supports de diffusion (internet, cédérom...) posent par exemple de nombreux problèmes pour ce qui concerne la définition des droits d'auteur ou le contrôle des écrits sur le mode traditionnel du dépôt légal.

Face à ces évolutions, les éditeurs mobilisés dans les années 1970 ont trouvé un nouveau combat où s'engager, inquiets devant le possible déclin du livre en tant que support privilégié de l'écrit. Avant sa disparition, alors qu'il était encore en pointe dans les mobilisations des éditeurs, Jérôme Lindon estimait à ce propos qu'il s'agissait là des enjeux actuels du secteur, assimilables à un véritable choix de société. Pour lui en effet, «les problèmes fondamentaux sont liés aujourd'hui à la reprographie et à la numérisation. Tout passe sur écran. Ce marché de la numérisation pèse de plus en plus lourd, et cela rend difficile toute entreprise d'innovation ou de création [...]. Il faut empêcher ce piratage à l'échelon planétaire [...]. C'est un choix de société entre le court terme et le long terme.»[33] La reprise de l'une des argumentations centrales

31. Entretien, 24 février 1994.

32. François Rouet, *Le Livre: mutations d'une industrie culturelle, op. cit.*

33. Entretien par téléphone, 14 mars 1995.

des mobilisations antérieures, la gestion de la durée comme caractéristique propre du travail d'édition, se décline par conséquent ici par rapport à un nouveau problème d'adaptation des structures et des modes de fonctionnement du secteur. De la même façon, c'est toujours le statut d'exception du livre, cet objet/produit «pas comme les autres», qui justifie l'intervention de l'État et qui semble l'obliger à endosser le rôle d'acteur et non plus de simple spectateur des évolutions technologiques et structurelles en cours.[34]

Ces nouvelles revendications ont déjà donné lieu à certaines réformes et à certaines initiatives des acteurs publics. Ainsi, une loi du 3 janvier 1995 relative à la gestion collective obligatoire de la reproduction privée à usage collectif a permis de réglementer le «photocopillage», expression employée par les éditeurs pour désigner le manque à gagner résultant de l'augmentation du nombre de photocopies. Ce nouveau mécanisme de régulation a notamment introduit une rémunération complémentaire au profit des auteurs et des éditeurs, prélevée sur les photocopies réalisées en particulier dans les entreprises et les administrations.

Par ailleurs, une Commission de réflexion sur le livre numérique, dirigée par Alain Cordier, président du directoire des éditions Bayard Presse, a remis en mai 1999 à Catherine Trautmann, alors ministre de la Culture et de la Communication, un rapport de réflexions et de propositions sur les évolutions récentes.[35] Constatant l'avènement d'une «révolution culturelle», le rapport propose ainsi quelques orientations possibles, souhaitant voir l'État «être volontariste et pas seulement spectateur», même si le rapport estime également que les solutions se trouvent sans doute plus sûrement à l'échelon international que dans le seul cadre national. Sans entrer dans le détail, le rapport s'apparente à une tentative de compromis entre les logiques traditionnelles de fonctionnement du secteur de l'édition et les modes d'échanges et de production totalement différents qu'a générés le numérique. De manière

34. Sur ce dernier point, on peut remarquer que les mouvements de fusion et de recomposition de l'édition continuent toujours autour de Hachette et Vivendi Universal.

35. *Cf.* www.culture.gouv.fr/culture/actualites/forum/livre-numerique/rapport

caractéristique, le rapport rappelle ainsi la spécificité du travail d'édition, qui contraste avec l'extrême hétérogénéité des «produits» rendus accessibles par le multimédia. Ainsi, pour la commission, «revendiquer la place de l'édition n'est pas faire droit à la censure ou au pouvoir contraignant d'institutions publiques ou privées, ni ne relève d'une quelconque "autopromotion" des éditeurs ou de l'affirmation que toute édition papier est par nature de qualité. Cela renvoie tout au contraire à l'exigence de crédibilité pour l'éditeur, à la nature de sa valeur ajoutée, à sa capacité de remplir son rôle plein d'émetteur, à son souci de la qualité de la réception de tel ou tel écrit, en un mot, à sa responsabilité.»[36] Dans ce cadre, l'une des exigences reste de consacrer la rémunération de la création et de l'édition par le biais des abonnements ou encore de systèmes de tarification plus flexibles comme le *pay-per-view*. Autre disposition envisagée, l'extension des aides existantes aux auteurs utilisant ces nouveaux supports. De la même façon, le régime du prix unique du livre devrait pouvoir être étendu aux nouveaux modes de distribution, essentiellement les opérations regroupées sous le label «commerce électronique». Enfin, le rapport insiste sur la nécessaire mise en place de mécanismes de régulation juridiques et techniques, afin de garantir les équilibres financiers et intellectuels au sein de ces nouveaux marchés.

Ces nouveaux enjeux, ainsi que la dimension européenne croissante des échanges et des actions publiques, contribuent en outre à revitaliser d'autres problèmes plus anciens. Ainsi, depuis une directive européenne de 1992, les États-membres de l'Union européenne sont censés appliquer un mécanisme de prêt payant dans les bibliothèques, qui doit consacrer une nouvelle rémunération des droits d'auteur. Ce mécanisme existe depuis longtemps dans un certain nombre de pays, notamment en Europe: le droit de prêt a par exemple été institué dès 1972 en Allemagne lors d'une réforme de la législation relative au droit d'auteur; même chose en Autriche ou aux Pays-Bas, où la répartition des droits entre auteurs et éditeurs se fait sur une base de 70 % et 30 % respectivement. La transposition de la directive en France ne pose pas de problème juridique particulier, puisque la législation française recon-

36. www.culture.gouv.fr/culture/actualites/forum/livre-numerique/rapport/edition.htm, p. 3.

naît déjà le droit de prêt dans le cadre général des droits d'auteur. C'est en revanche la mise en œuvre de ce dispositif qui fait l'objet de débats récurrents, particulièrement violents et médiatisés ces dernières années, opposant d'une part les éditeurs et certains auteurs, d'autant plus soucieux de voir s'ouvrir un nouveau champ de rémunération que d'autres formes de supports semblent menacer le secteur, et d'autre part les bibliothécaires et certains écrivains favorables au maintien de la gratuité du prêt.

Pour tenter de remédier à un conflit qui envenime depuis des années les relations au sein du secteur, un rapport à la ministre de la Culture et de la Communication, Catherine Tasca, fut remis en juillet 1998 par Jean-Marie Borzeix.[37] Après avoir tenté de lever certaines ambiguïtés, comme on l'a vu au chapitre précédent, le rapport préconisait plusieurs solutions : un prêt payant forfaitaire (et non pas à l'acte d'emprunt) pour une somme de 10 à 20 francs par an ; une répartition 50/50, voire 70/30 entre auteurs et éditeurs à l'exemple de ce qui se pratique dans les autres pays européens ; la création d'une commission de suivi du droit de prêt... À ce jour, et malgré de multiples pétitions, débats et mobilisations diverses en 2000-2001, aucune solution véritable n'a été trouvée. Au-delà de la difficulté intrinsèque du dossier, ce retard s'explique sans doute d'abord par le fait que toute résolution affectera nécessairement les politiques existantes dans une période de profondes mutations du secteur. Comme le notait ainsi la commission des Affaires culturelles de l'Assemblée nationale lors de l'examen du projet de loi de finances pour 2001 : « La question du droit de prêt, que la ministre de la Culture devra trancher prochainement, nécessite une remise à plat de tous les mécanismes de la chaîne du livre, particulièrement fragilisée par l'irruption du numérique. Il serait très dangereux de déséquilibrer l'existant sans une réflexion approfondie sur l'avenir. »[38]

Cette tendance à la prudence et à la conservation des principes, sinon de tous les dispositifs, des politiques du

37. Jean-Marie Borzeix, *La Question du droit de prêt dans les bibliothèques*, rapport pour Madame la ministre de la Culture et de la Communication, ministère de la Culture, juillet 1998.

38. Avis n° 2625 de M. Jean-Marie Geveaux, au nom de la commission des Affaires culturelles, sur le projet de loi de finances pour 2001. Tome III : culture, disponible sur www.assemblee-nationale.fr/9/9recherche.html.

livre contemporaines s'exprime enfin à propos du problème du prix unique du livre. Les débats qui sont apparus récemment, contrairement aux années 1980 où la législation française fut parfois menacée par les instances communautaires, tournent en effet autour de la généralisation possible du dispositif à l'ensemble des pays européens. L'abandon d'un accord interprofessionnel en Autriche et le vote d'une loi sur le prix du livre au cours du mois d'août 2000 ont en effet contribué à remettre à l'agenda la possibilité d'une législation européenne en la matière. Longtemps dénoncé par la direction de la concurrence de la Commission pour ses atteintes au libre fonctionnement du marché, le système du prix unique garanti juridiquement semble désormais constituer, pour certains acteurs, une solution possible sanctionnant le caractère dérogatoire des industries et des produits culturels à l'échelle européenne, déjà consacré lors des négociations internationales relatives à l'Organisation mondiale du commerce (OMC). Aucune initiative véritable n'a cependant été prise là encore, mais la possibilité de voir les législations nationales se convertir à la solution française pourrait permettre de voir ce mécanisme et l'idée que «le livre n'est pas un produit comme les autres» trouver un écho plus large à l'échelle européenne.

On le voit, l'activisme de l'État, qui s'est substantiellement accru depuis la structuration initiale d'un appareil politico-administratif compétent autour de la Caisse des lettres, reste très largement subordonné aux revendications et aux mobilisations des acteurs du livre, et en particulier des éditeurs, autour de l'idée que le livre n'est pas un produit comme les autres. Autre constat, l'unification des politiques du livre, souvent souhaitée pour rendre l'ensemble plus efficace et permettre une appréhension globale des problèmes du livre, reste très largement inachevée. Ainsi, la monopolisation envisagée des dispositifs de soutien de la création et de la production au profit du Centre national du livre s'est récemment confrontée à de fortes résistances sectorielles et politiques. Les politiques du livre se partagent dès lors encore très largement entre une pluralité d'acteurs publics, essentiellement le ministère de la Culture, le ministère des Affaires étrangères ou le ministère de la Justice, ce qui pose parfois des problèmes de cohérence ou de concurrence entre institutions.

Ces différents traits (reconnaissance du statut d'exception du livre consacré par l'État, relative dispersion des dispositifs...) semblent partiellement remis en cause par les bouleversements qui ont affecté récemment la forme même de l'écrit avec la «révolution» du multimédia. Concurrencés dans la maîtrise du circuit de production et de diffusion qui est la leur depuis le XIXe siècle, les éditeurs connaissent sans doute actuellement des problèmes structurels et identitaires aussi profonds que ceux qui ont justifié dans les années 1970 l'émergence véritable des politiques du livre. De manière symptomatique, le rapport Cordier, tout en essayant de décliner les modalités traditionnelles de l'action étatique, n'est pas réellement parvenu à décliner les justifications habituelles des politiques du livre. En bouleversant les logiques de production, d'édition comme de diffusion et de distribution de l'écrit et/ou du livre, les nouvelles technologies paraissent dès lors pouvoir remettre en cause les représentations traditionnelles du milieu, héritage du XIXe siècle, ainsi que les caractéristiques d'une action publique spécifiquement conçue comme une compensation aux déficiences du marché, tel qu'il était alors apparu.

Chapitre XIII

Un monde sans auteurs ?

Vers la fin des années 1960, on crut à la « mort de l'auteur ». L'auteur, comme référence traditionnelle de l'explication de la littérature depuis le XIXe siècle, fut l'objet d'une violente querelle entre les anciens (l'histoire littéraire promue par Gustave Lanson juste avant 1900) et les modernes (la nouvelle critique structuraliste). Michel Foucault prononça en 1969 devant la Société française de philosophie une célèbre conférence intitulée « Qu'est-ce qu'un auteur ? » ; Roland Barthes venait de publier en 1968 un article, dont le titre subversif, « La mort de l'auteur » précisément, devint vite, aux yeux de ses partisans comme de ses adversaires, le slogan antihumaniste même de la nouvelle science du texte. La controverse qui s'ensuivit, sur la littérature et le texte, se concentra autour de l'auteur, comme notion qui résumait l'enjeu du débat de façon caricaturale. Toutes les notions littéraires traditionnelles pouvaient être rapportées à l'affirmation de la prééminence de l'intention d'auteur. De même, tous les anti-concepts de la théorie littéraire nouvelle pouvaient se dégager de la prémisse de la mort de l'auteur.

L'*auteur* est un personnage moderne, jugeait Barthes, produit sans doute par notre société dans la mesure où, au sortir du Moyen Âge, avec l'empirisme anglais, le rationalisme français, et la foi personnelle de la Réforme, elle a découvert le prestige de l'individu, ou, comme on dit plus noblement, de la «personne humaine».[1]

Tel était le point de départ de la «nouvelle critique»: l'auteur n'est autre que le bourgeois, l'incarnation même de l'idéologie capitaliste. Autour de lui s'organisaient suivant Barthes les manuels d'histoire littéraire et tout l'enseignement de la littérature: «L'*explication* de l'œuvre est toujours cherchée du côté de celui qui l'a produite», comme si, d'une manière ou d'une autre, l'œuvre était un aveu, ne pouvait représenter autre chose qu'une confidence.

À l'auteur, comme principe producteur et explicatif de la littérature, Barthes substituait le langage, impersonnel et anonyme, peu à peu revendiqué comme matière exclusive de la littérature par Mallarmé, Valéry, Proust et le surréalisme, enfin par la linguistique, suivant laquelle, rappelait Barthes, «l'auteur n'est jamais rien de plus que celui qui écrit, tout comme *je* n'est autre que celui qui dit *je*»[2]. Mallarmé ne réclamait-il pas déjà «la disparition élocutoire du poète, qui cède l'initiative aux mots»? L'auteur cédait donc le devant de la scène littéraire à l'écriture, au texte, ou encore au «scripteur», qui n'était rien de plus qu'un «sujet» au sens grammatical ou linguistique, non une «personne» au sens psychologique: c'était le «sujet de l'énonciation», lequel ne préexistait pas à son énonciation mais se produisait avec elle, ici et maintenant. D'où il suivait encore que l'écriture ne pouvait pas «représenter», « peindre» quoi que ce fût qui existât préalablement à son énonciation, et qu'elle n'avait pas plus d'origine que n'en a le langage. Sans origine, «le texte est un tissu de citations», disait-on encore: la notion d'*intertextualité* se dégageait elle aussi de la thèse de la mort de l'auteur. Quant à l'explication, elle disparaissait avec l'auteur, puisqu'il n'y avait pas de sens unique, originel, au principe ou au fond du texte. Enfin, dernier maillon du nouveau système qui se déduisait en entier de la mort de l'auteur: le lecteur, et

1. Roland Barthes, «La mort de l'auteur», réédition *in Le Bruissement de la langue*, Le Seuil, Paris, 1984, p. 61-62.

2. *Ibidem*, p. 63.

non plus l'auteur, devenait le lieu où l'unité du texte se produisait, dans sa destination au lieu de son origine, mais ce lecteur n'était pas plus personnel que l'auteur tout juste déboulonné, et il s'identifiait lui aussi à une fonction : il était « ce *quelqu'un* qui tient rassemblées dans un même champ toutes les traces dont est constitué l'écrit »[3].

Comme on le voit, tout se tenait : l'ensemble de la théorie littéraire pouvait se rattacher à la prémisse de la mort de l'auteur, opposée au premier principe de l'histoire littéraire. Barthes lui donnait à la fois une tonalité dogmatique : « Nous savons maintenant qu'un texte... » et politique : « Nous commençons maintenant à ne plus être dupes de... ». La théorie coïncidait avec une critique de l'idéologie : l'écriture ou le texte « libérait une activité que l'on pourrait appeler contre-théologique, proprement révolutionnaire, car refuser d'arrêter le sens, c'est finalement refuser Dieu et ses hypostases, la raison, la science, la loi »[4]. Nous étions en 1968 : le renversement de l'auteur, qui signalait le passage du structuralisme systématique au post-structuralisme déconstructeur, ou encore à ce qu'on a nommé depuis la postmodernité, était en accord avec la rébellion anti-autoritaire du printemps. Afin et avant d'exécuter l'auteur, il avait toutefois fallu l'identifier à l'individu bourgeois, à la personne psychologique, et ainsi réduire la question de l'auteur à celle de l'explication du texte par la vie et la biographie de son auteur, restriction que l'histoire littéraire lansonienne suggérait sans doute, mais qui ne recouvrait certainement pas tout le problème.

Dans « Qu'est-ce qu'un auteur ? », l'argumentation de Foucault dépendait elle aussi d'une confrontation somme toute circonstancielle avec l'histoire littéraire et le positivisme sorbonnards, d'où étaient venues des critiques contre la manière dont il avait traité les noms propres et les noms d'auteur dans *Les Mots et les Choses*, en y identifiant des « formations discursives » bien plus vastes et vagues que l'œuvre de tel ou tel (Darwin, Marx ou Freud).[5] Aussi, se recommandant de la littérature moderne qui aurait vu peu à peu la disparition, l'effacement de l'auteur, depuis Mallarmé encore – « admis le volume ne comporter aucun

3. *Ibidem*, p. 67.

4. *Ibidem*, p. 66.

5. Michel Foucault, « Qu'est-ce qu'un auteur ? », réédition *in Dits et écrits*, Gallimard, Paris, 1994, tome I.

signataire » – jusqu'à Beckett et à Maurice Blanchot, définissait-il la « fonction auteur » comme une construction historique et idéologique, la projection en termes plus ou moins psychologisants du traitement auquel on soumettait un texte. Certes, la mort de l'auteur entraînait derrière elle la polysémie du texte et une liberté du commentaire jusque-là inconnue, mais, pouvait-on se demander à l'époque, n'était-ce pas, de la part de Barthes et de Foucault, une manière de promouvoir le lecteur comme auteur de substitution, de remplacer l'auteur par le lecteur ? Il y avait donc toujours un auteur : si ce n'était plus Cervantès, c'était Pierre Ménard, suivant l'apologue de Borges dans *Fictions*, « Pierre Ménard, auteur du Quichotte », qui connut son heure de gloire. Et Barthes et Foucault étaient encore des auteurs, peut-être les derniers.

Internet et droit d'auteur

Disparus tous les deux au début des années 1980, Barthes et Foucault n'ont pas connu les développements technologiques exponentiels qui ont depuis vingt ans poussé l'auteur dans ses derniers retranchements. La mise en cause de l'auteur qu'ils pratiquaient était alors idéologique pour l'essentiel (littéraire ou philosophique). Tous deux esquissaient une rapide généalogie de l'auteur du Moyen Âge au XXe siècle et le faisaient naître avec le capitalisme, mais ils s'intéressaient peu à l'histoire du livre et de l'édition. C'est pourtant la transition de l'économie du manuscrit à celle de l'imprimé qui a donné lieu à la définition moderne de l'auteur : après le régime transitoire du privilège d'imprimeur à l'âge classique, c'est par ses droits individuels que l'auteur moderne s'est imposé, dans un régime de propriété intellectuelle marqué par les Lumières. Barthes et Foucault liaient peu leur contestation de l'auteur à l'évolution des techniques, et les techniques dont ils étaient familiers étaient encore celles du XIXe siècle. Toutefois, leurs proclamations de la déchéance de l'auteur prennent aujourd'hui valeur de prophéties aux yeux des nombreux commentateurs, enthousiastes ou réfractaires, qui cherchent à penser l'incidence de l'édition numérisée sur la culture du troisième millénaire.

L'auteur, depuis la Révolution française, est identifié à ses droits. Et c'est en tant que droits que l'auteur a donné l'impression de se dissoudre dans la cyberculture, et dans le vide juridique que celle-ci a initialement créé. Depuis quelques années, de nombreuses affaires ont montré que le droit d'auteur était très vulnérable face aux nouvelles technologies, au point qu'on a pu craindre que la disparition légale de l'auteur ne fût une conséquence inéluctable de la croissance de l'internet. Des protections juridiques ont été peu à peu restaurées, mais elles demeurent fragiles, et, au-delà du cadre légal, l'auteur résistera-t-il au changement profond des usages et des mentalités qui s'opère devant nous ?

« Bonjour. Félicitations pour ton dernier livre. Je viens de lire le premier chapitre sur internet. » C'est ce message de Chicago, reçu par courrier électronique il y a quelques années, qui m'a rendu sensible aux effets des nouveaux médias sur le statut d'auteur. Renseignements pris auprès de l'expéditeur, c'était sur le site web d'un quotidien parisien que mon correspondant avait lu ce chapitre, auquel renvoyait par un lien un compte rendu d'ailleurs élogieux. Ma première réaction fut la surprise : mon premier chapitre était disponible sur l'internet, et je n'avais été ni consulté ni informé. Pour les traductions et les anthologies, mon éditeur a l'habitude de m'aviser, étant entendu que, si je n'objecte pas, je suis réputé consentir. Mais pour l'internet, rien. Contacté, mon éditeur n'était pas au courant, ou en tout cas les services auxquels j'eus affaire ne l'étaient pas. N'importe qui pouvait désormais « scanner » n'importe quoi et le mettre à disposition des internautes. Cela se faisait sans états d'âme, en se disant que les auteurs y verraient une publicité. Mais en ce temps-là, en France du moins, les quotidiens ne proposaient pas de liens vers des librairies en ligne : pour l'internaute, le parcours du premier chapitre numérisé au livre de papier n'avait rien d'aisé. Il ne suffisait pas de cliquer sur alapage.com ou bol.fr ; il fallait mettre son manteau, affronter la réalité de la rue. Journaux et maisons d'édition improvisaient ; personne n'était sûr du cadre juridique. Cela me rappela qu'un an avant un collègue australien m'avait raconté qu'il avait téléchargé d'un seul clic de sa souris tout un cours enregistré par Radio-Sorbonne : douze leçons d'une heure livrées au globe sans autorisation ni rémunération, et sans protection contre la contrefaçon. On hésite à relater ces anecdotes ; nous en avons tous vécu de semblables. Leur échelle est d'ailleurs réduite : le nombre des connexions sur un cours de la Sorbonne est faible, et les droits se chiffreraient en tout état de cause en centimes. Rien à voir avec l'angoisse des maisons de disques devant la montée du format MP3. Mais ces exemples rappellent que nous sommes tous touchés aujourd'hui par la cyberculture dans notre existence d'auteur.

Les internautes ont fait preuve de beaucoup d'inventivité pour restreindre les droits d'auteur, l'immatérialité du réseau des réseaux et sa dimension planétaire donnant lieu au fantasme utopique de la liberté absolue et du vide juridique. Pour nier le droit d'auteur, on s'est réclamé de la liberté d'expression inscrite dans le Premier Amendement de la Constitution américaine, de la liberté d'information protégée par la Convention européenne des droits de l'homme, ou encore du respect de la vie privée ou des correspondances. « Les pionniers de l'internet, écrit le juriste André Lucas, spécialiste du droit d'auteur, s'abritent derrière des règles de droit d'une très grande portée pour combattre un droit qui leur apparaît comme paralysant. »[6] Ils ont présenté le droit d'auteur comme une censure et une tyrannie dressées contre la liberté d'accéder (gratuitement) à l'information. Du moment que l'internet n'a pas de but lucratif, on échapperait au droit d'auteur. Dans l'environnement numérique, les droits des utilisateurs ont donc été systématiquement valorisés contre ceux des auteurs, vus comme des atteintes à la liberté. Le droit d'auteur, telle a été la philosophie conquérante du web, était une vieillerie dans l'environnement numérique moderne.

Au fond, il s'agissait de la reprise et de l'extension de la thèse classique faisant du droit d'auteur un obstacle illégitime dans le monde scolaire et universitaire censément désintéressé. Comment opposer le droit d'auteur et la loi du profit à la recherche et à l'enseignement ? Durant les dernières décennies, le développement massif de la photocopie à usage pédagogique a sans doute sensibilisé au point de vue des auteurs et des éditeurs, mais le passage de l'univers analogique à l'univers numérique a soudain

6. Voir André Lucas, « La passion du droit d'auteur », *Expertises des systèmes d'information*, n° 206, juin-juillet 1997, http://www.celog.fr/expertises /interview_lucas.htm.

rendu les transgressions du droit d'auteur moins choquantes, ou moins évidentes, comme si la nouveauté du vecteur garantissait l'impunité des pratiques inédites qu'il rendait possibles, et comme s'il eût été rétrograde de leur opposer l'ancienne jurisprudence. Mais, l'internet devenant de plus en plus commercial, la référence à la science pour ignorer le droit d'auteur perdait elle-même de sa légitimité.

En France, la première atteinte notoire aux droits d'auteur et d'éditeur fut la mise à disposition sur l'internet, sous forme numérique, du livre interdit du docteur Claude Gubler, *Le Grand Secret*, sur la maladie de François Mitterrand. C'est cette affaire qui répandit le sentiment que l'internet se développait dans le non-droit. En janvier 1996, quelques jours après la mort de l'ancien président de la République, son ancien médecin personnel publia, avec un journaliste, un livre dont la famille Mitterrand obtint aussitôt en référé le retrait de la vente pour atteinte à la vie privée et violation du secret médical. Quelques jours plus tard, le gérant d'un cybercafé de Besançon scannait néanmoins le livre et le mettait sur son site web au nom de la liberté d'expression. Le site fut rapidement fermé pour des raisons étrangères à cette affaire (le cybercafé ne payait pas les traites sur son matériel), mais le livre était déjà reproduit sur des sites étrangers. Or, ni l'éditeur ni les auteurs n'assignèrent le gérant, et les médias proclamèrent haut et fort le vide juridique, comme si la sortie de l'univers papier faisait que la reproduction d'un livre et sa mise à disposition du public n'étaient plus constitutives du délit de contrefaçon. La famille ne poursuivit pas non plus le gérant pour complicité et recel d'atteinte à la vie privée et au secret médical, là aussi comme si on avait quitté le domaine du droit. La violation du secret médical par le docteur Gubler, l'invocation de la liberté d'expression par les internautes et les journalistes, enfin l'absence de poursuites contre le cybercafé, tout cela fit passer au second plan, en tout cas dans la presse et l'opinion, la question du droit d'auteur.[7]

C'est par deux ordonnances de référé du 14 août 1996 que le tribunal de grande instance de Paris reconnut pour la première fois qu'il y avait contrefaçon d'œuvres proté-

7. *Cf.* www.juriscom.net/jurisfr/dauteur.htm et www.legalis.net/ jnet

gées par le droit d'auteur dès lors que celles-ci étaient, sans autorisation des titulaires des droits, mises à disposition des utilisateurs de l'internet. Des étudiants de deux grandes écoles (ENST et ECP) avaient numérisé et installé des textes et des extraits de chansons de Jacques Brel et de Michel Sardou sur leurs pages web personnelles. Les employés de l'Agence pour la protection des programmes, dans le cadre de la mission définie par le Code de la propriété intellectuelle, ayant, pour la première fois sur l'internet, constaté la matérialité de l'atteinte sur mandat des titulaires des droits en cause, le juge des référés se détermina sur la base de leurs procès-verbaux. Ces ordonnances établirent que l'internet n'était pas une zone de non-droit, et que les principes de propriété intellectuelle s'y appliquaient. Le juge autorisa même la diffusion d'un communiqué de presse rappelant que « toute reproduction par numérisation d'œuvres musicales protégées par le droit d'auteur susceptible d'être mise à la disposition de personnes connectées au réseau internet doit être autorisée expressément par les titulaires ou cessionnaires des droits ».

Suivant un argument original, le défendeur avait pourtant souligné qu'il s'était « contenté de stocker les compositions musicales sous forme numérique » sur sa page web, assimilée à un domicile privé, pour son usage privé, et que si un usage collectif avait eu lieu, celui-ci n'était dû qu'aux utilisateurs de l'internet, qui avaient volontairement accédé aux œuvres reproduites.[8] Il ajoutait qu'il ne pouvait y avoir de représentation publique (de communication), puisque celle-ci suppose une démarche positive de diffusion d'un message vers un récepteur, ce qui n'est pas le cas sur l'internet, aucune émission n'étant effectuée à partir d'une page web. Cette thèse du « domicile virtuel » a souvent été reprise par les internautes, par exemple encore dans l'affaire Napster en 2000 : une page web, disent-ils, doit être assimilée à un espace privé, et un accès à celle-ci consiste donc en une violation de ce domicile. Un tel raisonnement, conforme à la technique mais ignorant la globalité du processus, rappelle les discussions sur la censure des publications pornographiques au XIXe siècle, et

8. *Cf.* l'analyse de Marie-Hélène Tonnellier et Stéphane Lemarchand, www.celog.fr/expertises/premiere.htm

sur l'ambiguïté des librairies, espaces privés rendus publics par l'accueil des clients: les débats soulevés par l'internet sont rarement sans précédents, et la thèse du «domicile privé», visant à déresponsabiliser les gestionnaires de sites, fut réfutée par le juge.

La résistance des ayants droit

Une deuxième affaire française significative concerna la mise à disposition des *Cent mille milliards de poèmes* de Raymond Queneau, qui avaient été numérisés et mis en ligne sans l'autorisation des ayants droit, les éditions Gallimard et l'héritier de l'écrivain. À la suite d'un constat effectué par un agent de l'APP, Jean-Marie Queneau assigna, devant le tribunal de grande instance de Paris, Christian L., le serveur d'hébergement Mygale et l'université Paris VIII. L'ordonnance délivrée le 5 mai 1997 retint la qualification de contrefaçon. Même si le programme du serveur ne permettait de visualiser qu'un seul poème à la fois, l'exception de courte citation ne fut pas retenue, car le procédé rendait possible «la reconstitution de l'œuvre par rapprochement de citations successives». Le juge écarta également l'exception de copie privée, au motif qu'en «permettant à des tiers de se connecter au réseau internet, de visiter ses pages privées et d'en prendre éventuellement copie», Christian L. «a favorisé l'utilisation collective de sa reproduction». Il constata toutefois que le trouble avait cessé et interdit sous astreinte aux défendeurs de mettre des œuvres de Queneau sur l'internet. Il condamna enfin Christian L. à 1 franc symbolique à titre de dommages-intérêts et à payer les dépens. Concernant la responsabilité de l'association Mygale et de l'université Paris VIII, il se déclara incompétent sur le fond.

Ces décisions attestaient encore beaucoup de prudence. Quelques mois plus tard, dans une nouvelle affaire concernant la mise en ligne de l'œuvre de Queneau, le même tribunal refusa d'ailleurs de faire droit aux prétentions de l'héritier. Cette fois, Jérôme B. avait créé sur le serveur intranet du Laboratoire d'automatique et d'analyse des systèmes du CNRS, situé à Toulouse, un programme permettant d'effectuer des combinaisons aléatoires des vers de Queneau. Le laboratoire étant par ailleurs connecté au réseau internet, un agent de l'APP avait pu accéder facilement aux fichiers contenant les textes. Jean-Marie Queneau saisit le juge des référés. Dans son ordonnance du 10 juin 1997, le juge releva, d'une part, que la défense avait prévu « de conserver au programme son caractère privé » en restreignant la consultation du serveur au seul laboratoire et, d'autre part, que la possibilité de s'y connecter par internet était due à des « défaillances techniques ». Le tribunal en conclut à l'absence de contrefaçon. Cette décision suscita de nombreuses critiques, à la fois techniques et juridiques.[9] Suivant André Lucas, on pouvait espérer que la décision dît clairement que « l'acte qui consiste à mettre une œuvre dans un serveur à la disposition du public potentiel est en tant que tel un acte soumis au consentement de l'auteur ».

Ces interventions des juges, qualifiées de censure, irritèrent les internautes, qui les dénoncèrent : « Internet permet une véritable liberté d'expression pour tout un chacun. [...] Il ne s'agit plus d'une liberté formelle, limitée par les difficultés et le coût de l'accès à la publication sur papier. D'où la panique des politiques, des moralistes, des juristes et flics de tout poil. [...] Tous ces gens ne supportent que les libertés qu'ils contrôlent. [...] Le célèbre *Cent Mille Milliards de poèmes* de R. Queneau, poème informatique par excellence, s'est vu interdire de web par la bêtise des "ayants droit" (race que j'espère vouée à disparition dans les meilleurs délais). »[10] La jurisprudence établie suffit cependant pour que Gallimard fasse désormais fermer sans délai les sites mettant à disposition des textes de ses auteurs, par exemple un site Céline dont le gestionnaire reçut une mise en garde des services juridiques de Gallimard le 22 avril 1999, avant que, dès le lendemain, son site fût supprimé sur le serveur Infonie qui l'hébergeait, sous ce motif : « Après l'examen de votre site, il nous est apparu que le contenu de vos pages pouvait être de nature à soulever une difficulté au regard des droits de propriété intellectuelle dont les éditions Gallimard seraient cessionnaires. Nous avons suspendu l'accès à votre site dans l'attente d'une clarification de cette situation. »[11] Les éditeurs n'hésitent donc plus à intervenir directement auprès des

9. *Cf.* Lionel Thoumyre, « Le trouble des affaires Queneau », *Planète Internet*, n° 22, septembre 1997, www.juriscom.net

10. *Cf.* www.censure.org

11. *Cf.* le site « Révolte culturelle », www.chez.com/revolte/celine.htm

fournisseurs d'hébergement, qui font eux-mêmes respecter le droit d'auteur. L'internet n'est plus la jungle des débuts, même si les usages restent confus : ainsi le gestionnaire du site Céline fermé sur les instances de Gallimard observait avec ironie que la visite de son site était recommandée par Gallimard lui-même, sur le site de sa librairie à Montréal.

Plusieurs autres affaires ont soulevé un deuxième point de litige caractérisé entre internet et droit d'auteur, en opposant des journaux qui se mettaient en ligne et leurs journalistes. En février 1998, des journalistes et leurs syndicats (notamment le Syndicat national des journalistes)[12] ont ainsi assigné devant le juge des référés de Strasbourg la société Plurimedia, qui mettait en ligne *Les Dernières Nouvelles d'Alsace* depuis 1995, et FR3 Alsace depuis 1997, «faute pour FR3 et *Les Dernières Nouvelles d'Alsace* d'avoir obtenu le consentement des journalistes-auteurs». Le tribunal retint les arguments des plaignants et assimila la diffusion d'un quotidien sur le réseau au cas de la publication dans un autre périodique, qui requiert le consentement exprès des journalistes. Un accord fut négocié par *Les Dernières Nouvelles d'Alsace* sur ce type de diffusion, tandis que pour FR3 la cour d'appel de Colmar devait infirmer l'ordonnance de référé et renvoyer les parties devant les juges du fond, mais non sans se prononcer en faveur d'une rémunération supplémentaire pour la diffusion des œuvres des journalistes sur l'internet.

Dans une affaire similaire, le 14 avril 1999, le tribunal de grande instance de Paris a prononcé l'interdiction pour la société de gestion du *Figaro* d'exploiter par voie télématique les articles de ses anciens numéros. Le journal proposait la consultation de ces numéros sur Minitel et l'internet avec la possibilité d'en obtenir des copies. Le tribunal donna raison aux journalistes qui avaient assigné le journal en violation de leurs droits d'auteur, considérant que le droit de reproduction d'un article est épuisé dès la première publication, et que la reproduction d'un article «sur un nouveau support résultant de la technologie récente» (Minitel, internet ou cédérom) est subordonnée à l'autorisation de son auteur. Cette jurisprudence, désormais bien établie en France, a été confirmée par une décision du tribunal de grande instance de Lyon du 21 juillet

12. *Cf.* globenet.org/snj/internet

1999 concernant le journal *Le Progrès*. Plusieurs accords ont ainsi été signés dans la presse en 2000 sur la cession des droits d'auteur pour la diffusion par voie électronique ou informatique, et sur la répartition des recettes, notamment au *Monde*, au *Figaro* et à *L'Express*.

La tradition anglo-américaine du *copyright* s'est avérée nettement moins favorable aux journalistes que celle du droit d'auteur français, puisqu'aux États-Unis la Cour suprême a fait droit aux sociétés éditrices de publier les articles de leurs pigistes sur cédérom sans leur consentement au travers d'un droit de modification de l'œuvre collective. En Grande-Bretagne, les journalistes du *Guardian* n'ont pas non plus obtenu la même protection que leurs homologues français du *Figaro*, et les archives électroniques du *Times Literary Supplement*, assimilées, malgré le balisage SGML et la numérisation, aux anciennes microfiches ou cassettes enregistrées pour les aveugles, sont disponibles pour les abonnés sans consultation ni rémunération des collaborateurs, comme faisant partie du « premier usage des matériaux » (*first use of material*).[13]

En France, même en l'absence d'un acte public d'émission, il est désormais admis, constate André Lucas, que « l'initiative qui consiste à mettre une œuvre dans un serveur à la disposition du public est en tant que telle un acte soumis au consentement de l'auteur ». Le vide juridique qui régnait il y a seulement cinq ans, lors de la mort de François Mitterrand, a été comblé : après la résignation de la presse et l'absence de poursuites lors de la mise à disposition du livre du docteur Gubler, puis l'incompréhension des internautes devant les poursuites, assimilées à des actes de censure, dont ils étaient l'objet lors des affaires Queneau, les usagers de l'internet ne peuvent plus ignorer le droit d'auteur. L'attitude des journalistes a elle aussi profondément changé. Ils avaient peu réagi lors des atteintes qui ne les concernaient pas, jusqu'au moment où les organes de presse se sont eux-mêmes mis en ligne. Les rapports de l'internet et du droit d'auteur sont donc paradoxaux. Sur internet, on s'est d'abord comporté au mépris du droit d'auteur, comme si l'auteur était une survivance de l'ancien régime analogique. Et pourtant le public,

13. *Cf.* John Sutherland, « Who owns John Sutherland ? », *London Review of Books*, 7 janvier 1999. Cet article a provoqué, pendant plusieurs mois, une avalanche de lettres publiées dans la *London Review of Books*.

naguère largement insensible à l'incidence de la photocopie ou du prêt en bibliothèque sur le droit d'auteur, a découvert l'existence de celui-ci à l'occasion des affaires du web, et il est aujourd'hui beaucoup plus question du droit d'auteur dans les médias, classiques ou nouveaux, qu'avant l'internet. C'est, paradoxalement donc, l'univers numérique qui rend le public sensible, plus que dans le passé, au droit d'auteur, y compris dans l'univers papier.

Un exemple de cette sensibilité renouvelée est le débat contemporain sur le droit de prêt en bibliothèque, depuis la publication en septembre 1998 du rapport de Jean-Marie Borzeix, commandé par la ministre de la Culture Catherine Trautmann à la suite d'une directive du Conseil des Communautés européennes de novembre 1992. Il s'agit d'instaurer une redevance aux auteurs en proportion du nombre de leurs lecteurs en bibliothèque. Les bibliothécaires sont dans l'ensemble hostiles au prêt payant, tandis que les auteurs et éditeurs sont partagés : leurs divisions se sont étalées dans la presse au printemps 2000. La ministre de la Culture Catherine Tasca, favorable à la gratuité du prêt – au « prêt payé » par opposition au « prêt payant » –, a proposé en décembre 2000 un financement conjoint par l'État, les collectivités locales et les librairies, mais à un niveau très inférieur à celui que demandaient le Syndicat national de l'édition et la Société des gens de lettres.[14] La bibliothèque met les œuvres à disposition du public d'une manière qui n'est pas si différente des sites web, et, s'il semble acquis en l'état de la jurisprudence qu'une diffusion sur le réseau internet est un mode de reproduction soumis à autorisation dans le respect des droits patrimoniaux des auteurs, on ne voit pas pourquoi ces droits ne seraient pas respectés par les bibliothèques, où il n'est pas rare qu'un seul exemplaire d'un ouvrage savant ait, au cours de sa vie dans une bonne bibliothèque, un nombre de lecteurs supérieur au tirage entier de l'ouvrage en question. L'ennui des systèmes de répartition des droits de prêt envisagés aujourd'hui est non seulement qu'ils seront eux-mêmes coûteux et que les éditeurs en retiendront une part importante, mais aussi qu'ils favoriseront les auteurs de gros tirages.

Un autre problème doit être cité, même s'il n'a pas trait au droit d'auteur, parce qu'il confirme que l'internet

14. *Cf. Libération*, 20 décembre 2000, et, ici, le chapitre XII.

contribue à remettre en cause des principes fondamentaux du droit. Le tribunal correctionnel de Paris a ainsi récemment estimé, dans une affaire de diffamation contre un dirigeant du Front national, que la publication en ligne, en autorisant l'« accessibilité » permanente aux informations, assure la continuité de l'infraction quand celle-ci est reconnue.[15] Le tribunal s'est appuyé sur l'« arrêt Costes » rendu par la cour d'appel de Paris en décembre 1999 et qui pose le principe d'un « délit continu ». La publication en ligne peut donc être attaquée en justice à tout instant, car il n'y a plus de délai de prescription, en contradiction avec un des principes fondamentaux de la liberté d'expression en France depuis juillet 1881 : la prescription abrégée de trois mois en matière de délits de presse.

Il reste, suivant André Lucas, que le droit d'auteur est le plus souvent perçu aujourd'hui, de façon erronée, comme une taxe de plus, un impôt aussi illégitime que les autres dans un pays au civisme fiscal limité. Ainsi les commerçants qui payent pour sonoriser leur négoce en musique sont peu sensibles à la philosophie du droit d'auteur, pourtant résumée dans le beau slogan de la SACD : « En France, le droit d'auteur est un droit de l'homme. » L'initiative récente des architectes, qui prétendent à une redevance sur les cartes postales des bâtiments publics édifiés suivant leurs plans, n'arrangera rien[16], comme le prouve cette réaction typique d'un internaute : « Non contents de polluer l'espace public avec des constructions hideuses telles que la nouvelle Bibliothèque nationale ou la tour Montparnasse, ils réclament des sommes considérables aux photographes qui souhaiteraient reproduire leurs "œuvres". »[17]

Certes, la jurisprudence s'est portée récemment au secours du droit d'auteur sur l'internet, et l'on n'y trouve pratiquement plus de textes qui ne soient pas dans le domaine public, contrairement à ce qui était le cas il y a trois ou quatre ans, mais l'auteur lui-même est désigné dans l'univers numérique comme « fournisseur de contenu », définition peu compatible avec les notions de

15. Carl Lang, du Front national, poursuivait le Réseau Voltaire. *Cf. Libération*, 7 décembre 2000, et www.juriscom.net/actu, décembre 2000.

16. « Pour les photographes, la rue n'est plus libre de droits », *Le Monde*, 27 mars 1999.

17. *Cf.* www.censure.org

droit et d'auteur héritées de l'univers papier. Si on est blasé, on dira que l'auteur n'est plus aujourd'hui conçu, comme le suggère André Lucas, que comme un « ayant droit » : son décès est la référence qui sert à calculer la durée du droit. Réduit à l'ayant droit, l'auteur n'aurait plus grand sens dans la culture numérique. Il se peut donc que la résistance juridique des dernières années ait été un combat d'arrière-garde, et que les premiers internautes aient eu raison quand ils pariaient, comme Barthes et Foucault mais pour d'autres raisons, sur la mort de l'auteur.[18]

Fournisseurs de contenu et intelligence collective

Le livre numérique, téléchargé, coupé-collé, faisant l'objet de copies privées à la limite de la contrefaçon, de la reproduction et de la représentation, mais sans que cela soit nécessairement pire que du temps où nous distribuions sans états d'âme des masses de photocopies dans nos cours d'université, porte atteinte à l'auteur bien au-delà du cadre juridique qui se réaménage de manière conservatoire autour de lui. Je me contenterai ici de quelques évocations.

Par exemple, les écrivains contemporains, de plus en plus nombreux, qui présentent leur œuvre sur leur propre site web sont-ils encore des auteurs ? La gratuité de la mise à disposition de l'œuvre au public qui veut bien aller la chercher ne modifie-t-elle pas profondément le statut de l'auteur, sa relation à l'œuvre, sa relation au lecteur ? Le web abrite une vaste maison d'édition à compte d'auteur, un *vanity publisher* à l'échelle globale, car l'édition électronique rend la publication à compte d'auteur indolore. L'imprimeur et l'éditeur ayant disparu, la transition de l'écriture privée à l'écriture publique est abolie. Chacun peut afficher sur-le-champ ses écritures, portant à son comble la tendance à la disparition de l'écriture pour soi

18. Pour suivre la question, *cf.* la chronique juridique d'Emmanuel Pierrat dans *Livres Hebdo*, ainsi que le dossier réuni dans *Le Débat*, n° 117, novembre-décembre 2001 : « Internet : une révolution dans la propriété intellectuelle ? », avec des articles de Christian Vandendorpe, « Pour une bibliothèque virtuelle universelle », Pierre-Yves Gautier, « La liberté qui opprime et la loi qui affranchit », Emmanuel Pierrat, « Une utopie en forme de négation du droit d'auteur », Christian Vandendorpe, « Contre les nouveaux féodalismes ».

apparue au cours du XXe siècle. Or, la médiation de l'éditeur constituait l'auteur : sans éditeur, plus d'auteur. Pourtant, ce n'est pas tout d'avoir son site ; il faut encore que les moteurs de recherche y renvoient : ceux-ci deviennent les nouveaux intermédiaires entre les écrivains et le public. Mais pour eux, justement, les écrivains ne sont plus des auteurs mais des « fournisseurs de contenu » comme les autres.

L'autorité de l'auteur est encore compromise pour d'autres raisons. Grâce à l'immédiateté de l'édition électronique, la publication des livres numériques s'effectue à une vitesse accélérée et avec un risque accru que les informations ne soient pas vérifiées. On a signalé souvent le danger de la reproduction incontrôlée de l'information par le journalisme électronique, mais le cas de la littérature n'est pas différent : ainsi il n'arrive pratiquement jamais qu'on consulte un texte littéraire sur le web, par exemple un poème, sans constater des erreurs de ponctuation, des coquilles, des vers faux, ou même des vers omis. Ce ne sont jamais les meilleures éditions des textes qui sont mises sur l'internet, justement parce que les éditions savantes, après un moment de panique, ont protégé leurs droits. La publication électronique, qui tend, notamment parce qu'elle y est juridiquement contrainte, à éliminer l'édition critique d'un texte pour lui substituer la totalité de ses éditions historiques[19], à charge pour l'internaute – mais le fera-t-il ? – de procurer les variantes, est en phase avec le mouvement de la critique, laquelle, sous le nom de « critique génétique », s'intéresse à tous les états du texte sans privilégier le « texte définitif ». L'hypertexte abolit la philologie et l'édition critique, qui avaient accompagné et amplifié l'essor de l'auteur depuis la Renaissance.

Les formes de l'écriture changent elles-mêmes avec l'électronique, qui permet aux auteurs de créer des livres numériques jamais achevés, que ce soient les leurs ou ceux des auteurs du passé, de les réviser indéfiniment en y incluant des notes, des commentaires, des images et des plans. Le texte électronique devient immanquablement un hypertexte. Or, est-on l'auteur d'un hypertexte lorsque les

19. Ainsi Gallica, le fonds numérisé de la BNF, propose l'édition Furne de *La Comédie humaine*, 1842-1848, les éditions de 1857 et de 1861 des *Fleurs du Mal*, ou l'édition Garnier de Chateaubriand, 1861-1865, sans appareil critique.

liens prolifèrent et que le diamètre du web (la distance maximale entre deux points) est inférieur à une vingtaine de clics de souris ? Les notions d'auteur et d'hypertexte sont-elles compatibles ? Des situations désormais banales en font douter : dans un groupe de discussion, il n'est pas rare, il est même constant, de voir un intervenant protester qu'il n'est pas l'auteur du propos qu'un message ultérieur lui attribue, et rappeler que ce propos, il l'avait lui-même cité en l'empruntant à un message antérieur. Mais sur l'internet un groupe de discussion n'a pas d'histoire, ou la conscience de l'histoire de la discussion s'égare dans la transmission de la rumeur. Encore une fois, cela n'est pas nouveau, mais rappelle bien davantage la culture orale que l'âge de l'imprimé, et la citation a changé de valeur.

D'ailleurs, suis-je moi-même encore l'auteur, au sens du droit d'auteur, des livres que je publie sous mon nom, et pour lesquels mes éditeurs m'envoient, avec beaucoup de retard, des relevés de ventes annuels ? Si je suis professeur et que je publie des poèmes écrits pendant mes vacances ou mes nuits d'insomnie, admettons qu'ils m'appartiennent encore. Mais si je prépare une Pléiade à laquelle je consacre, durant quatre années, un gros mi-temps, si en plus, au cours de ces quatre années, mon université m'accorde un semestre sabbatique pour mener à bien mes travaux, il devient difficile de soutenir que les droits d'auteur calculés par les éditions Gallimard doivent me revenir intégralement. Si j'étais médecin et que mon laboratoire déposait un brevet pour un médicament, je ne percevrais pas moi-même les revenus de sa commercialisation. L'internet a donné le sentiment d'un vide juridique où le droit d'auteur (et donc l'auteur) allait disparaître, mais il a en même temps rendu partout plus attentif à une comptabilité exacte des prestations de chacun. Et le mi-temps que tant d'universitaires consacrent à la préparation d'une édition critique ou d'un manuel ne devrait-il pas être chiffré comme une subvention de l'État à la maison d'édition, et mon université ne devrait-elle pas être considérée comme l'auteur, avec moi ou même sans moi, de la plupart de mes publications ? Ne devrait-elle pas percevoir mes droits d'auteur, au moins jusqu'au remboursement du mi-temps qu'elle a donné à la maison d'édition ? Avec le résultat que je n'en verrais moi-même jamais la couleur.

Lorsqu'on suggère à des collègues qu'ils ne sont pas propriétaires de leurs livres, cela les surprend d'abord. Mais ils ne jouissent de leurs droits d'auteur que par une négligence de l'administration, et sans doute parce que ces droits sont trop faibles pour qu'une université se soit encore avisée de les revendiquer. Aux États-Unis, on ne voit pas pourquoi cela n'arriverait pas, mais les professeurs peuvent en contrepartie y négocier leurs salaires.[20] En France, sans qu'on le dise, les éditeurs bénéficient ainsi de subventions masquées de l'État, et les droits d'auteur font office de primes pour les professeurs mal payés.

La notion d'auteur n'est pas une idée purement littéraire, mais une construction sociale et culturelle liée inextricablement à l'histoire de l'édition. Les relations aux mécènes, aux éditeurs, aux libraires, aux lecteurs déterminaient jadis le statut de l'auteur. Aujourd'hui, la cyberculture est le contexte pertinent de la définition de l'auteur, ou de son indéfinition. Dans *L'Intelligence collective, pour une anthropologie du cyberspace*, Pierre Lévy analyse les implications culturelles du développement du web.[21] D'après lui, le réseau internet et le multimédia interactif annoncent une mutation dans les modes de communication et d'accès au savoir. Un nouveau milieu de communication, de pensée et de travail pour les sociétés humaines apparaît : le cyberespace, qui affecte la culture et transforme le lien social dans le sens, dit-il, d'une plus grande *fraternité*. Lévy situe le projet de ce qu'il appelle l'« intelligence collective » dans une perspective anthropologique de longue durée. « Accès au savoir, oui, mais conçu comme accès de tous au savoir de tous : de l'échange des savoirs comme nouvelle forme du lien social. Chaque être humain est, pour les autres, une source de connaissances. « Tu as d'autant plus à m'apprendre que tu m'es étranger. » L'intelligence collective n'est donc pas la fusion des intelligences individuelles dans une sorte de magma communautaire mais, au contraire, la mise en valeur et la relance mutuelle des singularités. » Mais ces singularités ne sont pas vues comme des autorités. Dans la cyberculture

20. *Cf.* Corynne McSherry, *Who Owns Academic Work ? Battling for Control of Intellectual Property*, Harvard University Press, Cambridge, Massachussetts, 2001.

21. Pierre Lévy, *L'Intelligence collective. Pour une anthropologie du cyberspace*, La Découverte, Paris, 1994.

conçue comme fraternité à grande échelle, l'auteur comme signature se dissout: «Ici, on ne rencontre pas les gens principalement par leur nom, leur position géographique ou sociale, mais selon des centres d'intérêt, sur un paysage commun du sens ou du savoir. [...] Le "cyberespace" manifeste des propriétés neuves, qui en font un instrument de coordination non hiérarchique, de mise en synergie rapide des intelligences, d'échange de connaissances et de navigation dans les savoirs. Son extension s'accompagne d'une rupture de civilisation rapide, profonde et irréversible. Mais le sens de cette rupture n'est ni garanti ni univoque.»[22]

Ailleurs, Pierre Lévy annonce pourtant le sens de cette rupture: «L'émergence du cyberespace aura probablement et a même déjà aujourd'hui sur la pragmatique des communications un effet aussi radical que l'eut en son temps l'invention de l'écriture.»[23] Celle-ci avait conditionné une culture de l'universel et de la totalité, et «"l'auteur" (typique des cultures écrites) est, à l'origine, *la source de l'autorité*, tandis que "l'interprète" (figure centrale des traditions orales) ne fait qu'actualiser ou moduler une autorité qui vient d'ailleurs. Grâce à l'écriture, les auteurs, démiurgiques, inventent l'autoposition du vrai.» Ce serait de cette «autoposition démiurgique du vrai», définitoire de l'auteur comme totalisation dans la culture de l'écrit, que, suivant Pierre Lévy, nous serions en train de sortir. Sans doute les interventions des éditeurs et la multiplication des collections standardisées avaient-elles eu depuis longtemps pour résultat de faire des livres des «œuvres collectives» et non plus des «témoignages du génie humain», suivant la conception des premiers députés de la Révolution française. Louis Hachette traitait déjà ses auteurs comme des «fournisseurs de contenu», et les noms d'auteur ne figuraient plus sur les couvertures de la «Bibliothèque rose» que comme des marques de fabrique.[24] La «mort de l'auteur» a commencé chez les grands éditeurs du XIXe siècle. La transformation annoncée par Pierre Lévy est peut-être moins une révolution qu'une nouvelle étape – la dernière ? – dans une tendance séculaire: «L'événement culturel

22. *Le Monde diplomatique*, octobre 1995, p. 25.

23. Extraits de *Cyberculture. Rapport au Conseil de l'Europe*, Odile Jacob, Paris, 1998, http://www.archipress.org/levy.

24. *Cf.* Jean-Yves Mollier, *Louis Hachette*, *op. cit.*, p. 386 et 454.

majeur annoncé par l'émergence du cyberespace est le débrayage entre ces deux opérateurs sociaux ou machines abstraites (bien plus que des concepts !) que sont l'universalité et la totalisation. La cause en est simple : le cyberespace dissout la pragmatique de communication qui, depuis l'invention de l'écriture, avait conjoint l'universel et la totalité. Il nous ramène, en effet, à la situation d'avant l'écriture mais à une autre échelle et sur une autre orbite. » Ainsi « le cyberespace donne forme à une nouvelle espèce d'universel : l'universel sans totalité », c'est-à-dire sans auteurs.

Il se peut que l'auteur ait été une formation historique éphémère de quelques siècles, un rôle évanoui dans le nouveau jeu de rôles de la cyberculture, comme dans ces forums où les correspondants multiplient les pseudonymes et où les identités sont virtuelles, jusqu'au moment où vous vous retrouvez en prison parce que la gamine de treize ans dont vous avez fait connaissance sur internet et à qui vous avez donné rendez-vous dans un café, sans croire davantage à l'âge qu'elle se donnait qu'aux bobards que vous lui racontiez, était en réalité (mais où est la réalité ?) un policier qui ne veut pas croire qui vous n'aviez jamais cru qu'il était une gamine de treize ans. Dans ce monde-là, qu'est-ce qu'un auteur ? L'internet donne lieu à une foule de problèmes juridiques passionnants liés à l'effort de la société pour le rendre conforme à l'ancien régime du papier. Mais les fantasmes se déploient dans un univers virtuel où la signature a changé de sens, où souvent il n'y a plus de signature. « Comme institution, écrivait Barthes, l'auteur est mort : sa personne civile, passionnelle, biographique, a disparu ; dépossédée, elle n'exerce plus sur son œuvre la formidable paternité dont l'histoire littéraire, l'enseignement, l'opinion avaient à charge d'établir et de renouveler le récit. » Il ajoutait cependant, et là aussi il annonçait notre culture de l'an 2000 : « Mais dans le texte, d'une certaine façon, *je désire* l'auteur : j'ai besoin de sa figure (qui n'est ni sa représentation, ni sa projection), comme il a besoin de la mienne (sauf à "babiller"). »[25]

25. Roland Barthes, *Le Plaisir du texte*, Le Seuil, Paris, 1973, p. 45-46.

CHAPITRE XIV

Mort ou transfiguration du lecteur ?

«*Se habla de la desaparición del libro ; yo creo que es imposible.*»

Jorge Luis Borges, «El libro», 1978

En 1968, dans un essai devenu célèbre, Roland Barthes associait la toute-puissance du lecteur et la mort de l'auteur. Détrôné de sa souveraineté ancienne par le langage ou, plutôt, par «les écritures multiples, issues de plusieurs cultures et qui entrent les unes avec les autres en dialogue, en parodie, en contestation», l'auteur cédait sa prééminence au lecteur, entendu comme «ce *quelqu'un* qui tient rassemblées dans un même champ toutes les traces dont est constitué l'écrit». La position de lecture était ainsi comprise comme le lieu où le sens pluriel, mobile, instable, est rassemblé, où le texte, quel qu'il soit, acquiert sa signification.[1]

À ce constat de la naissance du lecteur ont succédé les diagnostics qui ont dressé son acte de décès. Ils ont pris trois formes principales. La première renvoie aux transformations des pratiques de lecture. D'une part, la comparaison des données statistiques recueillies par les enquêtes

1. Roland Barthes, «La mort de l'auteur», article cité, p. 63-69.

sur les pratiques culturelles des Français a convaincu, sinon du recul du pourcentage global des lecteurs, du moins de la diminution de la proportion de « forts lecteurs » dans chaque classe d'âge et, tout particulièrement, dans la tranche des 19-25 ans.[2] D'autre part, les recherches menées sur les lectures des étudiants ont permis de dresser plusieurs constats. Si l'achat de livres demeure pour eux le moyen d'accès le plus fréquent au livre, la fréquentation des bibliothèques universitaires a considérablement augmenté : plus de 70 % d'accroissement entre 1984 et 1990. Par ailleurs, les étudiants recourent massivement à la photocopie, à la fois pour les dossiers utilisés en cours ou dans les travaux dirigés, pour la circulation des notes de cours et pour la lecture différée (et partielle) des ouvrages empruntés en bibliothèques ou à des amis. Et seuls ceux qui ont fait le choix d'un cursus « littéraire » et ceux qui ont des parents diplômés de l'enseignement supérieur possèdent un nombre important de livres. Mais, même au sein de cette population de plus forts lecteurs, l'intérêt pour la constitution de bibliothèques personnelles n'est pas universellement partagé – ce qui assure le succès du marché d'occasion des livres de savoir.[3] Enfin, les enquêtes sociologiques consacrées à la tranche d'âge précédente, celle des 15-19 ans, enregistrent le recul de la lecture et, surtout, le faible statut du livre dans la présentation de soi.[4]

2. *Cf.* Olivier Donnat et Denis Cogneau, *Pratiques culturelles des Français, 1973-1989*, ministère de la Culture et de la Communication, La Découverte et La Documentation française, Paris, 1990 ; Olivier Donnat, « Les Français et la lecture : un bilan en demi-teinte », *Cahiers de l'économie du livre*, n° 3, mars 1990, p. 57-70 ; François Dumontier, François de Singly et Claude Thélot, « La lecture moins attractive qu'il y a vingt ans », *Économie et statistiques*, n° 233, juin 1990, p. 63-75, et François de Singly, *Les Jeunes et la lecture*, ministère de l'Éducation nationale et de la Culture, Direction de l'évaluation et de la prospective, *Les Dossiers éducation et formations*, n° 24, janvier 1993.

3. Sur les pratiques de lecture (ou non-lecture) des étudiants, *cf.* Françoise Kletz, « La lecture des étudiants en sciences humaines et sociales », *Cahiers de l'économie du livre*, n° 7, 1992, p. 5-57 ; *Les Étudiants et la lecture*, sous la direction d'Emmanuel Fraisse, Presses universitaires de France, Paris, 1993, et Bernard Lahire, avec la collaboration de Mathias Millet et Everest Pardell, *Les Manières d'étudier. Enquête 1994*, La Documentation française, Paris, 1997, p. 101-151.

4. Christian Baudelot, Marie Cartier et Chritine Détrez, *Et pourtant ils lisent…*, *op. cit.*, et, ici, Christine Détrez, « Du côté des lecteurs et des pratiques de lecture », chapitre X.

Les constats faits à partir des politiques éditoriales ont renforcé la certitude dans la «crise» de la lecture.[5] Si elle n'épargne pas la fiction, elle est plus durement ressentie encore dans l'édition en sciences humaines et sociales. Des deux côtés de l'Atlantique, les effets en sont comparables, même si les causes premières n'y sont pas tout à fait les mêmes. Aux États-Unis, le fait essentiel est la réduction drastique des acquisitions des *monographs* par les bibliothèques universitaires, dont les budgets sont dévorés par les abonnements aux périodiques qui, pour certains, atteignent des prix considérables – entre 10 000 et 15 000 dollars pour une année. De là, les réticences des maisons d'édition universitaires devant la publication d'ouvrages jugés trop spécialisés: thèses de doctorat, études monographiques, livres d'érudition, etc.[6] En France et, sans doute plus largement en Europe, une semblable prudence, qui limite le nombre de titres publiés et leurs tirages, résulte surtout du rétrécissement du public des plus gros acheteurs – qui n'étaient pas seulement universitaires – et de la baisse de leurs achats.

Dans le secteur des sciences humaines et sociales, les enquêtes statistiques – par exemple celles du Syndicat national de l'édition – attestent les reculs de la décennie 1990 : ils portent sur le nombre global de volumes vendus (18,2 millions en 1988, 15,4 millions en 1996) et sur le nombre moyen d'exemplaires vendus par titre publié (2 200 exemplaires en 1980, 800 en 1997). Ces fortes baisses ont accompagné un accroissement du nombre de titres publiés (1 942 en 1988, 3 193 en 1996) qui visait à élargir l'offre pour pallier les difficultés. Elles se sont traduites par une explosion des invendus qui ont pesé sur les bilans financiers des entreprises. De là, les choix faits par les éditeurs ces dernières années: une réduction du nombre de titres publiés, la contraction des tirages moyens, une extrême prudence face aux ouvrages jugés trop spécialisés et aux traductions, la préférence donnée aux manuels, aux dictionnaires et aux encyclopédies.

5. Hervé Renard et François Rouet, «L'économie du livre: de la croissance à la crise», in *L'Édition française depuis 1945*, *op. cit.*, p. 640-737. *Cf.* aussi Pierre Bourdieu, «Une révolution conservatrice dans l'édition», article cité, p. 3-28.

6. Robert Darnton, «The New Age of the Book», *The New York Review of Books*, 18 mars 1999, p. 5-7.

Face aux difficultés de la conjoncture, particulièrement aiguës pour l'édition en sciences humaines et sociales, les réponses des éditeurs reproduisent, dans un contexte nouveau, des stratégies de discours et d'action déjà présentes au XVIIIe siècle, quand en Angleterre puis en France le pouvoir politique tenta de limiter les privilèges traditionnels des membres de la *Stationers' Company* ou de la communauté des libraires et imprimeurs de Paris. Dans les deux cas, trois traits caractérisent les positions prises par les éditeurs : d'abord, une attitude ambivalente par rapport au pouvoir politique, accusé d'être le principal responsable des difficultés d'une activité commerciale privée et, de ce fait, interpellé comme étant le seul capable d'y mettre fin en prenant des mesures appropriées ; d'autre part, l'invocation de principes généraux destinés à justifier des revendications particulières (par exemple, aujourd'hui, faire reconnaître que l'accès à la culture écrite doit avoir un prix tout comme d'autres pratiques culturelles) ; enfin, la mise en avant de la figure et des droits des auteurs pour fonder les revendications des éditeurs (ainsi, dans la campagne engagée à propos du droit de prêt payant en bibliothèque). Un tel constat ne vise pas à nier les difficultés réelles de l'édition dans le secteur des humanités et des sciences sociales, mais à inscrire dans une perspective de plus longue durée les stratégies maniées par la profession pour y faire face : à savoir, l'invention ou la mobilisation des auteurs propriétaires de leurs œuvres, l'affirmation de principes dotés d'universalité et l'appel à l'aide ou à la réglementation étatique.

Dans une troisième perspective, la mort du lecteur et la disparition de la lecture sont pensées comme la conséquence inéluctable de la civilisation de l'écran, du triomphe des images et de la communication électronique. C'est ce dernier diagnostic que j'aimerais discuter dans cet essai. Les écrans de notre siècle sont, en effet, d'un nouveau genre. À la différence de ceux du cinéma ou de la télévision, ils portent des textes – pas seulement des textes, certes, mais aussi des textes. À l'ancienne opposition entre, d'un coté, le livre, l'écrit, la lecture et, de l'autre, l'écran et l'image, est substituée une situation nouvelle qui propose un nouveau support à la culture écrite et une nouvelle forme au livre. De là, le lien très paradoxal établi entre la troisième révolution du livre, qui transforme les modalités d'inscription et de transmission des textes comme l'ont fait auparavant l'invention du *codex* puis celle de l'imprimerie, et la thématique obsédante de la « mort du lecteur ». Comprendre cette contradiction suppose de porter le regard en arrière et de mesurer les effets des précédentes révolutions qui affectèrent les supports de la culture écrite.

La troisième révolution du livre

Au IVe siècle de l'ère chrétienne, une forme nouvelle du livre s'imposa définitivement aux dépens de celle qui était familière aux lecteurs grecs et romains. Le *codex*, c'est-à-dire un livre composé de feuilles pliées, assemblées et reliées, supplanta de façon progressive mais inéluctable les rouleaux qui jusque-là avaient porté la culture écrite. Avec la nouvelle matérialité du livre, des gestes impossibles devenaient communs : ainsi, écrire en lisant, feuilleter un ouvrage, repérer un passage particulier. Les dispositifs propres au *codex* transformèrent profondément les usages des textes. L'invention de la page, les repérages assurés par le foliotage et l'indexation, la nouvelle relation établie entre l'œuvre et l'objet qui est le support de sa transmission rendirent possible un rapport inédit entre le lecteur et ses livres.

Devons-nous penser que nous sommes à la veille d'une semblable mutation et que le livre électronique remplacera ou est déjà en train de remplacer le *codex* imprimé tel que nous le connaissons en ses diverses formes : livre, revue, journal ? Peut-être. Mais le plus probable pour les décennies à venir est la coexistence, qui ne sera pas forcément pacifique, entre les deux formes du livre et les trois modes d'inscription et de communication des textes : l'écriture manuscrite, la publication imprimée, la textualité électronique. Cette hypothèse est sans doute plus raisonnable que les lamentations sur l'irrémédiable perte de la culture écrite ou les enthousiasmes sans prudence qui annonçaient l'entrée immédiate dans une nouvelle ère de la communication.

Cette probable coexistence nous invite à réfléchir sur la forme nouvelle de construction des discours de savoir et les modalités spécifiques de leur lecture que permet le livre électronique. Celui-ci ne peut pas être, ne doit pas être la simple substitution d'un support à un autre pour des œuvres qui resteraient conçues et écrites dans la logique ancienne du *codex*. Si les «formes ont un effet sur le sens», comme l'écrivait Donald F. McKenzie,[7] les livres électroniques organisent de manière nouvelle la relation entre la démonstration et les sources, les modalités de l'argumentation et les critères de la preuve. Écrire ou lire cette nouvelle espèce de livre suppose de se déprendre des habitudes acquises et de transformer les techniques d'accréditation du discours savant dont les historiens ont récemment entrepris de faire l'histoire et d'évaluer les effets: ainsi, la citation, la note en bas de page[8] ou ce que Michel de Certeau appelait, après Condillac, la «langue des calculs»[9]. Chacune de ces manières de prouver la validité d'une analyse se trouve profondément modifiée dès lors que l'auteur peut développer son argumentation selon une logique qui n'est plus nécessairement linéaire et déductive mais ouverte, éclatée et relationnelle[10] et que le lecteur peut consulter lui-même les documents (archives, images, paroles, musique) qui sont les objets ou les instruments de la recherche.[11] En ce sens, la révolution des modalités de production et de transmission des textes est aussi une mutation épistémologique fondamentale.[12]

7. Donald F. McKenzie, *Bibliography and the sociology of texts*, The Panizzi Lectures 1985, The British Library, Londres, 1986, p. 4 (traduction française: *La bibliographie et la sociologie des textes*, Éditions du Cercle de la librairie, Paris, 1991, p. 30).

8. Anthony Grafton, *Les Origines tragiques de l'érudition. Une histoire de la note en bas de page*, Le Seuil, Paris, 1998.

9. Michel de Certeau, *Histoire et psychanalyse entre science et fiction*, Gallimard, Paris, 1987, p. 79.

10. Pour les nouvelles possibilités argumentatives offertes par le texte électronique, *cf.* David Kolb, «Socrates in the Labyrinth», in *Hyper/Text/Theory*, edited by George P. Landow, The Johns Hopkins University Press, Baltimore et Londres, 1994, p. 323-344, et Jane Yellowlees Douglas, «Will the Most Reflexive Relativist Please Stand Up: Hypertext, Argument and Relativism», in *Page to Screen: Taking Literacy into Electronic Era*, edited by Ilana Snyder, Routledge, Londres et New York, 1988, p. 144-161

11. Pour un exemple des liens possibles entre démonstration historique et sources documentaires, *cf.* les deux formes, imprimée et électronique, de l'article de Robert Darnton, «Presidential Address. An Early Information Society: News and the Media in Eighteenth-Century Paris», *The American Historical Review*, Volume 105, Number 1, February 2000, p. 1-35, et *AHR* web page, www.indiana.edu/~ahr/.

12. *Cf.*, à titre d'exemples, pour la physique théorique, Josette F. de La Vega, *La Communication scientifique à l'épreuve de l'internet*, Presses de

Une fois établie la domination du *codex*, les auteurs intégrèrent la logique de sa matérialité dans la construction même de leurs œuvres – par exemple, en divisant ce qui auparavant était la matière textuelle de plusieurs rouleaux, en livres, parties ou chapitres d'un discours unique, contenu dans un seul ouvrage. De façon semblable, les possibilités (ou les contraintes) du livre électronique invitent à organiser autrement ce que le livre qui est encore le nôtre distribue de manière nécessairement linéaire et séquentielle. L'hypertexte et l'hyperlecture qu'il permet et produit transforment les relations possibles entre les images, les sons et les textes associés de manière non linéaire par les connexions électroniques ainsi que les liaisons réalisables entre des textes fluides dans leurs contours et en nombre virtuellement illimité.[13] Dans ce monde textuel sans frontières, la notion essentielle devient celle du *lien*, pensé comme l'opération qui met en rapport les unités textuelles découpées pour la lecture.

De ce fait, c'est fondamentalement la notion même de « livre » que met en question la textualité électronique. Dans la culture imprimée, une perception immédiate associe une type d'objet, une classe de textes et des usages particuliers. L'ordre des discours est ainsi établi à partir de la matérialité propre de leurs supports : la lettre, le journal, la revue, le livre, l'archive, etc. Il n'en va plus de même dans le monde numérique où tous les textes, quels qu'ils

l'ENSSIB, Villeurbanne, 2000, en particulier p. 181-231 ; pour la philologie, José Manuel Blecua, Gloria Clavería, Carlos Sanchez et Joan Torruella, eds., *Filología e Informática. Nuevas tecnologías en los estudios filológicos*, Editorial Milenio et Universitat Autonoma de Barcelona, Bellaterra, 1999, et *L'Imparfait. Philologie électronique et assistance à l'interprétation des textes*, Actes des Journées scientifiques 1999 du CIRLEP, publiés par Jean-Emmanuel Tyvaert, Presses universitaires de Reims, 2000.

13. Pour les définitions de l'hypertexte et de l'hyperlecture, *cf.* J. D. Bolter, *Writing Space : The Computer, Hypertext, and the History of Writing*, Lawrence Erlbaum Associates, Hillsdale, New Jersey, 1991 ; George P. Landow, *Hypertext : The Convergence of Contemporary Critical Theory and Technology*, The Johns Hopkins University Press, Baltimore et Londres, 1992, réédition *Hypertext 2.0 Being a Revised, Amplified Edition of Hypertext : the Convergence of Contemporary Critical Theory and Technology*, The Johns Hopkins University Press, Baltimore et Londres, 1997 ; Ilana Snyder, *Hypertext : The Electronic Labyrinth*, Melbourne University Press, Melbourne et New York, 1996, et Nicholas C. Burbules, « Rhetorics of the Web : Hyperreading and Critical Literacy », *in Page to Screen*, *op. cit.*, p. 102-122, et Antonio R. de las Heras, *Navegar por la información*, Los Libros de Fundesco, Madrid, 1991, p. 81-164.

soient, sont donnés à lire sur un même support (l'écran de l'ordinateur) et dans les mêmes formes (généralement celles décidées par le lecteur). Un «*continuum*» est ainsi créé qui ne différencie plus les différents genres ou répertoires textuels, devenus semblables dans leur apparence et équivalents dans leur autorité. De là, l'inquiétude de notre temps confronté à l'effacement des critères anciens qui permettaient de distinguer, classer et hiérarchiser les discours. L'effet n'est pas mince sur la définition même du «livre» tel que nous l'entendons, à la fois comme un objet spécifique, différent d'autres supports de l'écrit, et comme une œuvre dont la cohérence et la complétude résultent d'une intention intellectuelle ou esthétique. La technique numérique bouscule ce mode d'identification du livre dès lors qu'elle rend les textes mobiles, malléables, ouverts et qu'elle donne des formes quasi identiques à toutes les productions écrites: courrier électronique, bases de données, sites internet, livres, etc.

De là, également, une réflexion nécessaire sur les catégories intellectuelles et les dispositifs techniques qui permettront de percevoir et de désigner certains textes électroniques comme des «livres», c'est-à-dire comme des unités textuelles dotées d'une identité propre. Cette réorganisation du monde de l'écrit en sa forme numérique est un préalable pour que puissent être organisé l'accès payant en ligne et protégé le droit moral et économique de l'auteur.[14] Une telle reconnaissance, fondée sur l'alliance toujours nécessaire et toujours conflictuelle entre éditeurs et auteurs, conduira sans doute à une transformation profonde du monde électronique tel que nous le connaissons. Les «*securities*» destinées à protéger certaines œuvres (livres singuliers ou bases de données) et rendues plus efficaces avec le «e-book» vont sans doute se multiplier et, ainsi, fixer, figer et fermer les textes publiés électroniquement.[15] Il y a là une évolution prévisible qui définira le «livre» et d'autres textes numériques par opposition avec la communication électronique libre et spontanée qui autorise chacun à mettre en circulation sur le web ses

14. Antoine Compagnon, «Un monde sans auteurs?», ici, chapitre XIII.

15. Jean Clément, «Le e-book est-il le futur du livre?», *in Les Savoirs déroutés. Experts, documents, supports, règles, valeurs et réseaux numériques*, Presses de l'ENSSIB, Lyon, et association Doc-Forum, 2000, p. 129-141.

réflexions ou ses créations. La division ainsi établie porte le risque d'une hégémonie économique et culturelle imposée par les plus puissantes des entreprises multimédias et les maîtres du marché des ordinateurs. Mais elle peut aussi conduire, à condition d'être maîtrisée, à la reconstitution, dans la textualité électronique, d'un ordre des discours permettant, tout ensemble, de différencier les textes spontanément mis en circulation sur le réseau et ceux qui ont été soumis aux exigences de l'évaluation scientifique et du travail éditorial, de rendre perceptibles le statut et la provenance des discours et, ainsi, de leur attribuer une plus ou moins forte autorité selon la modalité de leur «publication». C'est là une condition fondamentale pour que puissent être maîtrisés les effets pervers de l'«information» rencontrée grâce aux moteurs de recherche.[16]

Un autre fait peut, à terme, bouleverser le monde du numérique. Il découle de la possibilité, rendue pensable par la mise au point d'une encre et d'un «papier» électroniques, de détacher la transmission des textes électroniques de l'ordinateur (PC, portable ou «e-book»). Grâce au procédé mis au point par des chercheurs du MIT, n'importe quel objet (y compris le livre tel que nous le connaissons encore avec ses feuillets et ses pages) serait susceptible de devenir le support d'un livre ou d'une bibliothèque électronique, à condition qu'il soit muni d'un microprocesseur (ou qu'il soit téléchargeable sur l'internet) et que ses pages reçoivent l'encre électronique qui permet de faire apparaître successivement sur une même surface des textes différents.[17] Pour la première fois, le texte électronique pourrait ainsi s'émanciper des contraintes propres aux écrans qui nous sont familiers, ce qui romprait le lien établi (pour le plus grand profit de certains) entre le commerce des machines électroniques et l'édition en ligne.

Même sans se projeter dans ce futur encore hypothétique et en pensant le «livre» électronique dans ses formes et ses supports d'aujourd'hui, une question demeure: celle

16. *Cf.* Daniel Schneidermann, *Les Folies d'internet*, Fayard, Paris, 2000, en particulier le chapitre XI consacré à la documentation sur l'Holocauste (très largement négationniste), telle que la repèrent différents moteurs de recherche, p. 145-156.

17. Pierre Le Loarer, «Les substituts du livre: livres et encres électroniques», *Les Savoirs déroutés*, *op. cit.*, p. 111-128.

de la capacité de ce livre nouveau à rencontrer ou produire ses lecteurs. D'une part, l'histoire longue de la lecture montre avec force que les mutations dans l'ordre des pratiques sont souvent plus lentes que les révolutions des techniques et toujours en décalage par rapport à celles-ci. De nouvelles manières de lire n'ont pas découlé immédiatement de l'invention de l'imprimerie. De même façon, les catégories intellectuelles que nous associons au monde des textes perdureront face aux nouvelles formes du livre. Rappelons qu'après l'invention du *codex* et l'effacement du rouleau, le «livre», entendu comme une simple division du discours, correspondait souvent à la matière textuelle que contenait un ancien rouleau.

D'autre part, la révolution électronique, qui semble d'emblée universelle, peut aussi approfondir, et non réduire, les inégalités. Le risque est grand d'un nouvel «illettrisme», défini non plus par l'incapacité de lire et écrire, mais par l'impossibilité de l'accès aux nouvelles formes de la transmission de l'écrit – qui ne sont pas sans coût, loin de là. La correspondance électronique entre l'auteur et ses lecteurs, mués en coauteurs d'un livre jamais clos mais continué par leurs commentaires et leurs interventions, rend possible une relation, désirée par certains auteurs anciens, mais rendue difficile du fait des contraintes propres de l'édition imprimée. La perspective d'une relation plus immédiate, plus dialogique entre l'œuvre et sa lecture est séduisante, mais elle ne doit pas faire oublier que les lecteurs (et coauteurs) potentiels des livres électroniques sont encore minoritaires. Les écarts demeurent grands entre l'obsédante présence de la révolution électronique dans les discours (y compris celui-ci...) et la réalité des pratiques de lecture, qui restent massivement attachées aux objets imprimés et qui n'exploitent que très partiellement les possibilités offertes par le numérique. Il nous faut être assez lucides pour ne pas prendre le virtuel pour un réel déjà là.

L'originalité – et peut-être l'inquiétant – de notre présent tient à ce que les différentes révolutions de la culture écrite, qui, dans le passé, avaient été disjointes, s'y déploient simultanément. La révolution du texte électronique est, en effet, tout à la fois une révolution de la technique de production et de reproduction des textes, une révolution du support de l'écrit, et une révolution des pratiques de lecture. Trois traits fondamentaux la caractérisent qui transforment profondément notre relation à la culture écrite. En premier lieu, la représentation électronique de l'écrit modifie radicalement la notion de contexte et, du coup, le processus même de la construction du sens. Elle substitue à la contiguïté physique, qui rapproche les différents textes copiés ou imprimés dans un même livre ou un même périodique, leur distribution mobile dans les architectures logiques qui commandent les bases de données et les collections numérisées. Par ailleurs, elle redéfinit la matérialité des œuvres parce qu'elle dénoue le lien immédiatement visible qui unit le texte et l'objet qui le contient et qu'elle donne au lecteur, et non plus à l'auteur ou à l'éditeur, la maîtrise sur la composition, le découpage et l'apparence même des unités textuelles qu'il veut lire. C'est ainsi tout le système de perception et de maniement des textes qui se trouve bouleversé. Enfin, en lisant sur écran, le lecteur contemporain retrouve quelque chose de la posture du lecteur de l'Antiquité, mais – et la différence n'est pas mince – il lit un rouleau qui se déroule en général verticalement et qui se trouve doté de tous les repérages propres à la forme qui est celle du livre depuis les premiers siècles de l'ère chrétienne : pagination, index, tables, etc. Le croisement des deux logiques qui ont réglé les usages des supports précédents de l'écrit (le *volumen* puis le *codex*) définit donc, en fait, un rapport au texte tout à fait original.

Le temps du texte électronique

Appuyé sur ces mutations, le texte électronique peut donner réalité aux rêves, toujours inachevés, de totalisation du savoir qui l'ont précédé. Comme la bibliothèque d'Alexandrie, il promet l'universelle disponibilité de tous les textes jamais écrits, de tous les livres jamais publiés.[18] Comme la pratique des lieux communs à la Renaissance,[19]

18. Luciano Canfora, *La Biblioteca scomparsa,* Sellerio editore, Palerme, 1986 (traduction française : *La Véritable Histoire de la bibliothèque d'Alexandrie,* Desjonquères, Paris, 1988), et Christian Jacob, « Lire pour écrire : navigations alexandrines », *in* Marc Baratin et Christian Jacob (sous la direction de), *Le Pouvoir des bibliothèques. La mémoire des livres en Occident,* Albin Michel, Paris, 1996, p. 47-83.

19. Sur la technique des lieux communs à la Renaissance, *cf.* les ouvrages de Francis Goyet, *Le « Sublime » du lieu commun. L'invention*

il appelle la collaboration du lecteur, qui peut désormais écrire dans le livre lui-même, partant dans la bibliothèque sans murs de l'écrit électronique. Comme le projet des Lumières, il dessine un espace public idéal où, comme le pensait Kant, peut et doit se déployer librement, sans restrictions ni exclusions, l'usage public de la raison, « celui que l'on fait en tant que *savant* pour l'ensemble du *public lisant* », celui qui autorise chacun des citoyens « en sa qualité de savant, à faire publiquement, c'est-à-dire par écrit, ses remarques sur les défauts de l'ancienne institution ».[20]

Comme à l'âge de l'imprimé, mais d'une manière plus forte encore, le temps du texte électronique est traversé par des tensions majeures entre différents futurs : la multiplication de communautés séparées, disjointes, cimentées par leurs usages spécifiques des nouvelles techniques ; la mainmise des plus puissantes entreprises multimédia sur la constitution des bases de données numériques et la production ou la circulation de l'information ; ou la constitution d'un public universel, défini par la possible participation de chacun de ses membres dans l'examen critique des discours échangés.[21] La communication à distance, libre et immédiate qu'autorisent les réseaux peut porter l'une ou l'autre de ces virtualités. Elle peut conduire à la perte de toute référence commune, au cloisonnement des identités, à l'exacerbation des particularismes. Elle peut, à l'inverse, imposer l'hégémonie d'un modèle culturel unique et la destruction, toujours mutilante, des diversités. Mais elle peut aussi porter une nouvelle modalité de constitution et de communication des connaissances, qui ne serait plus seulement l'enregistrement de sciences déjà établies, mais, également, à la manière des correspon-

(Suite de la note 19) rhétorique à la Renaissance, Honoré Champion, Paris, 1996, d'Ann Blair, *The Theater of Nature : Jean Bodin and Renaissance Science*, Princeton University Press, 1997, et Ann Moss, *Printed Commonplace-Books and the Structuring of Renaissance Thought*, Clarendon Press, Oxford, 1996.

20. Immanuel Kant, « Beantwortung der Frage : Was ist Aufklärung ?/ Réponse à la question : Qu'est-ce que les Lumières ? », *in Qu'est-ce que les Lumières ?*, Choix de textes, traduction, préface et note de Jean Mondot, Publications de l'université de Saint-Étienne, 1991, p. 71-86.

21. Ces différents possibles sont discutés dans Richard. A. Lanham, *The Electronic World : Democracy, Technology and the Arts*, University of Chigago Press, 1993 ; Donald Tapscott, *The Digital Economy*, McGraw-Hill, New York, 1996, et Juan Luis Cebrían, *La red. Cómo cambiarán nuestras vidas los nuevos medios de comunicación*, Taurus, Madrid, 1998.

dances ou des périodiques de l'ancienne République des lettres[22], une construction collective de la connaissance par l'échange des savoirs, des expertises et des sagesses. La nouvelle navigation encyclopédique, si elle embarque chacun sur ses nefs, pourrait ainsi donner pleine réalité à l'attente d'universalité qui toujours a accompagné les efforts faits pour enserrer la multitude des choses et des mots dans l'ordre des discours.

Mais, pour ce faire, le livre électronique doit se définir en réaction contre les pratiques actuelles, qui souvent se contentent de mettre sur le web des textes bruts, qui n'ont été ni pensés par rapport à la forme nouvelle de leur transmission, ni soumis à aucun travail de correction ou d'édition. Plaider pour l'utilisation des nouvelles techniques, mises au service de la publication des savoirs, c'est donc mettre en garde contre les facilités paresseuses de l'électronique et inciter à donner des formes plus rigoureusement contrôlées aux discours de connaissance comme aux échanges entre les individus. Les incertitudes et conflits à propos de la civilité (ou de l'incivilité) épistolaire, des conventions langagières et des relations entre le public et le privé telles que les redéfinissent les usages du courrier électronique illustrent cette exigence.[23]

Ce sont ces mêmes enjeux qui rendent urgente une réflexion tout ensemble historique et philosophique, sociologique et juridique, capable de rendre compte des écarts aujourd'hui manifestes et grandissants entre le répertoire des notions maniées pour décrire ou organiser la culture écrite dans les formes qui sont les siennes depuis l'invention du *codex* aux premiers siècles de notre ère et les nouvelles manières d'écrire, de publier et de lire qu'implique la modalité électronique de production, dissémination et appropriation des textes.[24] Le moment est donc

22. Ann Goldgar, *Impolite Learning: Conduct and Community in the Republic of Letters, 1680-1750,* Yale University Press, New Haven et Londres, 1995.

23. Sur le courrier électronique, *cf.* Josiane Bru, « Messages éphémères », *in* Daniel Fabre (sous la direction de), *in Écritures ordinaires*, P.O.L., Paris, 1993, p. 315-34 ; Charles Moran et Gail E. Hawisher, « The Rhetorics and Languages of Electronic Mail », *in Page to Screen*, *op. cit.*, p. 80-101, et Benoît Melançon, *Sevigne@Internet. Remarques sur le courrier électronique et la lettre*, Éditions Fides, Montréal, 1996.

24. *Cf.*, entre autres, James J. O'Donnell, *Avatars of the Words: From Papyrus to Cyberspace*, Harvard University Press, Cambridge, Massashussetts, et Londres, 1998.

venu de redéfinir les catégories juridiques (propriété littéraire, *copyright*, droits d'auteur),[25] esthétiques (originalité, singularité, création), administratives (dépôt légal, bibliothèque nationale) ou bibliothéconomiques (catalogage, classification ou description bibliographique)[26] qui ont toutes été pensées et construites en relation avec une culture écrite dont les objets étaient tout différents des textes électroniques.

Le nouveau support de l'écrit ne signifie pas la fin du livre ou la mort du lecteur. Tout au contraire, peut-être. Mais il impose une redistribution des rôles dans l'« économie de l'écriture », la concurrence (ou la complémentarité) entre divers supports des discours et une nouvelle relation, tant physique qu'intellectuelle et esthétique, avec le monde des textes. Le texte électronique, en toutes ses formes, pourra-t-il construire ce que n'ont pu ni l'alphabet, malgré la vertu démocratique que lui attribuait Vico,[27] ni l'imprimerie, en dépit de l'universalité que lui reconnaissait Condorcet,[28] c'est-à-dire construire, à partir de l'échange de l'écrit, un espace public dans lequel chacun participe ?

Comment, dès lors, situer le rôle des bibliothèques dans ces profondes mutations de la culture écrite ? Appuyé sur les possibilités offertes par les nouvelles techniques, notre siècle commençant peut espérer surmonter la contradiction qui a hanté durablement le rapport de l'Occident avec le livre. Le rêve de la bibliothèque universelle a durablement exprimé le désir exaspéré de capturer, par une accumulation sans manque, sans lacune, tous les textes jamais écrits, tous les savoirs constitués. Mais la déception, toujours, a accompagné cette attente d'universalité, puis-

25. *Cf.* Peter Jaszi, « On the Author Effect : Contemporary Copyright and Collective Creativity », *in The Construction of Autorship : Textual Appropriation in Law and Literature*, Martha Woodmansee et Peter Jaszi, Editors, Duke University Press, Durham et Londres, 1994, p. 29-56 ; Jane C. Ginsburg, « Copyright without Walls ? Speculations on Literary Property in the Library of the Future », *Representations*, 42, 1993, p. 53-73 ; R. Grusin, « What is an Electronic Author ? Theory and the Technological Fallacy », *Configurations*, n° 3, 1994, p. 469-483.

26. Roger Laufer, « Nouveaux outils, nouveaux problèmes », *in Le Pouvoir des bibliothèques*, *op. cit.*, p. 174-185.

27. Giambattista Vico, *La Scienza Nuova*, Introduzione e note di Paolo Rossi, Biblioteca Universale Rizzoli, Milan, 1994, traduction française : *La Science nouvelle (1725)*, Gallimard, Paris, 1993.

28. Condorcet, *Esquisse d'un tableau historique des progrès de l'esprit humain*, Flammarion, Paris, 1988.

que toutes les collections, aussi riches fussent-elles, ne pouvaient donner qu'une image partielle, mutilée de l'exhaustivité nécessaire.

Cette tension doit être inscrite dans la très longue durée des attitudes envers l'écrit. La première est fondée sur la crainte de la perte, ou du manque. C'est elle qui a commandé tous les gestes visant à sauvegarder le patrimoine écrit de l'humanité: la quête des textes anciens, la copie des livres les plus précieux, l'impression des manuscrits, l'édification des grandes bibliothèques, la compilation de ces «bibliothèques sans murs» que sont les encyclopédies, les collections de textes ou les catalogues[29]. Contre les disparitions toujours possibles, il s'agit de recueillir, fixer et préserver. Mais la tâche, jamais achevée, est menacée par un autre péril: l'excès. La multiplication de la production manuscrite puis imprimée fut très tôt perçue comme un terrible danger. La prolifération peut devenir chaos, et l'abondance, obstacle à la connaissance. Pour les maîtriser, il faut des instruments capables de trier, classer, hiérarchiser. Ces mises en ordre ont été la tâche de multiples acteurs: les auteurs eux-mêmes, qui jugent leurs pairs et leurs prédécesseurs, les pouvoirs, qui censurent et subventionnent, les éditeurs, qui publient (ou refusent de publier), les institutions, qui consacrent et excluent et les bibliothèques, qui conservent ou ignorent.

Face à cette double anxiété, entre perte et excès, la bibliothèque de demain – ou d'aujourd'hui – peut jouer un rôle décisif. Certes, la révolution électronique a paru signifier sa fin. La communication à distance des textes électroniques rend pensable, sinon possible, l'universelle disponibilité du patrimoine écrit en même temps qu'elle n'impose plus la bibliothèque comme le lieu de conservation et de communication de ce patrimoine. Tout lecteur, quel que soit le site de sa lecture, pourrait recevoir n'importe lequel des textes constituant cette bibliothèque sans murs, et même sans localisation, où seraient idéalement présents, en une forme numérique, tous les livres de l'humanité.

29. Luciano Canfora, *La Biblioteca scomparsa, op. cit.;* Christian Jacob, «Lire pour écrire: navigations alexandrines», *in Le Pouvoir des bibliothèques, op. cit.*, p. 47-83, et Roger Chartier, «Bibliothèques sans murs», *in* Roger Chartier, *Culture écrite et société. L'ordre des livres (quatorzième-dix-huitième siècle)*, Albin Michel, Paris, 1997, p. 107-131.

Le rêve a de quoi séduire. Mais il ne doit pas égarer. Tout d'abord, il faut rappeler fortement que la conversion électronique de tous les textes dont l'existence ne commence pas avec l'informatique ne doit aucunement signifier la relégation, l'oubli ou, pire, la destruction des manuscrits ou des imprimés qui auparavant les ont portés. Plus que jamais, peut-être, une des tâches essentielles des bibliothèques est de collecter, protéger, recenser et rendre accessibles les objets écrits du passé. Si les œuvres qu'ils ont transmises n'étaient plus communiquées, voire même si elles n'étaient plus conservées que dans une forme électronique, le risque serait grand de voir perdue l'intelligibilité d'une culture textuelle identifiée aux objets qui l'ont transmise. La bibliothèque du futur doit donc être ce lieu où seront maintenues la connaissance et la fréquentation de la culture écrite dans les formes qui ont été et sont encore majoritairement les siennes aujourd'hui.

Les bibliothèques devront être également un instrument où les nouveaux lecteurs pourront trouver leur voie dans le monde numérique, qui efface les différences entre les genres et les usages des textes et qui établit une équivalence généralisée entre leur autorité. À l'écoute des besoins ou des désarrois des lecteurs, la bibliothèque est à même de jouer un rôle essentiel dans l'apprentissage des instruments et des techniques capables d'assurer aux moins experts des lecteurs la maîtrise des nouvelles formes de l'écrit. Pas plus que la présence de l'internet dans chaque école ne fait disparaître d'elle-même les difficultés cognitives du processus d'entrée dans l'écrit,[30] la communication électronique des textes ne transmet par elle-même le savoir nécessaire à leur compréhension et à leur utilisation. Tout au contraire, le lecteur-navigateur du numérique risque fort de se perdre dans des archipels textuels sans phare ni havre. La bibliothèque peut être l'un et l'autre.[31]

Enfin, une troisième ambition pour les bibliothèques de demain pourrait être de reconstituer autour du livre les sociabilités que nous avons perdues. L'histoire longue de

30. Emilia Ferreiro, « Leer y escribir en un mundo cambiante », *26e Congreso de la Unión Internacional de Editores (Buenos Aires, 1 al 4 de mayo, 2000)*, Buenos Aires, 2000, p. 95-109.

31. Robert C. Berring, « Future Librarians », in R. Howard Bloch et Carla Hesse (*editors*), *Future Libraries*, University of California Press, Berkeley, Los Angeles et Londres, 1995, p. 94-115.

la lecture enseigne que celle-ci est devenue au fil des siècles une pratique silencieuse et solitaire, rompant toujours plus fortement avec les partages autour de l'écrit qui ont cimenté durablement les existences familiales, les sociabilités amicales, les assemblées savantes ou les engagements militants. Dans un monde où la lecture s'est identifiée à une relation personnelle, intime, privée avec le livre, les bibliothèques (paradoxalement peut-être puisqu'elles ont été les premières, à l'époque médiévale, à exiger le silence des lecteurs...) doivent multiplier les occasions et les formes de prises de parole autour du patrimoine écrit et de la création intellectuelle et esthétique. En cela, elles peuvent contribuer à construire un espace public étendu à l'échelle de l'humanité.

Comme l'indiquait Walter Benjamin, les techniques de reproduction des textes ou images ne sont en elles-mêmes ni bonnes ni perverses.[32] De là, le diagnostic ambivalent qu'il portait sur les effets de leur « reproduction mécanisée ». D'un côté, celle-ci a assuré à une échelle inconnue auparavant l'« esthétisation de la politique pratique » : « Avec le progrès des appareils, qui permet de faire entendre à un nombre indéfini d'auditeurs le discours de l'orateur au moment où il parle, et de diffuser peu après son image devant un nombre indéfini de spectateurs, l'essentiel devient la présentation de l'homme politique devant l'appareil même. Cette nouvelle technique vide les parlements comme elle vide les théâtres. » D'un autre côté, l'effacement de la distinction entre le créateur et le public (« La compétence littéraire ne repose plus sur une formation spécialisée, mais sur une multiplicité de techniques, et elle devient de la sorte un bien commun »), la ruine des concepts traditionnels mobilisés pour désigner les œuvres et, finalement, la compatibilité entre l'exercice critique et le plaisir du divertissement (« Le public des salles obscures est bien un examinateur, mais un examinateur qui se distrait ») sont autant d'éléments qui ouvrent une possible alternative. À « l'esthétisation de la politique », qui sert les pouvoirs oppressifs, peut répondre, en effet, une « politisation de l'esthétique » porteuse de l'émancipation des peuples.

32. Walter Benjamin, « L'œuvre d'art à l'ère de sa reproductivité technique » (1936), *in* Walter Benjamin, *L'Homme, le langage et la culture. Essais,* Denoël/Gonthier, Paris, 1971, p. 137-181.

Quelle que soit sa pertinence historique, sans doute discutable, ce constat souligne avec justesse la pluralité des usages qui peuvent s'emparer d'une même technique. Il n'y a pas de déterminisme technique, qui inscrirait dans les appareils eux-mêmes une signification obligée et unique : « À la violence qui est faite aux masses lorsqu'on leur impose le culte d'un chef, correspond la violence *que subit un appareillage* lorsqu'on le met lui-même au service de cette religion. » La remarque n'est pas sans importance dans les débats engagés à propos des effets que la dissémination électronique des discours a déjà, et aura plus encore dans l'avenir, sur la définition conceptuelle et la réalité sociale de l'espace public où s'échangent les informations et où se construisent les savoirs.[33]

Dans un futur qui est déjà notre présent, ces effets seront ce que, collectivement, nous saurons en faire. Pour le meilleur ou pour le pire. Telle est aujourd'hui notre commune responsabilité.

33. Geoffrey Nunberg, « The Places of Books in the Age of Electronic Reproduction », *Representations*, n} 42, 1993, p. 13-37.

CONCLUSION

Comme l'ont montré les premiers chapitres de cette enquête, le paradoxe de l'industrie du livre est de voir son poids relatif dans l'économie nationale diminuer d'année en année, tout en demeurant pourtant un des secteurs les plus visibles et les plus sensibles en termes d'impact sur l'opinion. Qu'elles pèsent 15 ou 17 milliards de francs, c'est infiniment moins pour les quelques trois cents maisons d'édition officiellement recensées par le SNE que pour TOTAL-FINA, L'Oréal ou Vivendi, qui à elle seule dégageait, en 1998, avant son mariage avec Universal, 208 milliards de francs de chiffre d'affaires, soit quinze fois plus que toute l'édition française. Toutefois, si Lagardère Groupe et la CGE devenue Vivendi – 278 milliards à eux deux la même année – sont si impliqués dans le monde de l'imprimé et s'ils dominent la galaxie Gutenberg, c'est bien qu'elle continue à briller d'un éclat particulier à leurs yeux et qu'elle n'a pas tout à fait achevé sa course historique.[1] Mieux même, il semble désormais avéré que chez Matra-Hachette on compte sur la valorisation apportée

1. Les deux fusions de Vivendi avec Universal et de Lagardère Groupe dans EADS ont encore accru le poids financier de ces conglomérats. Vivendi Universal est d'ailleurs devenu le deuxième groupe mondial de communication immédiatement derrière AOL-Time Warner.

par cet univers mythique pour renforcer l'image générale d'une entreprise dont une grande partie des activités relève d'un tout autre domaine.

Malgré le flou qui règne sur les statistiques en matière d'édition, les deux géants se partagent aujourd'hui un peu plus de la moitié du marché sans pour autant constituer un véritable duopole. Sur ce point, les économistes sont formels: la structure du marché demeure celle qu'elle était en 1980, c'est-à-dire plutôt un oligopole à frange qu'un ensemble binaire. C'est ici probablement que se dégage le mieux la spécificité du cas français par rapport à d'autres entités. Dans la mesure où les grandes filiales de Hachette-Livre – Hatier, Fayard ou Grasset-Fasquelle et Stock – et celles de Vivendi Universal Publishing – Larousse-Bordas, Nathan ou Plon-Julliard – conservent une réelle autonomie et possèdent une image bien distincte qui fait l'essentiel de la valeur du fonds, elles s'opposent à l'organisation du marché en duopole authentique. Certes, le grand public et parfois les observateurs ressentent une telle impression mais la réalité est plus complexe et elle est elle-même le résultat du processus historique que nous avons tenté de résumer. Le mouvement de concentration n'est pas un phénomène récent dans ce secteur, loin de là, même s'il s'est accentué de telle sorte en vingt ans qu'il a pu donner l'illusion que tout avait changé depuis 1980 et encore davantage en 2000 et 2001. Rassurant, ce constat ne saurait cependant faire oublier d'autres réalités, dont l'obligation pour ces deux groupes tentaculaires de continuer à se maintenir dans une stratégie de croissance externe et d'absorber par conséquent d'autres maisons moyennes, restreignant toujours un peu plus leur espace de liberté.

Géants aux pieds d'argile, Hachette-Livre et Vivendi Universal Publishing peuvent aussi susciter la convoitise de structures étrangères et faire l'objet d'un raid dans l'avenir, ce qui interdit toute conclusion définitive sur ce point. On sait mieux quelle est la différence entre ces deux grosses structures, la plus ancienne apparemment plus solidement organisée que sa cadette, mais l'avenir demeure incertain, d'autant que la tentation est grande, pour certains groupes, Vivendi Universal Publishing notamment, de céder à l'américano-mondialisation si l'on en croit le rédacteur en chef de *Livres Hebdo* qui s'exprimait un an avant l'absorption de Seagram par Vivendi.[2] Celle-ci consiste à fabriquer des livres conçus d'abord pour le marché des États-Unis et capables, ensuite, à l'image des films de Walt Disney, de s'exporter sur l'ensemble des continents. Face à ces risques de disparition de l'identité des professions du livre en France, les maisons moyennes, Gallimard, Albin Michel et Le Seuil ont un rôle à jouer. On a essayé, ici, de mettre en relief ce qui fait d'abord l'originalité de ces dernières, l'admirable diversité de leur catalogue, patiemment développée de génération en génération pour les deux premières. Atout majeur pendant de longues années, cette adaptation aux besoins du public peut cependant se retourner contre les dirigeants de ces entreprises et les amener à contracter des alliances avec les majors, ce qui est peut-être le cas d'Albin Michel, désormais en partie associé au groupe Hachette et qui risque de suivre la voie tracée par Flammarion, absorbé par l'Italien Rizzoli-Corriere della sera. La menace la plus grave se situe cependant ailleurs, dans l'incertitude qui pèse sur les successions des dirigeants, comme l'a montré le précédent de Gallimard. Plus souples et plus créatives que les grosses structures, mais immédiatement imitées dès que leur innovation fait ses preuves, elles sont elles-mêmes des petits géants aux yeux des autres maisons, dont elles sont souvent les distributeurs, ce qui peut les inciter à se conduire à leur tour en prédateurs quand une opportunité se présente.

Si l'éditeur apparut en France vers 1830 comme la figure dominante de la chaîne des métiers du livre, et s'il put exercer le magistère qu'on lui reprocha parfois parce qu'il empiétait sur la liberté de l'écrivain, on voit aujourd'hui sa position de plus en plus grignotée par celle des distributeurs du livre. On rappellera un chiffre cruel : les deux cents librairies indépendantes qui font l'orgueil de la profession dans le pays n'effectuent que 17 % des ventes de livres et, à elles toutes, elles dégagent un chiffre d'affaires inférieur à celui de la seule FNAC. Inquiétant en lui-même, ce phénomène avait été partiellement appréhendé par les éditeurs qui, tels Flammarion et Gallimard, se voulurent également libraires. S'ils le demeurent encore, ils ne pourront peut-être bientôt plus lutter avec les librai-

2. Pierre-Louis Rozynès, «Américano-mondialisation», *Livres Hebdo*, n° 327, 5 mars 1999.

ries en ligne – même si elles ne pèsent que moins d'un pour cent en 2001 – qui profitent de leur extra-territorialité pour contourner la loi Lang sur le prix unique du livre. Alors même que le livre a reculé dans les meilleures librairies au profit des disques, CD, cédéroms et autres produits les plus variés, il risque de se trouver confronté à un nouveau défi, le choix des éditeurs étant désormais directement dicté par les standards de la grande distribution, qu'elle soit concrètement visible sous la forme d'un hypermarché ou plus virtuelle et observable sur un écran censé représenter le grand marché mondial et défendre les droits du consommateur.

Face à ces défis, les résistances du livre devaient être analysées afin d'éviter tout schématisme ou une peinture exagérément alarmiste du paysage éditorial. Il était cependant nécessaire de rappeler avec force que le livre appartient au monde de l'économie[3] et que les plus belles réalisations, les paris les plus fous ne sauraient échapper à ses règles. Paul Faucher eut la chance, en 1930, de rencontrer en la personne de Charles Flammarion un éditeur prêt à lui laisser mettre ses conceptions hardies en matière de pédagogie au service des enfants, mais il n'est pas sûr qu'il eût reçu le même accueil dans un groupe plus soucieux de sa rentabilité immédiate.[4] Comme on l'a largement montré ici, le dynamisme de l'édition de jeunesse ne s'est pas démenti, en France, depuis vingt ans, le Père Castor – à tout seigneur, tout honneur ! – ayant lui-même enfanté les collections Castor Poche d'excellente facture. Avec 34 millions de livres et 30 millions d'albums commercialisés en 1997, ce secteur représente plus de 18,5 % de la masse des volumes vendus et, en 2000-2001, sa croissance a continué quand le dictionnaire et l'encyclopédie, longtemps ses grands rivaux, semblent marquer le pas face aux concurrences du multimédia. Le temps semble en effet loin où la VPC – vente par correspondance – et le courtage – démarchage à domicile de la clientèle – faisaient les

3. C'était l'objet de notre étude, volontairement orientée, en 1988, et intitulée à dessein *L'Argent et les Lettres. Histoire du capitalisme d'édition,* car l'époque avait plutôt tendance à ignorer les réalités matérielles, jugées trop prosaïques ou matérialistes, ce qui était alors l'injure suprême.

4. *Le Père Castor. Paul Faucher. 1898-1967. Un Nivernais, inventeur de l'album moderne*, conseil général de la Nièvre, Nevers, 1999.

beaux jours des maisons Larousse, Bordas, Le Robert ou Quillet. Menacées et obligées de se reconvertir, Encyclopædia Universalis, Atlas ou Axis se tournent vers l'écran quand les bibliothèques destinées à l'enfance – L'Heure joyeuse avant toutes les autres – se félicitent de l'augmentation de leurs publics.

Toutes les institutions, centrales ou délocalisées, ont aujourd'hui partie liée et se mobilisent pour multiplier le nombre de bébés-lecteurs, comme, voici vingt ans, celui des bébés-nageurs. L'inauguration d'espaces réservés à cette clientèle est un événement aussi important que le fut celle d'un stade ou d'une piscine en 1960, et la coopération État-régions-municipalités-associations semble fonctionner à plein. Dans ce secteur de l'édition où les fortes personnalités – Paul puis François Faucher chez Flammarion, Pierre Marchand chez Gallimard puis chez Hachette et Jean Fabre à l'École des Loisirs pour ne citer qu'eux – exercent encore une influence certaine, les petites, voire minuscules structures éditoriales, conservent une marge de manœuvre importante. Même si, chez les géants ou leurs émules – Bayard Presse par exemple – on s'efforce de mettre dans des cases chaque couche de jeunes lecteurs – 6-8 ans, 8-10 ans, 10-12 ans, etc. – pour mieux capter leur attention, on ne constate pas de phénomène de standardisation du contenu, ce qui est probablement le signe le plus prometteur en matière de formation du goût des lecteurs adultes de demain. La revitalisation de l'édition en régions est d'ailleurs liée à un phénomène de résistance, et les Éditions de L'Aube, parmi tant d'autres, démontrent à qui voudrait en douter que l'innovation paie encore en matière de livre ou de littérature, et que ce qui est impossible à Paris ne souffre pas des mêmes contraintes en province, surtout depuis le vote de la loi sur la décentralisation en 1982.

Nées quatre ans auparavant, les éditions Actes Sud, qui emploient cent personnes vingt ans plus tard, réalisent un chiffre d'affaires de 121 millions de francs et manifestent un bel entrain qui suscite la jalousie de maint confrère parisien. Nullement isolé, leur enthousiasme est partagé par Jacqueline Chambon, Jeanne Laffitte ou Jean Viard. Tout n'est certes pas rose et Du Lérot à Tusson, en Charente, comme Plein Chant ou Champ Vallon doivent en permanence forcer leur talent, se dépasser sans compter pour mettre en place leur production, mais celle-ci est connue, appréciée, reconnue même, et l'on sait bien, à Paris, que le label de qualité n'est plus exclusivement germano-pratin et qu'il doit être partagé avec l'ouest, le sud et l'est du pays. C'est là un véritable défi lancé aux tendances lourdes de l'économie qui paraissaient avoir condamné la province au recueillement et à l'oubli, et si l'État accompagne ces expérimentations de sa bienveillance et de ses deniers dans bien des cas, ce n'est que justice puisqu'une part non négligeable de la traduction des grandes littératures étrangères passe désormais par la périphérie plutôt que par le centre. La capitale elle-même, comme le montrent les deux exemples de P.O.L. et d'Anne-Marie Métailié, retrouve un penchant certain pour la rencontre entre les cultures, ce qui fut longtemps la chasse gardée de la « Bibliothèque » puis du « Cabinet cosmopolite » de Stock, des collections spécialisées du Seuil ou de grands découvreurs tels que Claude Durand – au Seuil puis chez Fayard – ou Christian Bourgois.

Face à ces signes d'optimisme, les sonnettes d'alarme ne manquent cependant pas, et le recul de l'édition en sciences humaines en fait partie, comme celui des clubs. L'âge d'or de ceux-ci est bien connu – les années 1950-1970 – mais la longue grève des postes de 1976 devait marquer le début de leur déclin et leur remplacement par d'autres formes de fidélisation du lectorat qui n'ont que peu de rapports avec les grands ancêtres, le Büchergilde Gutenberg allemand de 1924, le Book of the Month Club de Harry Scherman américain ou le Book Lefts Club anglais des mêmes années. France Loisirs, avec son million d'abonnés en 1975, ses centaines de points de vente en librairie actuels, ses 4,3 millions d'acheteurs de 1993, ou encore ses mille sept cents salariés, 25 millions de volumes vendus et 2,8 milliards de francs de chiffre d'affaire, soit 8 % du total du secteur la même année[5], apparaît comme un géant intouchable. Tous ceux qui entendirent l'imiter, de Hachette, qui refusa le partenariat avec Bertelsmann à Albin Michel, ont échoué, ce qui traduit probablement l'insuffisance ou les limites objectives de ce gisement d'acheteurs d'un type particulier. Alors que les clubs des années 1950 visaient une clientèle

5. François Richaudeau, «Le phénomène des clubs», *L'Édition française depuis 1945*, *op. cit.*, p. 132.

relativement cultivée fréquentant les librairies, France Loisirs a privilégié d'autres lecteurs, plus habitués des gondoles de supermarchés que des rayonnages impeccables des boutiques à lire. Là encore la concurrence des grands distributeurs se fait sentir, et l'essoufflement actuel des clubs – 2 milliards de francs de chiffre d'affaires en 1997 toutes marques confondues contre 2,8 en 1993 pour France Loisirs seul – enregistre un phénomène de recul de la lecture qui ne saurait laisser indifférent.

Les sciences humaines connurent leur apogée entre 1965 et 1975, au moment où les cohortes démultipliées de bacheliers entraient à l'université et en faisaient craquer les carcans institutionnels. Les PUF comme 10-18, Armand Colin mais aussi Flammarion, via sa collection « Champs », et Gallimard, à travers les « Essais », ou les Éditions sociales, au temps où elles traduisaient les classiques du peuple et du marxisme, s'engouffrèrent dans cette voie royale. Fernand Braudel, Georges Duby, François Furet ou Jacques Le Goff et Emmanuel Le Roy Ladurie durent une partie de leur notoriété, en histoire, à cette explosion éditoriale de leur discipline. Claude Levi-Strauss, en ethnologie, Roland Barthes et Michel Foucault, un peu plus tard Michel Serres bénéficièrent des mêmes engouements. Le livre politique lui-même, toujours un peu suspect dans un pays de tradition libérale, connut des heures de gloire. Les Éditions sociales, déjà nommées, seul organisme émanant directement d'un parti politique, le PCF en l'occurrence, s'enorgueillirent d'être devenues le septième groupe français au début des années 1980, et les éditions Maspero marquèrent une génération d'étudiants tiers-mondistes. Les éditions du Seuil profitèrent de cet essor qui aida également les Éditions de Minuit, mais celles-ci avaient été les premières à fustiger les guerres coloniales et à refuser la torture – la gangrène – pendant celle qui endeuilla l'Algérie. Les Éditions ouvrières, proches de la CFDT, ont connu de très graves difficultés au moment où disparaissait le groupe Messidor-Éditions sociales. Syros-La Découverte, fruit d'une rencontre entre les anciennes Éditions ouvrières et les éditions Maspero, a été en partie absorbé par Vivendi en 1999, ce qui n'annonce guère de lendemains qui chantent. Certes, les éditions Liber/Raisons d'Agir, celles de l'Esprit frappeur, La Fabrique, La Dispute ou d'autres microstructures sont nées dans la décennie 1990-1999, mais le livre politique se porte mal aujourd'hui, le rejet du politique et de la politique renforçant sa marginalisation.

Dans un univers où un seul grand a échappé à la guerre qu'il livra à son concurrent, où les sources d'informations plurielles se font rares, malgré l'internet et l'oxygène qu'apporte ce nouveau média pour ceux qui l'utilisent, les tentations d'une censure larvée n'ont pas disparu. Le groupe Media-Participations, ici examiné dans ses grandes orientations, en est une excellente illustration même s'il ne résume pas, à lui seul, l'ampleur du phénomène. L'abbé Bethléem n'est plus là pour stigmatiser les vices du monde moderne, mais ceux qui veulent biographier les stars de l'actualité – Marcel Dassault ou François Michelin en leur temps, Alain Delon ou François Pinault aujourd'hui – subissent des entraves qu'une société démocratique ne saurait occulter. De ce point de vue l'étouffement – sans tempête médiatique – du dernier numéro hors série des *Cahiers de l'économie du livre* en 1993, dû à Jean-Marie Bouvaist, un des meilleurs spécialistes des métiers du livre, est proprement scandaleux. On peut certes ne pas partager ses conclusions sur les stratégies des deux géants du secteur mais, si on est privé de la faculté de les analyser, on ne voit guère comment une discussion pourrait avoir lieu sur un sujet aussi sensible. Compte tenu des habitudes – voire des habitus – de l'édition française aux XIXe et XXe siècles, on ne peut qu'être relativement inquiet devant le silence qui entoure ces formes modernes de la « prédication silencieuse »[6].

Du côté des lecteurs et des bibliothèques, d'autres phénomènes se produisent qui méritaient, eux aussi, un éclairage particulier. Toutes les enquêtes de terrain conduites par des sociologues parviennent au même constat : le livre a perdu une partie de son capital symbolique et de son pouvoir d'attraction depuis vingt ans, y compris chez les filles, les bons élèves et les forts lecteurs. Alors que tout le siècle dernier – celui de « l'alphabétisation sans retour » des Français[7] – avait dû bander ses forces pour vaincre l'anathème lancé contre les « chiens de

6. Maxime Dury, *La Censure...*, *op. cit.*

7 François Furet et Jacques Ozouf, *L'Alphabétisation des Français de Calvin à Jules Ferry*, Éditions de Minuit, Paris, 1970.

lisards»[8] par la Contre-Réforme catholique, la fin du suivant doit lutter contre des adversaires plus insidieux. L'école a certes eu raison de jeter son poids dans la bataille du livre ou du lire, mais elle paie de plus en plus la relation qui s'établit, chez les non-lecteurs, entre l'institution, vécue comme plus ou moins contraignante, et l'acte de lecture, de moins en moins associé à un geste libérateur. La remontée de l'illettrisme – qu'il convient de nommer avec Noé Richter un «analphabétisme de retour»[9] – est plus déroutante encore puisqu'elle frappe les exclus, les pauvres entre les pauvres, privés ainsi de toute expression. Dans le même temps cependant, les abonnés aux bibliothèques publiques augmentent régulièrement, et nombre d'entre eux, contrairement à ce que croient certains éditeurs, seront les acheteurs des livres de demain. Le débat est ouvert sur le prêt payant ou payé, réclamé par Jérôme Lindon, condamné par les professionnels de la bibliothéconomie, mais le photocopillage et la déréglementation souhaitée par la Commission européenne font peser d'autres menaces.

Les chapitres consacrés aux institutions de lecture précisent les rapports des collectivités territoriales et de l'État avec le livre. Très engagé dans le mouvement de construction d'équipements culturels après 1960 – la BNF de Tolbiac en est le point d'orgue – et attentif à subventionner, *via* le CNL, les ouvrages scientifiques, les traductions ou les livres d'avant-garde, l'État est en effet plus présent qu'on ne le suppose généralement dans ce domaine. Mesurant régulièrement les pratiques culturelles de nos concitoyens, organisant fêtes et manifestations, il prête une attention très grande aux évolutions qui perturbent la galaxie Gutenberg. Il lui appartient d'ailleurs de veiller à la protection du droit d'auteur, mise à mal par la montée en puissance de la communication sur l'internet. Le débat récent qui oppose les cybernavigateurs, réfugiés derrière le premier amendement de la Constitution américaine, aux éditeurs français est exemplaire. Au nom des libertés introduites par de nouvelles technologies, doit-on accepter de remettre en cause les réglementations patiem-

8. L'apostrophe du père Sorel à son fils Julien dans *Le Rouge et le Noir* de Stendhal résume ce rejet du livre en terre catholique.

9. Noé Richter, *Introduction à l'histoire de la lecture publique*, À l'enseigne de la Queue du chat, Bernay, 1995.

ment édifiées pendant des siècles ou faut-il continuer à préférer la négociation au coup de force ? Compte tenu de l'échec de la récente réunion de l'OMC à Seattle, on ne sait pas comment les législations évolueront et si les bibliothèques, comme l'éducation ou la santé, seront incluses dans le grand marché mondial de la concurrence, mais il ne fait aucun doute que ces questions reviendront en force dans l'avenir à la une de l'actualité.

Alors qu'aux États-Unis certains internautes se battent pour créer une bibliothèque planétaire totalement gratuite mais ne contenant qu'un exemplaire aléatoire de chaque livre, d'autres expériences conduisent à prédire la réalisation prochaine d'une carte électronique permettant de stocker des milliers d'ouvrages dans une mémoire réduite à la taille d'un timbre-poste.[10] Devant ces défis technologiques, on s'interroge sur l'évolution des notions d'auteur et de lecteur. Apparue essentiellement à l'époque de la codification de la propriété littéraire – l'écrivain était né deux siècles auparavant[11] –, la première n'a jamais été figée. Barthes et Foucault ont certes cru tuer l'auteur en mettant au monde le lecteur, mais ils faisaient peu de cas de la plasticité d'une notion qui recouvre des réalités totalement irréductibles l'une à l'autre. Quel rapport peut-on établir entre l'ouvrage signé d'un titulaire de prix littéraire recherché et le manuel scolaire enfanté par un collectif de dix ou quinze personnes ? La tradition a continué à désigner un être mythique comme auteur quand des formes multiples d'autorités s'étaient substituées à celles du prince de la poésie ou du magicien des lettres. Les attaques surgies du cyberespace sont d'une autre nature, mais elles appellent le même type de réponses puisque le lecteur continue à chercher l'auteur alors même qu'il s'est volatilisé.

Fruit de l'histoire elle aussi, domestiquée pendant des siècles sous la férule de ceux qui détenaient le magistère du savoir et des croyances[12], la figure du lecteur démiurgique, enfin libéré de toute contrainte, serait donc apparue quand s'éteignait la précédente. Ce meurtre du père,

10. Yves Eudes, «Le livre qui contient une bibliothèque», *Le Monde*, 28 juillet 1999.

11. Alain Viala, *Naissance de l'écrivain*, Éditions de Minuit, Paris, 1985.

12. Guglielmo Cavallo et Roger Chartier, *Histoire de la lecture dans le monde occidental*, Le Seuil, Paris, 1995.

invoqué et convoqué par deux connaisseurs de la psychanalyse, aurait débouché sur une libération éphémère si l'on suit ceux qui annoncent la disparition – dilution – évaporation du lecteur dans le cyberespace. Ici aussi un vif débat a mis aux prises les tenants de la fin présumée du livre et ceux qui préfèrent rappeler qu'on n'a pas toujours lu des cahiers et que l'écran, a priori, ne remplace pas celui qu'on présente comme son concurrent. Même si les formes modifient le sens, et c'était déjà vrai du livre et de ses éditions en tous formats, le problème actuel est plutôt celui de l'accès de tous aux techniques modernes. Comme le livre imprimé sépara pendant plusieurs siècles ceux qui pouvaient l'utiliser et les analphabètes, un clivage net pourrait bien, demain, isoler les serfs du XXIe siècle face aux seigneurs de la navigation sur les écrans. Il appartient aux États et aux écoles d'empêcher cette fracture de se réaliser dans l'avenir ou de la colmater si elle se produit, mais l'autre danger tapi dans l'ombre est celui de la domination d'un seul pays dans cette compétition planétaire. Peut-être, comme il existe un Parlement des écrivains, est-il temps qu'une République des savants, des ingénieurs, des informaticiens, des lettrés se constitue pour remédier à cette maladie. Cela supposerait qu'un autre type de lecteur de l'internet soit en train d'émerger, issu de la culture livresque, dans ce qu'elle avait de meilleur, formé aux techniques de manipulations du pouvoir pour savoir les combattre et suffisamment généreux pour partager ses compétences avec les autres. Alors, mais alors seulement, ce qui était réservé à la minorité d'hommes libres dans les cités de la Grèce antique deviendrait le lot de tous et l'agora nouvelle manière un vaste espace public où chacun aurait sa place.

Les auteurs

Alban Cerisier, ancien élève de l'École nationale des Chartes, archiviste-paléographe, travaille aux éditions Gallimard. Il a soutenu en 1996 une thèse sur *Les Clubs de livres dans l'édition française de 1946 à la fin des années 1960.*

Roger Chartier est directeur d'études à l'École des hautes études en sciences sociales (Paris). Derniers ouvrages publiés : *Culture écrite et société. L'ordre des livres (quatorzième-dix-huitième siècles)*, Albin Michel, Paris, 1996 ; *Le livre en révolutions. Entretiens avec Jean Lebrun*, Textuel, Paris, 1997 ; *Au bord de la falaise. L'histoire entre certitude et inquiétude*, Albin Michel, Paris, 1998 ; *Publishing Drama in Early Modern Europa*, « The Panizzi Lectures 1998 », The British Library, Londres, 1999.

Antoine Compagnon est professeur de littérature française à l'université de Paris IV-Sorbonne et à Columbia University, New York. Il a publié au Seuil *La Seconde Main* (1979), *Nous, Michel de Montaigne* (1980), *La Troisième République des lettres* (1983), *Proust entre deux siècles* (1989), *Les Cinq Paradoxes de la modernité* (1990), *Chat en poche* (1993), *Connaissez-vous Brunetière ?* (1997) et *Le Démon de la théorie* (1998).

Christine Détrez est maître de conférence en sociologie à l'ENS lettres et sciences humaines de Lyon. Elle est coauteur, avec Christian Baudelot et Marie Cartier, du livre *Et pourtant ils lisent*, Le Seuil, Paris, 1999.

Philippe Lane est professeur en sciences du langage à l'université de Rouen. Il a publié plusieurs ouvrages et articles sur le livre et l'édition. Ses domaines de recherche actuels sont le paratexte et la linguistique textuelle.

Jean-Yves MOLLIER est professeur d'histoire contemporaine et directeur du Centre d'histoire culturelle des sociétés contemporaines à l'université de Versailles-Saint-Quentin-en-Yvelines. Il a notamment publié *L'Argent et les lettres. Histoire du capitalisme d'édition. 1880-1920*, Fayard, Paris, 1988 ; *Louis Hachette (1800-1864). Le fondateur d'un empire*, Fayard, Paris, 1999 ; *Les Mutations du livre et de l'édition dans de monde du dix-huitième siècle à l'an 2000* (en collaboration avec Jacques Michon), Presses de l'université Laval, Québec/L'Harmattan, Paris, 2001, et *La Lecture et ses publics à l'époque contemporaine*, PUF, Paris, 2001.

Élisabeth PARINET est directeur d'études à l'École nationale des Chartes où elle enseigne l'histoire du livre. Elle a notamment publié *La Librairie Flammarion. 1875-1914*, IMEC-éditions, Paris, 1992.

Christophe PAVLIDÈS, archiviste-paléographe, conservateur en chef des bibliothèques, est directeur de Médiadix à l'université de Paris X Nanterre. Auteur de plusieurs articles et contributions à des ouvrages collectifs sur les bibliothèques et les professions de l'information, il prépare une thèse sur l'histoire du CAFB (certificat d'aptitude aux fonctions de bibliothécaire).

Jean PERROT, professeur émérite de littérature comparée, est l'auteur d'une thèse sur Henry James. Il a publié *Jeux et enjeux du livre d'enfance et de jeunesse* (1999) et *Carnets d'illustrateurs* (2000) aux Éditions du Cercle de la librairie, Paris, ainsi que *Guide des livres d'enfance, de 0 à 7 ans*, In Press, Paris, 2001.

Ahmed SILEM est professeur d'économie à l'université Jean-Moulin-Lyon III. Il a publié *Histoire de l'analyse économique*, Hachette, Paris, 1997 ; *Dictionnaire encyclopédique des sciences de l'information et de la communication*, Ellipses, Paris, 1997 ; et *Introduction à l'analyse économique*, Armand Colin, Paris, 1998.

Anne SIMONIN, ancienne élève de l'Institut d'études politiques de Paris, est chargée de recherches au CNRS (CHRQ-Caen). Elle a publié *Les Éditions de Minuit. 1942-1955. Le devoir d'insoumission*, IMEC-éditions, Paris, 1994, et participé à diverses entreprises collectives dont *L'Édition française depuis 1945*, Éditions du Cercle de la librairie, Paris, 1998, et le n° 126-127 de la revue *Actes de la recherche en sciences sociales*.

Yves SUREL est professeur de sciences politiques à l'IEP de Grenoble. Il a publié *L'État et le livre : les politiques publiques du livre. 1957-1993*, L'Harmattan, Paris, 1997, et, en collaboration avec Yves Mény, *Politique comparée*, Montchrestien, Paris, 2001.

Index des éditeurs et acteurs du livre

Cet index recense les maisons d'édition, les collections (sous leur éditeur, leur nom entre guillemets), les groupes d'édition (en gras), les librairies (voir à librairies), les clubs de ventes (voir à clubs), les diffuseurs, distributeurs, organismes et institutions du monde du livre (en italique).
Nous avons placé les éditeurs dont le nom est celui de leur créateur à l'ordre alphabétique du prénom. Le nom des éditeurs et librairies sur l'internet est suivi d'une astérisque.

Bibliographie

Ouvrages généraux :

Chartier Roger et Martin Henri-Jean, (sous la direction), *Histoire de l'édition française,* Promodis-Cercle de la Librairie, Paris, 1982-1986 ; réédition, Fayard-Cercle de la librairie, Paris, 1990-1991.

– Tome II : *Le livre triomphant, 1660-1830.*

– Tome III : *Le temps des éditeurs : Du romantisme à la Belle Epoque.*

– Tome IV : *Le livre concurrencé, 1900-1950.*

Fouché Pascal (sous la direction de), *L'Édition française depuis 1945,* Éditions du Cercle de la Librairie, Paris, 1998.

L'Édition en Europe, Eurostaf, Paris, 1997.

Mollier Jean-Yves, *L'Argent et les lettres. Histoire du capitalisme d'édition, 1880-1920,* Fayard, Paris, 1988.

Michon Jacques et Mollier Jean-Yves, *Les Mutations du livre et de l'édition dans le monde du dix-huitième siècle à l'an 2000,* Presses de l'université Laval, Québec, L'Harmattan, Paris, 2001.

Schiffrin André, *L'Édition sans éditeurs,* La Fabrique, Paris, 1999.

L'économie et les techniques de production

André Louis, *Machines à papier : innovation et transformations de l'industrie papetière en France, 1798-1860,* EHESS, Paris, 1997.

Barbier Frédéric, *L'Empire du livre : le livre imprimé et la construction de l'Allemagne contemporaine (1815-1914),* Le Cerf, Paris, 1995

– *Histoire du livre,* Armand Colin, « U », Paris, 2001.

Barbier Frédéric (Études réunies par) *et alii, Le Livre et l'historien : Études offertes en l'honneur du professeur Henri-Jean Martin,* Droz, Genève, 1997.

Barbier Frédéric, Juratic Sabine, Varry Dominique, *L'Europe et le livre : Réseaux et pratiques du négoce de librairie seizième-dix-neuvième siècles,* Klincksieck, Paris, 1996.

Belhoste Jean-François, *Histoire des usines d'Allevard, des origines à 1970,* Grenoble, 1982.

Boithias Jean-Louis et Mondin Corinne, *Les Moulins à papier et les anciens papetiers d'Auvergne,* Créer, Novette, 1981.

Borgis Jean-Pierre, *Moulin-Vieux, histoire d'une papeterie dauphinoise,*

1869-1989, Presses universitaires de Grenoble, 1991.

BOUVAIST Jean-Marie, *Cahiers de l'économie du livre*, hors-série n° 3: «Crise et mutations dans l'industrie du livre», 1993.

– *Pratiques et métiers de l'édition*, Éditions du Cercle de la librairie, Paris, 1991.

CHAUMARD Fabien, *Le Commerce du livre en France. Entre économie et culture*, L'Harmattan, Paris, 1998.

CHAUVET Paul, *Les Ouvriers du livre en France. Tome II: De 1789 à la constitution de la Fédération du livre*, Marcel Rivière, Paris, 1964.

DUPONT Paul, *Histoire de l'imprimerie*, Imprimerie Paul Dupont, Paris, 1854.

ESTIVALS Robert, *La Bibliologie*, Presses universitaires de France, «Que sais-je?», Paris, 1987.

FONTAINE Jean-Paul, *Le Livre des livres: Des origines à nos jours*, Hatier, Paris, 1994.

LAROCHE René, *Les Laroche, papetiers charentais*, Atelier-Musée du Papier, Angoulême, 1992.

LEGENDRE Bertrand, *Les Métiers de l'édition*, Éditions du Cercle de la librairie, Paris, 1996.

MARTIN Gérard, *L'Imprimerie d'aujourd'hui*, Éditions du Cercle de la Librairie, Paris, 1992.

– *L'Imprimerie*, 8e édition, Presses universitaires de France, «Que sais-je?», 1 067, Paris, 1993.

MARTIN Henri-Jean, *Histoire et pouvoirs de l'écrit*, Albin Michel, Paris, 1996.

MOLLIER Jean-Yves, «La création d'entreprises dans le monde de l'édition du XIIIe au XXe siècle», Jacques Marseille (sous la direction de), *Créateurs et créations d'entreprises de la révolution industrielle à nos jours*, ADHE, 2000,.

PATURLE François, *Les Aussedat, papetiers depuis le dix-septième siècle*, Gardet, Annecy, 1983.

REBÉRIOUX Madeleine, *Les Ouvriers du livre et leur fédération. Un centenaire: 1881-1981*, Messidor-Temps actuels, Paris, 1981.

SCHUWER Philippe, *Traité pratique d'édition*, Éditions du Cercle de la librairie, Paris, 1994.

LES STRATÉGIES ÉDITORIALES

CHABAUD Gilles *et alii*, *Les Guides imprimés du seizième au vingtième siècle. Villes, paysages, voyages*, Belin, Paris, 2000.

DEGUY Michel, *Le Comité. Confessions d'un lecteur de grande maison*, Champ Vallon, Seyssel, 1988.

DIEU Jacques, *Cinquante ans de culture Marabout: 1949-1999*, Nostalgia, Verviers, 1999.

JOHANNOT Yvonne, *Quand le livre devient poche: Une sémiologie du livre au format de poche*, Presses universitaires de Grenoble, Saint-Martin-d'Hères, 1978.

MARTINETTI Anne, *«Le Masque»: histoire d'une collection*, Encrage, Amiens, 1997.

OLIVERO Isabelle, *L'Invention de la collection*, IMEC-éditions, Paris, 1999.

SANTANTONIOS Laurence, *Auteur/ éditeur, création sous influence*, Éditions Louis Tahmart, Paris, 2000.

SCHUWER Philippe, *L'Édition internationale. Coéditions et coproductions, nouvelles pratiques et stratégies*, Éditions du Cercle de la librairie, Paris, 1991.

LE CADRE JURIDIQUE, LA POLICE DE LA LIBRAIRIE, LA PROPRIÉTÉ LITTÉRAIRE ET LA CENSURE

ABRAMOVICI Jean-Christophe (textes choisis et présentés par), *Le Livre interdit: de Théophile de Viau à Sade*, Payot et Rivages, «Petite bibliothèque Payot», Paris, 1996.

Balzac imprimeur et défenseur du livre, Paris-Musées/Éditions des Cendres, Paris, 1995.

BÉCOURT Daniel, *Livres condamnés. Livres interdits: Régime juridique du livre: Liberté ou censure?*, Éditions du Cercle de la Librairie, Paris, 1972.

POULAIN Martine, *Censures: De la Bible aux «Larmes d'Éros»*, Éditions de la BPI-Centre Georges Pompidou, Paris, 1987.

CHOLLET Rolland, *Balzac journaliste: Le tournant de 1830*, Klincksieck, Paris, 1983.

CRÉPIN Thierry et GROENSTEEN Thierry (sous la coordination de), *« On tue à chaque page » : La Loi de 1949 sur les publications destinées à la jeunesse,* Éditions du Temps-Musée de la BD, Paris, 1999.

DARMON Jean-Jacques, *Le Colportage de la librairie sous le second Empire,* Plon, Paris, 1972.

FELKAY Nicole, *Balzac et ses éditeurs, 1822-1837 : Essai sur la librairie romantique,* Promodis-Éditions du Cercle de la Librairie, Paris, 1987.

KRAKOVITCH Odile, *Hugo censuré : La Liberté au théâtre au XIXe siècle,* Calmann-Lévy, Paris, 1985.

KUHLMAN Marie, KUNTZMANN Nelly et BELLOUR Hélène, *Censure et bibliothèque au vingtième siècle,* Éditions du Cercle de la librairie, Paris, 1989.

KUPIEC Anne, *Le Livre-sauveur : La question du livre sous la Révolution française 1789-1799,* Kimé, Paris, 1997.

LECLERC Yvan, *Crimes écrits. La littérature en procès au XIXe siècle,* Plon, Paris, 1991.

ORY Pascal (sous la direction de), *La Censure en France à l'ère démocratique, 1848-...,* Complexes, Bruxelles-Paris, 1997.

PIERRAT Emmanuel, *Le Droit d'auteur et l'édition,* Éditions du Cercle de la Librairie, Paris, 1998.

STORA-LAMARRE Annie, *L'Enfer de la troisième République : Censeurs et pornographes, 1881-1914,*

LA POLITIQUE ET L'IDÉOLOGIE

BARDOUILLET Marie-Christine, *La Librairie du travail, 1917-1939,* Maspero, Paris, 1977.

BERCHADSKY Alexis, *« La Question » d'Henri Alleg : un livre-événement dans la France en guerre d'Algérie : juin 1957-juin 1958,* Larousse-Sélection du Reader's Digest, Paris, 1994.

ENKIRI Gabriel, *Hachette, une expérience syndicale CGT-CFDT,* Maspero, Paris, 1970.

– *Hachette, la pieuvre : témoignage d'un militant CFDT,* Éditions Gît-le-Coeur, Paris, 1972.

– *Le Scandale Hachette,* Éditions Savelli, Paris, 1979.

FOUCHÉ Pascal, *L'Édition française sous l'Occupation : 1940-1944,* Bibliothèque de littérature française contemporaine de l'université de Paris VII, Paris, 1987.

LOUIS Patrick, *La Table Ronde : une aventure singulière,* La Table ronde, Paris, 1992.

SAPIRO Gisèle, *La Guerre des écrivains (1940-1953),* Fayard, Paris, 1999.

SIMONIN Anne, *Les Éditions de Minuit, 1942-1955. Le Devoir d'insoumission,* IMEC-éditions, Paris, 1994.

SUREL Yves, *L'État et le livre : Les politiques publiques du livre en France (1957-1993),* L'Harmattan, Paris, 1997.

THIESSE Anne-Marie, *Écrire la France. Le mouvement littéraire régionaliste de langue française entre la Belle Époque et la Libération,* Presses universitaires de France, Paris, 1991.

WITKOWSKI Claude, *Une censure de classe. La commission de colportage : 1852-1881,* Claude Witowski, Beaumont, 1986.

LE MONDE DES ÉDITEURS

ANGLÈS Auguste, *André Gide et le groupe de la « Nouvelle Revue française »,* Gallimard, Paris, 1978-1986.

ASSOULINE Pierre, *Gaston Gallimard. Un demi-siècle d'édition française,* Balland, Paris, 1984.

BARBIER Frédéric, *Trois cents ans de librairie et d'imprimerie : Berger-Levrault, 1676-1830,* Droz, Genève, 1979.

BARTILLAT Christian DE *et alii, La Librairie Stock, 1708-1981,* Stock, Paris, 1981.

BOILLAT Gabriel, *La Librairie Bernard Grasset et les lettres françaises,* Éditions Honoré Champion, Paris, 1974-1988.

BOTHOREL Jean, *Bernard Grasset. Vie et passions d'un éditeur,* Grasset, Paris, 1989.

BOUFFANGE Serge, *Pro Deo et Patria : Castermann : librairie, imprimerie et édition (1776-1919),* Droz, Genève, 1996.

Céline & les Éditions Denoël : 1932-1948, (correspondances et documents présentés par Pierre-Edmond

ROBERT), IMEC-éditions, Paris, 1991.

Correspondance entre Victor Hugo et Pierre-Jules Hetzel, (texte établi, présenté et annoté par Sheila GAUDON), Klincksieck, Paris, 1979.

CORTI José, *1938-1988, cinquante ans d'édition,* UGE, Paris, 1988.

FOUCHÉ Pascal, *Au Sans-Pareil,* Bibliothèque de littérature française contemporaine de l'université de Paris VII, Paris, 1983.

La Sirène, Bibliothèque de littérature française contemporaine de l'université Paris VII, Paris, 1984.

HARE Steve, *Penguin portrait : Allen Lane and the Penguin Editors, 1935-1970,* Penguin, Londres, 1995.

HAYMANN Emmanuel, *Albin Michel, le roman d'un éditeur,* Albin Michel, Paris, 1993.

LACHENAL François, *Éditions des Trois Collines. Genève-Paris,* IMEC-éditions, Paris, 1995.

LAFONT Robert, *Robert Laffont éditeur,* Robert Laffont, Paris, 1974.

MISTLER Jean, *La Librairie Hachette de 1826 à nos jours,* Hachette, Paris, 1964.

MOLLIER Jean-Yves, *Michel et Calmann Lévy ou la naissance de l'édition moderne (1836-1891),* Calmann-Lévy, Paris, 1984.

– *Louis Hachette (1800-1864). Le fondateur d'un empire,* Fayard, Paris, 1999.

MOLLIER Jean-Yves et ORY Pascal (sous la direction de), *Pierre Larousse et son temps,* Larousse, Paris, 1995.

MONFRIN Jacques, *Honoré Champion et sa librairie. 1874-1978,* Éditions Honoré Champion, Paris, 1978.

NYSSEN Hubert, *L'Éditeur et son double : carnets (1983-1987),* Actes Sud, Arles, 1988.

– *L'Éditeur et son double : carnets 2 (1988-1990),* Actes Sud, Arles, 1990.

– *L'Éditeur et son double : carnets 3 (1989-1996),* Actes Sud, Arles, 1997.

OBERLÉ Gérard, *Auguste Poulet-Malassis, un imprimeur sur le Parnasse : ses ancêtres, ses auteurs, ses amis, ses écrits,* La Librairie du Manoir de Pron, Montigny-sur-Canne, 1996.

PARINET Élisabeth, *La Librairie Flammarion 1875-1914,* IMEC-éditions, Paris, 1992.

PARMÉNIE André et BONNIER de la CHAPELLE Catherine, *Histoire d'un éditeur et de ses auteurs : Pierre-Jules Hetzel (Stahl),* Albin Michel, Paris, 1953.

PICHOIS Claude, *Auguste Poulet-Malassis : un éditeur au dix-neuvième siècle,* Fayard, Paris, 1996.

PUCHE Michel, *Edmond Charlot, éditeur,* Éditions Domens, Pézénas, 1995.

RÉTIF André, *Pierre Larousse et son oeuvre (1817-1875),* Librairie Larousse, Paris, 1975.

ROBIN Christian, (textes et iconographie réunis et présentés par), *Un éditeur et son siècle : Pierre-Jules Hetzel (1814-1886),* Éditions ACL, Nantes, 1988.

SEBBAG Georges, *Les Éditions surréalistes, 1926-1968,* IMEC-éditions, Paris, 1993.

SEGHERS Colette, *Pierre Seghers, un homme couvert de noms,* Seghers, Paris, 1981.

STOCK Pierre-Victor, *Memorandum d'un éditeur,* Éditions Delerain, Boutelleau et Cie, Paris, 1935-1938.

UNSELD Siegfried, *L'Auteur et son éditeur,* (traduit de l'allemand par Éliane Kaufolz), Gallimard, Paris, 1983.

L'ÉDITION POPULAIRE OU DE GRANDE DIFFUSION

BELLET Roger et RÉGNIER Philippe (sous la direction de), *Problèmes de l'écriture populaire au dix-neuvième siècle,* PULIM, Limoges, 1997.

BETTINOTTI Julia, *La Corrida de l'amour. Le roman Harlequin,* XYZ, Montréal, 1986.

– *Guimauve et fleurs d'oranger. Delly,* Nuit blanche, Québec, 1995.

BLETON Paul, *Ça se lit comme un roman policier,* Nota bene, Québec, 1999.

– *Hostilités. Guerre, mémoire, fiction et culture médiatique,* Nota Bene, Québec, 2001.

BRETON Jacques, *Les Collections poli-*

cières en France au tournant des années 1990, Éditions du Cercle de la Librairie, Paris, 1992.

CHARTIER Roger et LÜSENBRINK Hans-Jürgen (sous la direction de), *Colportage et lecture populaire. Imprimés de large circulation en Europe seizième-dix-neuvième siècle,* IMEC-éditions-Éditions de la Maison des sciences de l'homme, Paris, 1996.

CONSTANS Ellen, *Parlez-moi d'amour. Le Roman sentimental,* PULIM, Limoges, 1999.

CONSTANS Ellen (sous la direction de), *Le Roman sentimental,* TRAMES, Limoges, 1990.

DUBOIS Jacques, *Le Roman policier ou la modernité,* Nathan, Paris, 1992.

FRANCON Marc, *Le Guide Vert Michelin : L'Invention du tourisme culturel populaire,* Éditions Économica, Paris, 2001.

GOSSELIN Ronald, *Les Almanachs républicains : traditions révolutionnaires et culture politique des masses populaires de Paris, 1840-1851,* L'Harmattan, Paris, 1992.

GUISE René et NEUSCHÄFER Hans-Jörg (éditeurs), *Richesses du roman populaire,* Centre de recherches sur le roman populaire de l'université de Nancy II et Romanistisches Institut de l'université de Saarbrücken, Nancy, 1986.

HOUEL Annick, *Le Roman d'amour et sa lectrice. Une si longue passion. L'exemple d'Harlequin,* L'Harmattan, Paris, 1997.

KALIFA Dominique, *L'Encre et le sang. Récits de crimes et société à la Belle Époque,* Fayard, Paris, 1995.

– *La Culture de masse en France. 1860-1930,* La Découverte, Paris, 2001.

Littérature bas de page. Le Feuilleton et ses enjeux dans la société des dix-neuvième et vingtième siècles, édité par Hans-Ulrich JOST, Peter UTZ et François VALLOTTON, Antipodes, Lausanne, 1996.

Littérature populaire : peuple, nation, région, PULIM, Limoges, 1988.

MIGOZZI Jacques (sous la direction de), *De l'écrit à l'écran : littératures populaires : mutations génériques, mutations médiatiques,* PULIM, Limoges, 2000.

– *Le Roman populaire en question(s),* PULIM, Limoges, 1997.

Nathan Michel, *Splendeurs et misères du roman populaire,* Presses universitaires de Lyon, 1991.

NEWBY David Ralph, *The ideology of the roman feuilleton in the French petite press, 1875-1885,* University of Wisconsin, Madison, 1993.

PARKINS Maureen, *Visions of the future : Almanacs, time and cultural change,* Clarendon Press, Oxford, 1996.

PEQUIGNOT Bruno, *La Relation amoureuse. Analyse sociologique du roman sentimental moderne,* L'Harmattan, Paris, 1991.

QUEFFÉLEC-DUMASY Lise, *Le Roman-feuilleton français au dix-neuvième siècle,* Presses universitaires de France, « Que sais-je ? », Paris, 1989.

– *La Querelle du roman-feuilleton. Littérature, presse et politique, un début précurseur,* ELLUG, Grenoble, 1999.

SEGUIN Jean-Pierre, *Nouvelles à sensation, canards du dix-neuvième,* Armand Colin, Paris, 1959.

THIESSE Anne-Marie, *Le Roman du quotidien. Lecteurs et lectures populaires à la Belle Époque,* Le Seuil, « Points », Paris, 2000.

VAREILLE Jean-Claude, *Le Roman policier français (1814-1914). Pratiques et idéologies,* PULIM, Limoges, 1994.

WITKOWSKI Claude, *Les Éditions populaires : 1848-1870,* GIPPE, Paris, 1997.

L'ÉDITION RELIGIEUSE

BLOCH R. Howard, *Le Plagiaire de Dieu. La Fabuleuse industrie de l'abbé Migne,* Le Seuil, Paris, 1996.

HAZARD Marie-Josée, *Le Rêve de Compostelle vers la restauration d'une Europe chrétienne,* Le Centurion, Paris, 1989.

SAVART Claude, *Les Catholiques en France : Le Témoignage du livre religieux,* Beauchesne, Paris, 1985.

L'édition scolaire

CASPARD Pierre (sous la direction de), *La Presse d'éducation et d'enseignement. Dix-huitième siècle-1940*, Éditions du CNRS-INRP, Paris, 1981-1991.

CHOPPIN Alain, *Les Manuels scolaires: histoire et actualité*, Hachette Éducation, Paris, 1992.

Les Manuels scolaires en France de 1789 à nos jours, INRP, Service d'histoire de l'éducation, Publications de la Sorbonne, Paris, 1987-1995, 8 volumes.

- Tome I: *Les Manuels de grec*, 1987.
- Tome II: *Les Manuels d'italien*, 1987.
- Tome III: *Les Manuels de latin*, 1988.
- Tome IV: *Textes officiels (1791-1992)*, 1993.
- Tome V: *Les Manuels d'allemand*, 1993.
- Tome VI: *Espagnol*, 1995.
- Tome VII: *Bilan des études et recherches*, 1995.
- Tome VIII: *Anglais*, 2000.

HUOT Hélène, *Dans la jungle des manuels scolaires*, Le Seuil, Paris, 1989.

L'édition scientifique

BENSAUDE-VINCENT Bernadette et RASMUSSEN Anne (sous la direction de), *La Science populaire dans la presse et l'édition. Dix-neuvième-vingtième siècles*, Éditions du CNRS, Paris, 1997.

BÉGUET Bruno (sous la direction de), *La Science pour tous. Sur la vulgarisation scientifique en France de 1850 à 1914*, Bibliothèque du CNAM, Paris, 1990.

JEANNERET Yves, *Écrire la science. Formes et enjeux de la vulgarisation*, Presses universitaires de France, Paris, 1994.

RAICHVAHG Daniel et JACQUES Jean, *Savants et ignorants. Une histoire de la vulgarisation des sciences*, Le Seuil, Paris, 1991.

TESNIÈRE Valérie, *Le Quadrige. Un siècle d'édition universitaire*, Presses universitaires de France, Paris, 2001.

WITKOWSKI Nicolas (sous la direction de), *Dictionnaire culturel des sciences*, Le Seuil, Paris, 2001.

L'édition théâtrale et musicale

DEVRIES Anik et LESURE François, *Dictionnaire des éditeurs de musique français*, Minkoff, Genève, 1979-1989, 2 volumes.

- Tome I: *Des origines à environ 1820.*
- Tome II: *De 1820 à 1914.*

Heugel et ses musiciens: Lettres à un éditeur parisien (introduction de François Heugel et notes de Danièle Pistone), Presses universitaires de France, Paris, 1984.

ELLIS Katharine, *Music Criticism in Nineteenth-Century France, «La Revue et Gazette musicale de Paris»*, 1834-1880, Cambridge University Press, 1995.

GOUBAULT C., *La Critique musicale dans la presse française. 1870-1914*, Slatkine, Genève, 1984.

Yon Jean-Claude, *Eugène Scribe, la fortune et la liberté*, Librairie Nizet, 2000.

Jacques Offenbach, Gallimard, Paris, 2000.

L'édition pour la jeunesse

BLAMPAIN Daniel, *La Littérature de jeunesse: pour un autre usage*, Nathan, Paris, 1979.

BRUN Philippe, *Histoire de Spirou et des publications Dupuis*, Glenet, Grenoble, 1981.

CARADEC François, *Histoire de la littérature enfantine en France*, Albin Michel, Paris, 1977.

CLAVERIE Jean, CLERC Christian, DELESSERT Etienne *et alii*, *Images à la page. Une histoire de l'image dans les livres pour enfant*, Gallimard, Paris, 1984.

CRÉPIN Thierry, *Haro sur le gangster! La Presse enfantine entre acculturation et moralisation (1934-1954)*, Éditions du CNRS, Paris, 2001.

DANSET-LEGER Jacqueline, *L'Enfant et les images de la littérature enfantine*, Éditions Pierre Mardaga, Paris, 1988.

DURAND Gérard, *L'Image dans le livre pour enfants*, L'École des loisirs, Paris, 1975.

ESCARPIT Denise, *La Littérature d'enfance et de jeunesse*, Presses universitaires de France, Paris, 1981.

Arnaud Berquin (1747-1791) : bicentenaire de « L'Ami des enfants », Nous voulons lire !, Pessac, 1983.

FILIPPINI Henri, GLENAT Jacques, MARTENS Thierry et SADOUL Numa, *Histoire de la bande dessinée en France et en Belgique*, réédition : Glénat, Paris, 1984.

FOURMENT Alain, *Histoire de la presse des jeunes et des journaux d'enfants (1768-1988)*, Éole, Paris, 1988.

GAUMER Patrick, *Les Années Pilote : 1950-1989*, Dargaud, Paris, 1996.

GLENISSON Jean et LE MEN Ségolène, *Le Livre d'enfance et de jeunesse en France, illustrations et BD*, Société des bibliophiles de Guyanne, Bordeaux, 1994.

HAVELANGE Isabelle et LE MEN Ségolène, *Le Magasin des enfants. La Littérature pour la jeunesse : 1750-1830*, bibliothèque Robert Desnos, Montreuil, 1988.

– *L'Heure Joyeuse : soixante-dix ans de jeunesse*, L'Heure Joyeuse, Paris, 1994.

HUGUET Françoise, *Les Livres pour l'enfance et la jeunesse de Gutenberg à Guizot. Les Collections de la Bibliothèque de l'institut national de recherche pédagogique*, Klincksieck-INRP, Paris, 1997.

JAN Isabelle, *La Littérature enfantine*, Éditions ouvrières, Paris, 1985.

LATZARUS Marie-Thérèse, *La Littérature enfantine en France dans la seconde moitié du dix-neuvième siècle*, (étude précédée d'un rapide aperçu des l ectures des enfants en France avant 1860), Presses universitaires de France, Paris, 1923.

Livre Mon Ami : Lectures enfantines : 1914-1954, Agence culturelle de Paris, Paris, 1991.

MANSON Michel, *Rouen, le livre et l'enfant de 1700 à 1900. La Production rouennaise de manuels et de livres pour l'enfance et la jeunesse*, Musée national de l'éducation-INRP, Paris, 1993.

MOLITERNI Claude, *Histoire de la bande dessinée d'expression française*, : Serg, Ivry, 1972.

Histoire mondiale de la bande dessinée, Horay, Paris, 1989.

ORY Pascal, *Le Petit Nazi illustré : une pédagogie hitlérienne en culture française, « Le Téméraire », 1943-1944*, Albatros, Paris, 1979.

PARMÉGIANI Claude-Anne, *(Les) Petits Français illustrés, 1860-1940. L'Illustration pour enfants en France de 1860 à 1940, les modes de représentation, les grands illustrateurs, les formes éditoriales*, Éditions du Cercle de la librairie, Paris, 1989.

PARMÉGIANI Claude-Anne (sous la direction de), *Lectures, livres et bibliothèques pour enfants*, Éditions du Cercle de la Librairie, Paris, 1993.

PERROT Jean, *Jeux et enjeux du livre d'enfance et de jeunesse*, Éditions du Cercle de la Librairie, Paris, 1999.

RAGACHE Gilles, *Les Enfants de la guerre : vivre, survivre, lire et jouer en France. 1939-1949*, Perrin, Paris, 1997.

RENONCIAT Annie (sous la direction de), *Livres d'enfance, livres de France. The changing face of children's literature in France*, Hachette, Paris, 1998.

ZOUGHEBI Henriette, *Guide Européen du livre de jeunesse*, Éditions du Cercle de la librairie, Paris, 1994.

LA LECTURE ET LES BIBLIOTHÈQUES

Histoire des bibliothèques françaises, Éditions du Cercle de la Librairie-Promodis, Paris, 1989-1992. (4 volumes)

– Tome III : VARRY Dominique (sous la direction de), *Les Bibliothèques de la Révolution et du dix-neuvième siècle, 1789-1914*, 1991.

– Tome IV : POULAIN Martine (sous la direction de), *Les Bibliothèques au vingtième siècle, 1914-1990*, 1992.

ALLEN James Smith, *In the public eye : A history of reading in Modern France, 1800-1840*, Princeton University Presse, Princeton, 1991.

AROT Dominique, *Les Bibliothèques en France. 1991-1997*, Éditions du Cercle de la librairie, Paris, 1998.

BARNETT Graham Keith, *Histoire des bibliothèques publiques en France, de la Révolution à 1939*, Éditions du Cercle de la librairie, Paris, 1987.

BAPTISTE-MAREY Jean-Claude, *Esquisse d'un discours sur le livre,* Le Temps qu'il fait, Cognac, 1986.

– *Éloge des bibliothèques*, Éditions DIF/Helikon, Paris, 2000.

BAUDELOT Christian *et alii, Et pourtant ils lisent...*, Le Seuil, Paris, 1999.

BERTRAND Anne-Marie, *Les Villes et leurs bibliothèques : légitimer et décider, 1945-1985,* Électre-Éditions du Cercle de la Librairie, Paris, 1999.

– *Les Bibliothèques,* La Découverte, Paris, 1998.

CAVALLO Guglielmo et CHARTIER Roger (sous la direction de), *Histoire de la lecture dans le monde occidental,* Le Seuil, Paris, 1997.

CHARTIER Anne-Marie et HÉBRARD Jean, *Discours sur la lecture. 1880-2000,* Fayard, Paris, 2000.

CHARTIER Roger (sous la direction de), *Histoires de la lecture. Un bilan des recherches, (*actes du colloque des 29 et 30 janvier 1993), IMEC-éditions-Éditions de la Maison des sciences de l'homme, Paris, 1995.

CHRISTIN Anne-Marie (sous la direction de), *Espaces de la lecture*, Retz, Paris, 1988.

DUBOIS Vincent et POIRRIER Philippe, *Politiques locales et enjeux culturels. Les Clochers d'une querelle, dix-neuvième-vingtième siècles,* La Documentation française, Paris, 1998.

ESCARPIT Robert (sous la direction de), *Le Littéraire et le social : éléments pour une sociologie de la littérature,* Flammarion, Paris, 1970.

FALCONER Graham (sous la direction de), *Autour d'un cabinet de lecture,* Centre d'études du XIXe siècle, Toronto, 2001.

GESTIN Daniel, *Scènes de lecture : Le Jeune Lecteur en France dans la première moitié du dix-neuvième siècle,* Presses universitaires de Rennes, 1998.

HORELLOU-LAFARGE Chantal et SEGRÉ Monique, *Regards sur la lecture en France : Bilan des recherches sociologiques,* L'Harmattan, Paris, 1996.

LEENHARDT Jacques et JOZSA Pierre, *Lire la lecture. Essai de sociologie de la lecture,* Le Sycomore, Paris, 1982.

LYONS Martyn, *Le Triomphe du livre : Une histoire sociologique de la lecture dans la France du dix-neuvième siècle,* Promodis-Éditions du Cercle de la Librairie, Paris, 1987.

MANGUEL Alberto, *Une histoire de la lecture,* Actes Sud, Paris, 1998.

MAUGER Gérard, POLIAK Claude, PUDAL Bernard, *Histoires de lecteurs,* Nathan, Paris, 1999.

MESSERLI Alfred et CHARTIER Roger (sous la direction de), *Lesen und schreiben in Europa. 1500-1900,* Schwabe, Bâle, 2000.

MOLLIER Jean-Yves, *La Lecture et ses publics à l'époque contemporaine. Essais d'histoire culturelle,* Presses universitaires de France, Paris, 2001.

PARENT-LARDEUR Françoise, *Lire à Paris au temps de Balzac. Les Cabinets de lecture à Paris. 1815-1830,* Éditions de l'EHESS, Paris, 1981.

– *Les Cabinets de lecture. La lecture publique à Paris sous la Restauration,* Payot, Paris, 1982.

PINGAUD Bernard, *Le Droit de lire pour une politique coordonnée du livre et de la lecture,* ministère de la Culture, Paris, 1989.

PINGAUD Bernard et BARREAU Jean-Claude, *Pour une politique nouvelle des livres et de la lecture*, Dalloz, Paris, 1982.

PITTELOUD Jean-François, *« Bons » Livres et « mauvais » lecteurs. Politiques de promotion de la lecture populaire à Genève au dix-neuvième siècle,* Société d'histoire et d'archéologie, Genève, 1998.

POULAIN Martine, *Pour une sociologie de la lecture : lectures et lecteurs dans la France contemporaine*, Éditions du Cercle de la librairie, Paris, 1988.

Lire en France aujourd'hui, Éditions du Cercle de la librairie, Paris, 1993.

QUÉNIART Jean, *Les Français et l'écrit, treizième-dix-neuvième siècle,* Hachette littérature, Paris, 1998.

RICHTER Noé, *La Lecture et ses institutions. La Lecture populaire : 1700-1918,* Plein Chant, Bassac, 1987.

– *La lecture et ses institutions. La Lecture publique : 1919-1989*, Plein Chant, Bassac, 1989.

– *Introduction à l'histoire de la lecture publique et à la bibliothéconomie populaire*, À l'enseigne de la queue du chat, Bernay, 1995.

– *L'Œuvre des Bons Livres de Bordeaux : les années de formation : 1812-1840*, Société d'histoire de la lecture, Bernay, 1997.

ROBINE Nicole, *Lire des livres en France des années 1930 à 2000*, Éditions du Cercle de la Librairie, Paris, 2000.

SAINT-JACQUES Denis, *L'Acte de lecture*, Nota Bene, Québec, 1998.

SEIBEL Bernadette, *Lire, faire lire : des usages de l'écrit aux politiques de lecture*, Le Monde éditions, Paris, 1995.

Sociétés et cabinets de lecture entre lumières et romantisme (actes du colloque du 20 novembre 1993), Société de lecture, Genève, 1996.

LE MONDE DES REVUES

BARROT Olivier et ORY Pascal, *« La Revue blanche » : histoire, anthologie, portraits*, nouvelle édition revue et augmentée : UGE, Paris, 1993.

BÉHAR Henri (sous la direction de), *« Europe » : une revue de culture internationale. 1923-1998*, Europe, Paris, 1998.

BOSCHETTI Anna, *Sartre et « Les Temps modernes ». Une entreprise intellectuelle*, Éditions de Minuit, Paris, 1985.

CARIGUEL Olivier, *Les Cahiers du Rhône dans la guerre, 1941-1945*, Publications de l'Université, Fribourg, 1999.

CHEVREFILS DESBIOLLES Yves, *Les Revues d'art à Paris 1905-1940*, Ent'revues, Paris, 1993.

CONSOLINI Marco, *« Théâtre populaire ». 1953-1964. Histoire d'une revue engagée*, IMEC-éditions, Paris, 1998

HEBEY Pierre, *La NRF des années sombres (juin 1940-juin 1941). Des intellectuels à la dérive*, Gallimard, Paris, 1992.

JULLIARD Jacques et WINOCK Michel, *Dictionnaire des intellectuels français*, Le Seuil, Paris, 1996.

KERBELLEC Philippe et CERISIER Alban, *« Mercure de France », une anthologie. 1890-1940*, Mercure de France, Paris, 1997.

LESCURE Jean, *Poésie et liberté : histoire de « Messages », 1939-1946*, Éditions de l'IMEC, Paris, 1998.

MASCAROU Alain, *Les Cahiers de « L'Éphémère ». 1967-1972. Tracés ininterrompus*, L'Harmattan, Paris 1998.

MOUSLI Béatrice, *« Intentions ». Histoire d'une revue littéraire des années vingt*, Ent'revues, Paris, 1995.

PAIRE Alain, *Chronique des « Cahiers du Sud » 1914-1966*, IMEC-éditions, Paris, 1993.

PATRON Sylvie, *« Critique », 1946-1996 : une encyclopédie de l'esprit moderne*, IMEC-éditions, Paris, 2000.

RIEFFEL Rémy, *La Tribu des clercs. Les intellectuels sous la cinquième République. 1958-1990*, Calmann-Lévy, Paris, 1993.

WINOCK Michel, *« Esprit ». Des intellectuels dans la cité, (1930-1950)*, réédition, Le Seuil, « Points », 1996.

LA LIBRAIRIE D'OCCASION ET LA LIBRAIRIE DE DÉTAIL

AUDION-BAUDRY, *Histoire d'un libraire de province. Lanoé à Nantes de 1838* à *nos jours*, Presses universitaires de France, Paris, et Le Passeur-Cecofop, Nantes, 1990.

BRILLARD DE NOUVION, *Un siècle de librairie parisienne. La librairie Fontaine*, 1993.

CHARON Annie et PARINET Élisabeth, *Les Ventes de livres et leurs catalogues. Dix-septième-vingtième siècles*, École des Chartes, 2000.

CHOLLET Denis, *Le Minotaure. Souvenirs d'une librairie de Paris, 1948-1987*, Éditions France-Europe, Nice, 2001.

COLIN Jean-Pierre et VANNEREAU Norbert, *Libraires en mutation ou en péril ?*, Publisud, Paris, 1990.

GHEERBRANT Bernard, *Le Club des libraires de France 1953-1966*, IMEC-éditions, Paris, 1997.

— *À La Hune. Histoire d'une librairie-galerie à Saint-Germain-des-Prés*, Adam Biro-centre Georges Pompidou, Paris, 1988.

LEBLANC Frédérique, *Libraire, de l'histoire d'un métier, à l'élaboration d'une identité professionnelle*, L'Harmattan, Paris, 1997.

MINON Marc, *Chaînes et groupements de libraires en Europe. Cahiers de l'économie du livre*, Hors-série n° 2, 1991.

MOLLIER Jean-Yves, *Le Commerce de la librairie en France au dix-neuvième siècle. 1789-1914*, IMEC-éditions, Paris, 1997.

MONNIER Adrienne, *Rue de l'Odéon*, Albin Michel, Paris, 1960.

NERET Jean-Alexis, *Histoire illustrée de la librairie et du livre français*, Lamarre, Paris, 1953.

LA LIBRAIRIE ÉTRANGÈRE EN FRANCE

BALAGNER Josée, *L'Imprimerie arabe en Occident. Seizième, dix-septième, dix-huitième siècles*, Paris, 1984.

BARRET-DUCROCQ Françoise, *Traduire l'Europe*, Payot, Paris, 1992.

BERGER Philippe *et alii*, *Histoire du livre et de l'édition dans les pays ibériques. La dépendance*, Presses universitaires de Bordeaux, 1986.

BOTREL Jean-François, *Libros, prensa y lectura en la Espana del siglo diez y nueve*, Fondacion German Sanchez Ruipérez, Madrid, 1993.

COOPER-RICHET Diana, *Galignani*, Librairie Galignani, 1999.

FORD Hugh, *Published in Paris. L'édition américaine et anglaise à Paris. 1920-1939*, IMEC-éditions, 1996.

GIRODIAS Maurice, *Une journée sur la terre*, La Différence, Paris, 1990.

JEANBLANC Helga, *Des Allemands dans l'industrie et le commerce du livre à Paris. 1811-1870*, CNRS éditions, 1994.

VAN HOOF Henri, *Histoire de la traduction en Occident*, Duculot, Paris, 1991.

L'ÉDITION DEPUIS 1950

BORDAS Pierre, *L'Édition est une aventure. Mémoires*, Éditions de Fallais, Paris, 1997.

BOUVAIST Jean-Marie, BOIN Jean-Guy, *Du printemps des éditeurs à l'âge de raison. Les nouveaux éditeurs en France. 1974-1988*, La Documentation française-Sofédis, Paris, 1989.

BRETON Jacques, *L'Édition française contemporaine : aide-mémoire*, Centre régional de formation professionnelle de bibliothécaires, Massy, 1985.

– *Le Livre français contemporain : manuel de bibliologie*, Solin, Malakoff, 1988.

CHARPENTIER Benoît et PARISIS Jean-Marc, *Carnets intimes de l'édition française*, La Désinvolture-Quai Voltaire, Paris, 1989.

CHAUMARD Fabien, *Le Commerce du livre en France : entre économie et culture*, L'Harmattan, Paris, 1998.

CORTI José, *Souvenirs désordonnés*, José Corti, Paris, 1983.

ESTABLET Roger et FELOUZIS Georges, *Livre et télévision : concurrence ou interaction ?*, Presses universitaires de France, Paris, 1992.

GUÉGAND Gérard, *Ascendant Sagittaire. Une histoire subjective des années soixante-dix*, Parenthèses, Marseille, 2001, 427 p.

PIAULT Fabrice, *Le Livre. La fin d'un règne*, Stock, Paris, 1995.

ROUET François, *Le Livre : mutations d'une industrie culturelle*, nouvelle édition : La Documentation française, Paris, 2000.

SUREL Yves, *L'État et le livre. Les politiques publiques du livre en France. 1957-1993*, L'Harmattan, Paris, 1997.

SPIRE Antoine et VIALA Jean-Pierre, *La Bataille du livre*, Éditions sociales, Paris, 1976.

VERNY Françoise, *Le Plus Beau Métier du monde*, Olivier Orban, Paris, 1990.

LE LIVRE D'ART ET L'ILLUSTRATION

BAETENS Jan, *Du roman-photo*, Les Impressions nouvelles, Paris, 1994.

CHAPON François, *Le Peintre et le livre. L'Âge d'or du livre illustré en France, 1870-1970*, Flammarion, Paris, 1987.

DUCHARTRE Pierre-Louis et SAULNIER René, *L'Imagerie populaire. Les Images de toutes les provinces françaises du quinzième siècle au second Empire*, Librairie de France, Paris, 1925.

GOURÉVITCH Jean-Pierre, *Images d'enfances. Quatre siècles d'illustrations du livre pour enfants*, Éditions Alternatives, Paris, 1994.

HAMON Philippe, *Imageries, littérature et image au dix-neuvième siècle*, José Corti, Paris, 2001.

KAENEL Philippe, *Le Métier d'illustrateur, 1830-1880: Rodolphe Töppfer, Jean-Jacques Grandville, Gustave Doré*, Messenne, Paris, 1996.

LE MEN Ségolène, *Les Abécédaires français illustrés du dix-neuvième siècle*, Promodis, Paris, 1984.

Les Alliés substantiels ou le livre d'artiste au présent, Pays-Paysage, Uzerche, 1993.

Le Livre et l'artiste: Tendances du livre illustré français, 1967-1976, Bibliothèque nationale, Paris, 1977.

LECOQ Benoît, *Le Corps du livre: L'Œuvre éditoriale de Gervais Jassaud*, Bibliothèque du Carré d'Art, Nîmes, 1998.

MALAVIELLE Sophie, *Reliures et cartonnages d'éditeurs en France au dix-neuvième siècle. 1815-1865*, Promodis, Paris, 1985.

MALDINEY Henry, *L'Espace du livre*, La Sétérée, Crest, 1990.

MASSIN, *La Lettre et l'image*, Gallimard, Paris, 1970.

MELOT Michel, *L'Illustration*, Skira, Genève, 1984.

MOEGLIN-DELCROIX Anne, *Livres d'artistes*, Herscher-centre Georges Pompidou, Paris, 1985.

– *Esthétique du livre d'artiste, 1960-1980*, BNF, Paris, 1997.

NIES Fritz, *Imagerie de la lecture*, PUF, Paris, 1995.

Peintres-illustrateurs du vingtième siècle: Aimé Maeght bibliophile, deux cents éditions originales, Fondation Maeght, Saint-Paul, 1986.

Peinture et écriture. Le Livre d'artiste, La Différence-Éditions de l'Unesco, Paris, 1997.

SOUSA Jörge DE, *La Mémoire lithographique: deux cents ans d'images*, Éditions arts et métiers du livre, Paris, 1998.

STRACHAN Walter John, *The artist and the book in France: The twentieth century «livre d'artiste»*, P. Owen, London, 1969.

TILLIER Bertrand, *La RépubliCature: La Caricature politique en France (1870-1914)*, Éditions du CNRS, Paris, 1997.

L'AUTEUR ET LE CHAMP LITTÉRAIRE

BARTHES Roland, «La mort de l'auteur», *Le Bruissement de la langue. Essais critiques IV*, Le Seuil, «Essais», Paris, 1984.

BENICHOU Paul, *Le Sacre de l'écrivain. Essai sur l'avènement d'un pouvoir spirituel laïque dans la France moderne*, José Corti, Paris, 1973.

BOLLEME Geneviève, *Parler d'écrire*, Le Seuil, Paris, 1993.

BOURDIEU Pierre, *Les Règles de l'art. Genèse et structure du champ littéraire*, Le Seuil, Paris, 1992.

CASANOVA Pascale, *La République mondiale des lettres*, Le Seuil, Paris, 1998.

CONTAT Michel, *L'Auteur et le manuscrit*, Presses universitaires de France, Paris, 1991.

DEL CASTILLO Michel, *Droit d'auteur*, Stock, Paris, 2000.

DEGUY Michel, *Le Comité. Confessions d'un lecteur de grande maison*, Champ Vallon, Seyssel, 1988.

DUBOIS Jacques, *L'Institution de la littérature. Introduction à une sociologie*, Labor, Bruxelles, 1978.

ESCARPIT Robert, *Le Littéraire et le social*, Flammarion, Paris, 1970.

FAULTRIER Sandra TRAVERS de, *Droit et littérature. Essai sur le nom de l'auteur*, PUF, Paris, 2001.

FERGUSON Priscilla P., *La France, nation littéraire*, traduction française: Labor, Bruxelles, 1991.

GOULEMOT Jean-Marie et OSTER Daniel, *Gens de lettres, écrivains et bohèmes. L'Imaginaire littéraire. 1630-1900*, Minerve, Paris, 1992.

HEINICH Nathalie, *Être écrivain*, La Découverte, Paris, 2000.

– *L'Épreuve de la grandeur. Prix littéraires et reconnaissance*, La Découverte, Paris, 1999.

LOUGH John, *L'Écrivain et son public*, Le Chemin vert, Paris, 1987.

MONTAGNE Édouard, *Histoire de la Société des gens de lettres*, Éditions de la SGDL, Paris, 1988.

OSTER Daniel, *L'Individu littéraire*, Presses universitaires, Paris, 1997.

PLANTE Christine, *La Petite Sœur de Balzac. Essai sur la femme auteur*, Le Seuil, Paris, 1989.

VESSILIER-RESSI Michèle, *Le Métier d'auteur. Comment vivent-ils ?* Dunod, Paris, 1982.

VIALA Alain, *Naissance de l'écrivain*, Éditions de Minuit, Paris, 1985.

LE LIVRE ÉLECTRONIQUE

BERA Michel et MECHOULAN Éric, *La Machine internet*, Odile Jacob, Paris, 1999.

BRETON Philippe, *Le Culte de l'internet. Une menace pour le lien social ?*, La Découverte, Paris, 2000.

– *L'Utopie de la communication*, La Découverte, Paris, 1997.

– *La Tribu informatique. Enquête sur une passion moderne*, Metaillé, Paris, 1990.

DE LA VEGA Josette F., *La Communication scientifique à l'épreuve de l'internet*, Presses de l'ENSSIB, Villeurbanne, 2000.

LE DIBERDER Alain, *Histoire d'@. Abécédaire du cyber*, La Découverte, Paris, 2000.

LEVY Pierre, *World Philosophie*, Odile Jacob, Paris, 2000.

MATTELARD Armand, *Histoire de l'utopie planétaire. De la cité prophétique à la cité globale*, La Découverte, Paris, 1999.

MCLUHAN Marshall, *La Galaxie Gutenberg*, (traduction française), Gallimard, «Idées», Paris, 1977.

MCLUHAN Marshall et FIOREC Quentin, *Guerre et paix dans le village planétaire*, traduction française : Robert Laffont, «Libertés», Paris, 1970.

MUSSO Pierre, *Télécommunications et philosophie des réseaux. La Postérité paradoxale de Saint-Simon*, Presses universitaires de France, Paris, 1997.

NEVEU Erik, *Une société de communication ?*, Montchrestien, Paris, 1994.

Les Savoirs déroutés. Experts, documents, supports, règles, valeurs et réseaux numériques, Presses de l'ENSSIB, Lyon, 2000.

SCHNEIDERMANN Daniel, *Les Folies d'internet*, Fayard, Paris, 2000.

WIENER Norbert, *Cybernétique et société*, traduction française : Paris, Éditions des Deux Rives, 1952 et UGE, Paris, 1971.

WOLTON Dominique, *Internet et après ? Une théorie critique des nouveaux médias*, Flammarion, Paris, 1999.

TABLE DES MATIÈRES

Achevé d'imprimer en février 2002
sur système Variquik
par l'imprimerie SAGIM
à Courtry (77)

Février 2002
Numéro d'imprimeur : 5668